ISTO É
REIKI

FRANK ARJAVA PETTER

ISTO É
REIKI

DAS ORIGENS TRADICIONAIS JAPONESAS AO USO PRÁTICO
CURA PARA O CORPO, A MENTE E O ESPÍRITO

Tradução:
FLÁVIO QUINTILIANO

Revisão técnica:
JORGE VIDAL
Shihan pelo Jikiden Reiki Kenkyukai de Kyoto

Editora
Pensamento
SÃO PAULO

Título do original: *Das Ist Reiki*.

Copyright © 2009 Windpferd Verlagsgesellschaft mbH, Obersdorf
Publicado mediante acordo com a Schneelöwe Verlagsberatung & Verlag, 87361 Oberstdorf, Germany.
Copyright da edição brasileira © 2013 Editora Pensamento-Cultrix Ltda.

1ª edição 2013.

5ª reimpressão 2021.

Todos os direitos reservados. Nenhuma parte desta obra pode ser reproduzida ou usada de qualquer forma ou por qualquer meio, eletrônico ou mecânico, inclusive fotocópias, gravações ou sistema de armazenamento em banco de dados, sem permissão por escrito, exceto nos casos de trechos curtos citados em resenhas críticas ou artigos de revistas.

A Editora Pensamento não se responsabiliza por eventuais mudanças ocorridas nos endereços convencionais ou eletrônicos citados neste livro.

Editor: Adilson Silva Ramachandra
Editora de texto: Denise de C. Rocha Delela
Coordenação editorial: Roseli de S. Ferraz
Preparação de originais: Roseli de S. Ferraz
Produção editorial: Indiara Faria Kayo
Assistente de produção editorial: Estela A. Minas
Editoração eletrônica: Join Bureau
Revisão: Claudete Agua de Melo e Vivian Miwa Matsushita

Dados Internacionais de Catalogação na Publicação (CIP)
(Câmara Brasileira do Livro, SP, Brasil)

Petter, Frank Arjava
  Isto é Reiki: das origens tradicionais japonesas ao uso prático: cura para o corpo, a mente e o espírito / Frank Arjava Petter; tradução Flávio Quintiliano; revisão técnica Jorge Vidal. – São Paulo: Pensamento, 2013.

  Título original: Das Ist Reiki.
  ISBN 978-85-315-1823-2

  1. Medicina holística 2. Reiki (Sistema de cura) I. Título.

13-01598

CDD-615.852

Índices para catálogo sistemático:
1. Reiki: Sistema universal de cura   615.852

Direitos de tradução para a língua portuguesa adquiridos com exclusividade pela
EDITORA PENSAMENTO-CULTRIX LTDA que se reserva a
propriedade literária desta tradução.
Rua Dr. Mário Vicente, 368 – 04270-000 – São Paulo – SP
Fone: (11) 2066-9000
http://www.editorapensamento.com.br
E-mail: atendimento@editorapensamento.com.br
Foi feito o depósito legal.

Dedicatória

Dedico este livro a Chetna Mami Kobayashi, que me acompanhou por muitos anos em meu percurso de vida. Sem você, nada seria como é agora. Por isso, devo-lhe gratidão – ainda que nossos caminhos tenham se separado depois.

Em memória de Tsutomu Oishi.

"O que o Reiki significa para você? – Amor."

— Chiyoko Sensei —

Sumário

Agradecimentos 9
Prefácio 11

Introdução 13
A palavra "Reiki" 13
Shin Shin Kaizen Usui Reiki Ryoho 18
Gokai: regras de conduta do Reiki (os cinco princípios do Reiki) 21
Conceitos japoneses importantes para entender o Reiki 24

PRIMEIRA PARTE:
HISTÓRIA CONCISA DO REIKI
Usui Sensei e a associação Usui Reiki Ryoho Gakkai 35
Hayashi Sensei e a Hayashi Reiki Kenkyukai 88
O Reiki no Japão – Minhas investigações 95
Os Yamaguchi – Uma família devotada ao Reiki 101

SEGUNDA PARTE:
ROTEIRO TURÍSTICO DO REIKI
Conhecendo o Japão 121
O Kurama Dera 121
Memorial de Usui 140
Taniai 148

TERCEIRA PARTE:
ANTECEDENTES HISTÓRICOS, CULTURAIS E
RELIGIOSOS DO REIKI
Um encontro 155
Origens do símbolo da cura mental 156
Grupos relacionados com o Reiki na época de Usui Sensei 168

QUARTA PARTE:
USO PRÁTICO DO REIKI

A cura pelo Reiki 181
Anamnese e anotações de tratamento 186
Aspectos psicológicos e neuropsicológicos 188
Byosen: a etapa mais importante da cura pelo Reiki 192
Técnicas japonesas de Reiki 213

Epílogo 249

Apêndice 251
O manual de Koyama Sensei 251
"O Reiki Ryoho e meu método para conservar a saúde",
por Gizo Tomabechi 255
Entrevista com Fumio Ogawa 258
Entrevista com Chiyoko Yamaguchi 265

Créditos 275

Agradecimentos

Muitas pessoas colaboraram, consciente ou inconscientemente, para o surgimento deste livro. Todos os meus professores e alunos, todos os meus leitores e até aqueles que não compartilham minha opinião (ou que escolheram outro caminho) deram sua contribuição. Algumas dessas pessoas são mencionadas abaixo. Agradeço às outras de todo o coração.

Obrigado

A minha mãe Rosemarie Petter, que sempre me apoiou em tudo o que faço. A meu pai Hans-Georg Petter, por sua ajuda "lá do alto". A meu mestre Osho, a quem devo meu nascimento espiritual. A meu irmão Martin Raj Petter, que há muitos anos despertou minha paixão pelo Reiki. A Chetna Mami Kobayashi, minha ex-mulher. A Shizuko Akimoto, que me proporcionou os primeiros contatos com a Usui Reiki Ryoho Gakkai. A Tsutomu Oishi, por sua confiança em mim e pela foto maravilhosa de Usui Sensei. A Fumio Ogawa, pela generosidade de ter compartilhado seus conhecimentos conosco. A Jikiden Reiki *Shihan* Masaki Nishima, pelos excertos das anotações de Gizo Tomabechi. A Walter Lübeck, por ter me introduzido no roteiro geográfico do Reiki. A William Lee Rand, por sua ajuda em meu começo difícil. A Ageh e Unmesha Popat, por trinta anos de amizade e pelos ensinamentos de Reiki ocidental em minha formação como professor de Reiki. A Tadao Yamaguchi, pela colaboração fecunda, por suas pesquisas incansáveis e pela amizade. A Ikuko Hirota, Hideko Teranaka e Hiroko Arakawa, pelo trabalho incansável no Instituto de Jikiden Reiki. Além disso, agradeço a Hiroko Arakawa, pelos maravilhosos ideogramas *kanji*, escritos à mão.

A Akiko Sato, pela tradução dos textos japoneses e pelas muitas horas de reflexão e pesquisa.

A minha assistente editorial Silke Kleemann, pelo trabalho excelente, como das outras vezes, e pelas ideias criativas.

Aos meus editores Monika e Wolfgang Jünemann, que ao longo dos anos sempre me apoiaram com sua sabedoria e compreensão. À equipe da editora Windpferd, pela produção cuidadosa deste livro.

A minha mulher Georgia, a minha filha Cristina e ao meu filho Alexis, por terem entrado em minha vida e por terem tolerado minha preocupação exclusiva durante a redação deste livro.

Prefácio

Querido leitor!

Este livro é minha declaração de amor pelo Reiki.

O Reiki mudou minha vida de maneira decisiva e deu-lhe uma forma nova. Essa forma nova é a matéria informe que impulsiona e justifica a existência de todos os seres humanos.

Nos meus primeiros livros, ocupei-me, sobretudo com pesquisas e investigações. Eu queria explicar o Reiki em todos os seus aspectos, situando-o corretamente no contexto histórico e cultural. Alguma voz dentro de mim me dizia que era preciso contar a verdadeira história do Reiki, afastar os preconceitos do caminho e livrar o Reiki de toda a carga de distorções e mal-entendidos.

Com os anos, eu mesmo fui me afastando de todas as cargas negativas, de modo que no final só restou o amor pelo Reiki. Espero que esse amor fique evidente nas próximas páginas e ilumine o coração do leitor. Nos vários capítulos deste livro, quero compartilhar com você minhas experiências e minhas descobertas em dezesseis anos de trabalho com o Reiki. Ao longo desse período, minha maneira de encarar o Reiki e seus efeitos sobre a saúde mudou bastante, amadurecendo por meio da prática e do intercâmbio com meus colegas e alunos.

Na Introdução, tentarei apresentar a você meu atual ponto de vista sobre o Reiki – uma energia espiritual que reside em cada ser humano e que nos acompanha no caminho para a simplicidade e para o esplendor de nossa natureza verdadeira. Também tentarei explicar em detalhes alguns conceitos e expressões japonesas que são essenciais para a compreensão do Reiki.

A Primeira Parte do livro traz uma visão profunda da história do Reiki. Pela primeira vez, todas as informações históricas sobre o Reiki e seus fundadores que puderam ser comprovadas até hoje foram reunidas num único livro. Elas são complementadas por informações de praticantes que devotaram sua vida ao Reiki – minha querida professora Chiyoko Yamaguchi, Koyama

Sensei, ex-presidente da Usui Reiki Ryoho Gakkai, Ogawa Sensei e o Sr. Oishi. Para mim, querido leitor, é um grande prazer dar a você uma oportunidade de aprender com esses mestres, tal como aconteceu comigo. Por isso, apresento no Apêndice as transcrições diretas de minhas entrevistas com Chiyoko Yamaguchi e Ogawa Sensei, além de trechos do livro de ensinamentos de Koyama Sensei.

Na Segunda Parte, levarei você para uma viagem turística pelo Japão, percorrendo paisagens e monumentos do Reiki: o monte Kurama em Kyoto, o túmulo de Usui Sensei no Cemitério Saihoji de Tóquio, a aldeia Taniai, onde nasceu Usui Sensei etc.

As raízes budistas do Reiki e sua evolução ao longo dos séculos são discutidas na Terceira Parte – enquanto a Quarta Parte trata exclusivamente do uso prático do Reiki. Aqui, apresento os métodos japoneses de cura e tento explicar sobretudo o *Byosen* – que são a essência do tratamento e a chave de uma cura realmente eficaz.

E com isso chego ao aspecto mais importante do Reiki – você, querido leitor. É você que traz ao mundo a luz do Reiki. Na verdade, você *é* o Reiki. Espero que goste desta leitura e desejo-lhe muito prazer e alegria na prática do Reiki. Não há nada mais belo neste mundo.

Introdução

"O Reiki conquistará o mundo para curar seus habitantes e até o próprio planeta" é uma frase gravada na pedra memorial de Usui Sensei, no Cemitério Saihoji de Tóquio. Essa frase é um dos poucos prognósticos que conheço que realmente se tornaram realidade. Em todos os países do mundo e em milhões de corações, o Reiki é praticado em suas diversas formas e usos. O motivo disso consiste num fato simples. Usui Sensei explica: "Todos os seres insuflados pelo sopro da vida (ou seja, aos quais Deus concedeu uma alma) podem praticar o Reiki." Eu gostaria de explicar melhor essa frase. Na época de Usui, o conceito japonês de "Reiki" significava "energia espiritual". Os japoneses partem do princípio de que Deus concede uma alma a cada pessoa em seu percurso de vida. Essa alma vive na mente da pessoa ao longo da atual encarnação.

Depois da morte do corpo físico, a alma se liberta num prazo de 49 dias e, então, vai "para casa". Depois de algum tempo, ela encarna mais uma vez num corpo novo, no próximo giro da eterna roda-gigante da vida.

Essa alma ou energia espiritual é reativada pelo efeito harmonioso do Reiki, e com isso o praticante se lembra de sua natureza primitiva, sua essência original. Os conhecimentos sobre a alma não pertencem a uma religião ou seita específicas, pois está presente em todas as culturas. Por isso, qualquer pessoa pode praticar o Reiki.

O Reiki não se baseia numa determinada filosofia ou religião. No entanto, ele surgiu a partir da língua e da cultura japonesas. Para entender o Reiki nesse contexto, eu gostaria de explicar a você os conceitos mais importantes do Reiki.

1. O símbolo do "Reiki" em ideogramas gravados na pedra memorial de Usui Sensei

A palavra "Reiki"

A palavra japonesa "Reiki" consiste em dois *kanji* (ideogramas chineses). No século IV d.C., esses ideogramas foram introduzidos no Japão através da

China e da Coreia. Na tradição xintoísta, os *kanji* são comparados às aves, mensageiras dos deuses. Conta-se que as aves deixaram suas pegadas gravadas na areia da praia, e os homens imitaram esses traços porque eram mensagens dos deuses.

Na língua japonesa, os *kanji* podem representar uma ideia, um conceito, uma coisa ou um som. Os *kanji* mais simples são desenhos inspirados na natureza. Por exemplo, os *kanji* que significam "montanha" ou "rio" representam graficamente, com bastante clareza, aquilo que significam. Mas a coisa é mais complicada com os conceitos. Eles se compõem de vários elementos gráficos nos quais não se consegue mais reconhecer as imagens originais.

Existem cerca de 5.000 *kanji* japoneses, e na língua chinesa são usados quase 50.000. Para a comunicação na vida cotidiana, bastam cerca de 1.500 a 2.000 *kanji*.

O significado original de cada ideograma é um tema que divide as opiniões dos estudiosos. A seguir, apresentarei algumas das possibilidades de interpretação que me parecem mais prováveis.

O ideograma "*rei*", ou "alma"

O primeiro ideograma, *"rei"*, pode ser dividido em três partes. A primeira significa *"ame"*, ou chuva. O Japão é um país vulcânico. Juntamente com a chuva, as cinzas vulcânicas produzem um solo fértil. Por isso, a chuva representa fertilidade e ao mesmo tempo a bênção do cosmos que cai sobre a terra. No xintoísmo, a religião japonesa primitiva, a chuva é associada a vários deuses. Os mais importantes entre eles são Ame no Minakanushi No Mikito e Ame No Shihomimino Mikoto, filho da deusa principal Amaterasu Omikami ("grande deusa que ilumina o céu").

O ideograma *"ame"* é escrito da seguinte maneira:

O segundo componente do ideograma *"rei"* significa *"utsuwa"*. Essa palavra quer dizer "vaso" ou "recipiente", e no sentido figurado designa o corpo humano, que é o "recipiente" da alma.

Quando um *kanji* representa um conceito complexo, os ideogramas que o compõem precisam ser simplificados para se manterem reconhecíveis. A forma simplificada de *"utsuwa"*, que faz parte do ideograma *"rei"*, tem o seguinte aspecto:

Estes três quadrados também podem ser interpretados de outra maneira. Um quadrado significa "boca", dois significam "conversa" ou "comunicação" e três significam "oração". Em sua versão original, o ideograma *"utsuwa"* é escrito da seguinte maneira: 器.

A terceira parte é o ideograma *"miko"*, que significa "mulher médium", "feiticeira" ou "xamã" (ver foto 2). Uma *miko* é uma mulher que entende a linguagem dos deuses. Ela tem condições de se comunicar com a alma de pessoas mortas e, em estado de transe, age como mediadora entre os deuses e a humanidade. Todas as fontes japonesas do Reiki dizem que o praticante de Reiki deveria se tornar *"miko"*, ou seja, deveria confiar no Céu e deixar-se levar pelos deuses. Koyama Sensei, da associação Usui Reiki Ryoho Gakkai, sempre disse quanto isso era importante para ela.

No ideograma *"rei"*, o componente que significa *"miko"* também aparece em forma simplificada. Originalmente, *"miko"* se escreve da seguinte maneira: 巫女.

2. Uma *miko* no Templo Sengen, na cidade de Shizuoka

Com seus três componentes, o ideograma "*rei*", que significa "alma" (ou "*tamashi*" em japonês), é escrito da seguinte maneira:

O ideograma "*ki*", ou "energia"

Este ideograma também pode ser dividido em dois componentes.

O primeiro é *"kigamae"* ou *"yuge"*. Essa palavra significa "vapor" ou "éter". De modo geral, o éter é considerado um "veículo" por onde passa a matéria fina.

O segundo componente significa *"kome"*, ou "arroz". O arroz é o principal alimento no sudeste da Ásia. O ideograma "arroz" pode ser interpretado de várias maneiras. Alguns linguistas afirmam que ele representa o vapor que sobe de uma panela de arroz durante o cozimento. Outros dizem tratar-se da imagem reconhecível de uma espiga de arroz. E outros afirmam que representa o número 88, pois o arroz leva 88 dias depois da colheita para chegar à mesa em forma de alimento.

O *kanji "ki"*, que significa "energia", tem a seguinte forma:

Nas próximas páginas, usarei o termo "Reiki" sem especificações, pois "energia do Reiki" seria uma tautologia: "energia da energia espiritual". A sequência de traços necessários para escrever a palavra "Reiki" pode ser encontrada na p. 20.

Exercício: Dedique meia hora para escrever os ideogramas da palavra "Reiki". Se você seguir a sequência da ilustração, não terá grande dificuldade. Comece pelo ideograma *"rei"*. Escreva-o de 30 a 50 vezes. Depois, faça a mesma coisa com o ideograma *"ki"*. Por fim, escreva os dois ideogramas colocados um sobre o outro.

No começo, é mais fácil escrever num papel pautado e com um lápis grosso, em tamanho não muito grande. Assim, os erros não serão tão visíveis. Se você tiver papel e tinta, e talvez até um professor de caligrafia, melhor ainda.

Na época de Usui Sensei, a palavra "Reiki" significava "energia espiritual" ou "energia espectral". Em outros contextos, a palavra também podia significar "atmosfera", "estado de espírito", "energia oculta ou fantasmagórica". Até hoje, para evitar esses mal-entendidos, o conceito passou a ser "romanizado" ou escrito em *katakana* (escrita silábica).

Hoje em dia, a palavra *"rei"* é imediatamente associada com "fantasmas". Por isso, você vai precisar dar algumas explicações quando estiver conversando com um japonês que não conhece o Reiki.

Shin Shin Kaizen Usui Reiki Ryoho

心身改善臼井靈氣療法

Usui Sensei criou o conceito "Shin Shin Kaizen Usui Reiki Ryoho" para denominar o poder que sentia dentro de si. Essa expressão significa "Método de cura de Usui, por meio da energia espiritual, para curar o corpo e o espírito (ou alma)". Por isso, a associação que ele fundou passou a chamar-se "Shin Shin Kaizen Usui Reiki Ryoho Gakkai". Pelo fato de ser bastante longo, esse conceito foi sendo simplificado ao longo do tempo, não só no Japão como no resto do mundo. Primeiro se usou a abreviação "Usui Reiki Ryoho", e hoje em dia simplesmente "Reiki". Como já mencionamos anteriormente, a alma se hospeda no corpo humano pelo período da atual encarnação. Usui Sensei, na entrevista que mostraremos adiante (ver p. 71ss.), confrontado com a pergunta "O Reiki é um método psíquico de cura?", respondeu: "Pode-se dizer também que é um método físico (ou fisiológico) de cura, já que todo o corpo do terapeuta irradia luz e energia." Se partirmos do pressuposto de que, no momento em que alma se cura, está curando também o passado, o presente e o futuro, entenderemos o verdadeiro sentido dessa resposta. É bom lembrar que o Reiki não foi criado para tratar uma dorzinha qualquer. Trata-se de um caminho espiritual que leva à cura integral do praticante de Reiki e de seus pacientes.

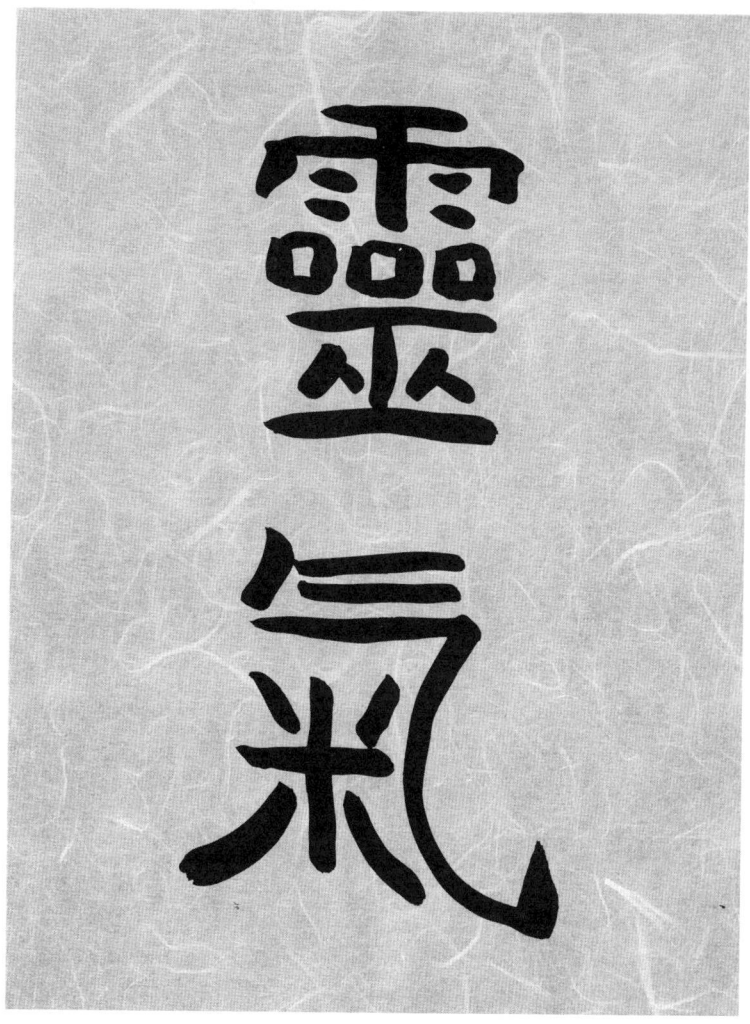

3. Sequência de traços para escrever os ideogramas *"rei"* e *"ki"*

Gokai: regras de conduta do Reiki
(os cinco princípios do Reiki)

Vamos abordar agora os princípios fundamentais do Reiki. Essas regras de conduta são um fundamento ético para a prática do Reiki, mas também um "barômetro" para o praticante. Elas formam um *"Kotodama"* (ver p. 29) e devem ser recitadas no idioma original.

Em todas as versões das regras de conduta que conheço, seja em pergaminhos ou em documentos, elas são precedidas por uma espécie de epígrafe que consiste no seguinte:

Shoufuku no hihoo, manbyo no reiyaku

Essa epígrafe nos explica para que servem as regras de conduta e que benefícios elas podem trazer para a nossa vida. A tradução literal seria: "Arte misteriosa de convidar a felicidade, ou medicina espiritual para todos os males."

Se você praticar o Reiki de todo o coração, seguir estas regras de conduta e render-se à vontade do universo, será feliz sem depender de outros fatores. Sua felicidade irradiará do seu coração para o ambiente ao redor, beneficiando você e as pessoas próximas.

Segundo Usui Sensei, todas as doenças do corpo e do espírito, assim como as doenças kármicas, podem ser tratadas por meio do Reiki. Isso não significa necessariamente que essas doenças serão curadas ao longo desta vida, no plano físico, e sim que elas terão cumprido nesta existência seu sentido e sua razão de ser. Assim, não serão mais necessárias quando a alma reencarnar da próxima vez.

Por isso, as regras de conduta são, de um lado, um caminho para a felicidade e, de outro, um "mapa" exato da evolução espiritual de cada um. Ao examiná-las, você percebe imediatamente em que estágio se encontra. Percebe o que ainda precisa ser melhorado e como está transcorrendo sua evolução. Quando você procurar um mestre, observe-o primeiro desse ponto de vista. Se ele praticar as regras que ensina, terá condições de dar bons ensinamentos.

Kyo dake wa: Somente hoje

Essa relação com o "aqui e agora" facilita a vida cotidiana. Em tudo o que você fizer ou deixar de fazer, esteja inteiramente presente e com o coração cheio de amor. No bar ou na igreja, siga a voz do seu coração e tente enxergar o divino em todas as pessoas que atravessarem seu caminho.

1. *Ikaru-na:* Não se zangue

A raiva ou a ira envenenam o corpo e a mente e, na maioria dos casos, não fazem bem a você nem às pessoas ao seu redor. O sufixo japonês – *na*, que vamos encontrar também na segunda regra de conduta, não significa que você não deva fazer algo por razões éticas. Ele implica um ponto de vista alheio e significa que aquele que dá o conselho enxerga melhor do que você. Ele enxerga para além do nosso mundo limitado, e com base em sua sabedoria, aconselha: "Não se zangue!"

2. *Shinpai suna:* Não se preocupe

A preocupação é o segundo "veneno" do corpo e do espírito. De novo, o Reiki nos aconselha a evitá-la. Seja o que for que tiver de acontecer, o futuro não depende de nossas preocupações. É como diz a canção: "O que será, será." Por isso, livre-se das preocupações, confie em Deus e no Reiki, e siga a voz do coração.

3. *Kansha shite:* Seja grato

A gratidão é o melhor antídoto contra a raiva e as preocupações. Quando você tiver de lidar com esses sentimentos negativos, lembre-se da gratidão. Agora, no exato momento em que você está lendo estas palavras, seja grato. Isso transforma o coração, e a transformação não depende do tempo – ela acontece no aqui e no agora.

4. *Gyo o hage me:* Cumpra seu dever (no sentido de: assuma suas responsabilidades, faça a coisa certa)

A palavra japonesa *"gyo"* pode ser traduzida por "karma", mas também por "prática religiosa". Porém, nesse caso, ela tem uma conotação totalmente mundana. Faça aquilo que a vida exige de você – pois tudo o que acontece em sua vida é um reflexo de você mesmo.

5. *Hito ni shinsetsu ni:* Seja bondoso (gentil, carinhoso, compassivo) com as pessoas próximas

Esse princípio vai muito além de ajudar um velhinho a atravessar a rua. Trata-se de tentar acabar com os sofrimentos das pessoas ao redor. Segundo a tradição budista, o Buda histórico teria dito que a vida é sofrimento. Não se tratava de uma previsão fatalista; ele queria dizer que o ser humano se afastou de sua essência, perdeu a própria identidade, e por isso sofre. Mas, por meio de uma terapia ou bênção do Reiki, ele reencontra o caminho para "casa" e para sua essência. Isso é *"shinsetsu"*, ou seja, a verdadeira compaixão, capaz de mostrar o caminho ao paciente ou iniciado, nesta vida e nas próximas. Uma vez desperto, um ser humano nunca adormece totalmente de novo... Por isso, evite tudo o que possa trazer sofrimento a você e às pessoas próximas.

As instruções de Usui Sensei sobre como seguir essas regras de conduta são as seguintes:

"Asa yuu Gassho shite, kokoro ni nenji, kuchi ni tonaeyo."

"De manhã e à noite, sente-se na posição *Gassho* [isto é, juntando as palmas das mãos como numa prece, de modo que sua expiração roce as pontas dos seus dedos] e repita estas palavras em voz alta e dentro do seu coração."

Exercício: Todos os dias, recite as regras de conduta em voz alta. Reserve cinco minutos para isso e sente-se confortavelmente. Junte suas mãos na posição *Gassho*, em frente ao seu coração. Observe o que acontece com suas mãos durante a recitação. Assim que você começar a falar, é bem provável que sinta o Reiki em suas mãos, seu coração ou no "chakra da coroa".

Se você tiver uma reprodução do *Gokai* (conjunto de regras de conduta) em casa, pendure-a em seu escritório. Hayashi Sensei e Chiyoko Yamaguchi faziam isso sistematicamente (ver também a foto 41, que mostra Hayashi Sensei no Havaí com o *Gokai* ao fundo).

O mestre ou o terapeuta devem se sentar de costas para o *Gokai*, para que, com seu poder energético, ele ajude no trabalho cotidiano com seu poder energético. Se alguém estiver recebendo um tratamento, deve deitar-se com a cabeça em direção ao *Gokai*, para receber sua energia.

4. Com Chiyoko Sensei diante do pergaminho do Gokai

Dizem que, no começo, Usui Sensei se ocupava com a cura de doenças físicas. No entanto, dentro do corpo humano vive uma alma, e por isso o tratamento dá mais resultado quando a alma se envolve diretamente. É para isso que serve o *Gokai*. Portanto, vamos recitar juntos as regras de conduta. O resto do trabalho só depende de você: integre o *Gokai* em sua vida, viva os princípios do *Gokai*. *Kyo dake wa...*

Conceitos japoneses importantes para entender o Reiki

O significado das palavras japonesas não pode ser consultado rapidamente num dicionário, pois esse significado pode mudar de acordo com o contexto. Os mestres Ogawa Sensei, Koyama Sensei, Chiyoko Sensei e Tadao Sensei explicaram conceitos para mim tal como os descrevo neste livro. Apesar disso, os dicionários são bons recursos de trabalho. Em minhas pesquisas sobre o Reiki, utilizei, sobretudo os seguintes dicionários e obras de referência:

1. Minha obra preferida: o *Novo dicionário inglês-japonês*, da editora Kenkyusha
2. *Dicionário japonês-inglês e inglês-japonês*, da editora Random House
3. *Dicionário básico de kanji*, da editora Kodansha
4. *Dicionário kanji*, da editora Tuttle
5. *Romaji doshi kai*, da editora Kenkyusha
6. *Kanji básico*, da editora P. G. O'Neill
7. *Dicionário inglês-japonês de termos budistas*
8. *Bunshodo – Glossário de termos zen-budistas*
9. *Dicionário de termos do budismo chinês*

Ki

A palavra japonesa *"ki"* teve origem na China. *"Ki"* é uma filosofia de vida do leste da Ásia, e a definição desse conceito poderia encher livros inteiros. Por isso, vou me limitar aqui a apresentar o conceito em suas diversas variantes, para que você perceba que ele não tem uma conotação de algo sublime ou grandioso, referindo-se, pelo contrário, às coisas simples do dia a dia.

Como eu já disse, *"ki"* significa energia. Essa energia consiste em matéria fina, mas é algo trivial e bem conhecido na vida de todos os japoneses e de cada um de nós.

A palavra japonesa que significa "feliz", "satisfeito, "de bom humor" é *"genki"*.
O equivalente de "doente" ou "doença" é *"byoki"*.
Energia negativa chama-se *"jaki"*.
"Humor" ou "estado de espírito" é o significado de *"kibun"*. Se ele for positivo, fala-se em *"kibun ga ii"* (bom); se ele for negativo, fala-se em *"kibun ga warui"* (mau).
"Talento" ou "qualidade" é o equivalente de *"kishitsu"*.
"Personalidade" ou "caráter" chama-se *"kisho"*.
"Motivação" é o significado de *"kiryoku"*.
"Relaxar" ou "desanuviar" é o mesmo que *"kiraku"*.
Uma pessoa forte é chamada de *"ki ga aru"* (ou *tsuyoi ki ga aru*), isto é, "ele tem energia (força)". Uma pessoa fraca é chamada de *"ki ga nai"* (ou *yowai ki ga aru*), que significa "ele não tem energia (força)".

Como se vê, a energia é algo palpável. Na Quarta Parte do livro, que trata do uso prático do Reiki, vou lhe mostrar que você pode sentir essa energia para, assim, fazer melhor uso dela.

Tudo é energia. Por isso, tudo reage positivamente em contato com a energia ou com o Reiki, desde os rins até um brinquedo de criança.

Anjin ryumei

"Anjin ryumei", *"anshin ritsumei"* ou *"anjin ritsumyo"* é na origem um conceito confuciano transmitido pelos budistas japoneses. Seu significado literal é: "aceitar seu próprio destino". No zen-budismo, ele designa o estado de quem alcançou a paz interior absoluta e vive em harmonia com a realidade transcendental. No budismo Jodo Shu (budismo Terra Pura), ele significa um espírito que encontrou a paz e o contentamento. De acordo com essa versão, *"anjin ruymei"* seria um estado de iluminação.

Reiju

Literalmente, significa "conceder a alma". O *Reiju* é um ritual em que o mestre ajuda o discípulo a lembrar-se de seu estado original (a união com o cosmos). A energia espiritual que reside em todos nós é ativada e começa a irradiar imediatamente de todas as células do discípulo, sobretudo através das mãos, dos pés, da respiração e dos olhos, mas também de todas as outras células. Caso você já seja um iniciado em

Reiki, sentirá isso claramente. Feche os olhos e respire fundo algumas vezes. Imagine que você está aspirando o ar e a energia que ele contém através de todas as células do corpo. Ao expirar, imagine o processo contrário. Você e o universo estão em harmonia...

Em princípio, um *Reiju* seria suficiente para ativar a energia espiritual, mas a verdade é que estamos acostumados demais ao nosso estado letárgico. Por isso, o ritual tem de ser repetido várias vezes. Chiyoko Sensei disse que um *Reiju* por mês seria suficiente. Nas escolas tradicionais, organizavam-se para isso os chamados *"Reiju-Kai"* (encontros de "sintonização" ou transmissão de energia) para as pessoas já iniciadas no Reiki. Koyama Sensei recomendava que o discípulo se sentasse na posição *Gassho* e olhasse para as pontas de seus dedos através das pálpebras fechadas. Essa concentração cheia de devotamento ajuda o ego a se desprender e transforma o discípulo. Ele se conscientiza da essência de sua alma e a vê diante do seu "olho interior". A essência da alma se movimenta e, ao seguirem esse movimento, o corpo e o espírito relaxam e ficam mais leves. Para aprender isso, é preciso treino.

Por esse motivo, o ritual do *Reiju* é repetido regularmente. O Reiki nasceu de uma experiência de iluminação que o praticante tenta reviver a cada vez. Usui Sensei estava disposto a morrer para alcançar essa iluminação, e nós também temos de nos dedicar a nós mesmos e à prática do Reiki com a mesma seriedade e dedicação.

Talvez você se pergunte se o ritual de "sintonização" (limpeza espiritual e transmissão de energia) é realmente necessário. Em princípio, a resposta é não. Uma pessoa em contato com as energias cósmicas e em harmonia com o cosmos de maneira totalmente consciente não precisa desse ritual. Mas quem de nós consegue atingir esse estado em todos os momentos?

Ryoho (método terapêutico)

Como explicarei em detalhes mais adiante, na época de Usui Sensei existiam vários métodos terapêuticos alternativos, como a quiroprática, a cura espiritual, a hipnoterapia etc. Todos esses métodos eram chamados de *"ryoho"*.

Reiho (método espiritual)

Na pedra memorial de Usui, em Tóquio, o Reiki é chamado de *"reiho"*, ou "método espiritual". Isso não significa que antigamente Reiki e *reiho* fossem a mesma coisa. *Reiho* é um conceito mais genérico.

Shoden, Okuden, Shinpiden (Shihan-Kaku, Shihan)

Como tudo o mais no Japão, o Reiki é uma corrente espiritualista bem organizada. Como nas artes marciais japonesas, os discípulos são divididos em graus ou classes e também são tratados de maneira semelhante.

Usui Sensei ensinava o Reiki em três graus diferentes. Ogawa Sensei conta que Usui pedia aos alunos novos que se sentassem diante dele. Então, Usui tocava as mãos deles para avaliar seu nível de energia. Se houvesse pouca energia disponível, os alunos tinham que fazer, antes do *Reiju*, alguns exercícios para aumentar sua capacidade de percepção. Mas essa tradição não se manteve até os dias de hoje.

Shoden

A palavra *"Shoden"* consiste em dois ideogramas. *"Sho"* quer dizer "principiante", e *"den"* é "ensino". O grau chamado *Shoden* era subdividido segundo uma sequência de "aulas". Cada "aula" durava um dia, mas todas elas formavam um ensino coerente e indivisível. Por isso, eram ensinadas sempre em conjunto. Usui Sensei dividia o *Shoden* em *Roku-to* (sexto grau), *Go-to* (quinto), *Yon-to* (quarto) e *San-to* (terceiro grau). Assim, o estágio mais elementar era o *Roku-to* (sexto grau). Naquela época, a iniciação ao Reiki era chamada de *Reiju-Kai* (encontro iniciático) e durava cinco dias. Os discípulos tinham que participar desse encontro várias vezes. Não pelo fato de que uma vez não seria suficiente, mas sim porque o Reiki era encarado como caminho de vida...

Mais tarde, na época de Hayashi Sensei, o *Shoden* foi dividido em três "aulas", ensinadas em três dias. Chiyoko Yamaguchi continuou ensinando como seus mestres faziam.

Okuden

Segundo conta Usui Sensei na entrevista transcrita mais adiante, para chegar ao *"Okuden"* o discípulo tinha de apresentar bons resultados ao mestre. Isso significava que era preciso sentir e entender o *Byosen* (acúmulo de doença) do paciente e deixar-se conduzir por ele durante o tratamento e ao longo de toda a doença. Caso você já tenha lido o capítulo sobre o *Byosen*, saberá que isso leva algum tempo.

O *Okuden* era dividido em duas partes, o *Okuden Zenki* e o *Okuden Koki*. De novo, cada parte era apresentada como uma "aula" ensinada num único dia.

Hayashi Sensei e Chiyoko Sensei ensinavam o *Okuden* em dois dias, sempre junto com o *Shoden*, num "curso" de cinco dias ao todo. Em três dias, Hayashi Sensei dizia ser capaz de ensinar os discípulos a sentir o *Byosen*. Assim, eles teriam condições de passar para o *Okuden* logo em seguida. Como mencionei anteriormente, esperava-se que os alunos repetissem o curso várias vezes. Depois de ler o capítulo sobre o *Byosen*, você entenderá por quê.

Para a maioria dos discípulos, o *Okuden* encerrava o ensino de Reiki. Dos 2 mil discípulos treinados por Usui Sensei, segundo a inscrição em sua pedra memorial, apenas vinte atingiram o grau seguinte até a morte dele.

Shinpiden

"*Shinpiden*" significa "ensino místico". Era o grau requerido para ser um professor. O conceito também era separado em duas partes: *Shihan-Kaku* (師範格) e *Shihan* (師範). A palavra "*Kaku*" significa "assistente". O *Shihan-Kaku* aprendia a conduzir o ritual do *Reiju*, mas de início só recebia uma permissão limitada para usar seus conhecimentos. O professor observava o aluno para verificar se a nova posição não lhe "subia à cabeça", se ele não se tornava arrogante e se continuava irradiando cada vez mais amor e compaixão. Só com essa condição o discípulo era promovido a *Shihan*. Ele não tinha o direito de pedir essa promoção, oferecida pelo professor como uma grande honra. Uma vez atingido o grau de *Shihan*, não existe mais volta. Por isso, o título era reservado a poucas pessoas. Ogawa Sensei nos contou que, em 1996, apenas seis membros (de um total de 500) da Usui Reiki Ryoho Gakkai foram promovidos a *Shihan*.

Como você pode ver na foto de Usui Sensei e seus discípulos à p. 78, todos os *Shihan* treinados por Usui eram homens de idade avançada. O mais jovem era Hayashi Sensei, então com 47 anos de idade.

Sensei

A palavra "*Sensei*" significa "professor" e, originalmente, "primogênito". Esse título é atribuído a alguém que ensina sua arte ou que a pratica para ajudar outras pessoas. É um sinal de amor e respeito por parte dos discípulos ou pacientes. Em japonês, o discípulo se chama *"seito"* (aquele que segue o caminho em sua vida). O professor não usa a palavra *"Sensei"* para se referir a si mesmo. No Reiki, ele prefere se considerar um *Shihan*. Chiyoko Yamaguchi era chamada "Chiyoko Sensei" por seus discípulos. De um lado, o título implicava uma relação de intimidade com os discípulos, mas de outro também servia para distingui-la de seu filho Tadao, quando os discípulos se dirigiam a ela.

Outras formas de tratamento em japonês são *"Frank-san"* ou "prezado Sr. Frank". *"Frank-chan"* equivale a "pequeno Frank" e *"Frank sama"* quer dizer "Vossa Excelência Sr. Frank". É possível dizer apenas "Frank", isso significa uma honra ou sinal de intimidade, mas também pode sugerir desprezo ou desagrado.

Kanji, Shirushi, Kotodama, Jumon

O Reiki lida com conceitos baseados em diversas regras.

Kanji

Ideograma ou palavra chinesa cujo sentido pode mudar de acordo com o contexto. Nos símbolos do Reiki, um *kanji* remete ao sentido do símbolo, mostrando assim seu alcance. Isso não significa que os símbolos devam ser escritos como *kanji*.

Shirushi

A palavra *"Shirushi"* equivale a "símbolo". Os dois primeiros símbolos do Reiki são *Shirushi*. Um *Shirushi* deve seu poder à sua forma geométrica. Por isso, tem que ser escrito para surtir efeito. A visualização de um *Shirushi* não é incorreta, mas não é necessária para o trabalho do Reiki. O *Shirushi* tampouco precisa ser pronunciado.

Kotodama

"Kotodama" é um conceito xintoísta incorporado pelo Reiki. Essa palavra consiste em dois *kanji*: *"koto"* ("linguagem", "palavra") e *"dama"* ("alma"). O ideograma de *"dama"* (que também pode ser lido como *"tama"* ou *"tamashi"*) equivale ao *"rei"* do Reiki.

Assim, *"Kotodama"* significa literalmente "palavras com espírito" ou "poder misterioso da linguagem". Trata-se do poder da linguagem falada de forma consciente. No xintoísmo, conta-se que o homem é a "palavra" dos deuses transformada em carne viva. Antigamente, essa condição humana era chamada *"mikoto"*, uma forma cortês de tratamento. A própria Bíblia diz: "No princípio era o Verbo."

Um *Kotodama* tem de ser pronunciado e não escrito, pois todo o seu poder reside no som.

Na prática do Reiki, as "regras de conduta" são encaradas como um *Kotodama*. Por isso, elas têm de ser pronunciadas em sua língua original para surtir efeito. Antes de cada ritual de limpeza e sintonização (*Reiju*), elas são recitadas em voz alta pelo professor e seus discípulos.

Chiyoko Yamaguchi ensinava um *Kotodama* adicional para o ritual de cura *"Sei Heki-Chiryo"* (ver pp. 166ss.), aprendido por Hayashi Sensei, mas que não discutirei aqui em detalhes. Esse *Kotodama* só pode ser transmitido pessoalmente, de professor para aluno. Mas devo dizer que ele é muito poderoso e dá resultados surpreendentes. Suponho que Usui Sensei o usava também, mas não posso afirmar isso com certeza, pois não aprendi Reiki na Usui Reiki Ryoho Gakkai.

5. *Kanji* (ideograma) que significa *"rei"* ou *"tama"* ("alma")

Jumon

"Jumon" significa "mantra" ou "fórmula mágica". Também pode ter o sentido de "rio". O símbolo da "cura a distância" é um *Jumon*. O *Jumon* tem de ser escrito e também pronunciado para surtir efeito.

Ambas as palavras, *"Kotodama"* e *"Jumon"*, têm um significado ao mesmo tempo negativo e positivo na cultura japonesa. No Reiki, porém, *"Jumon"* e *"Kotodama"* são conceitos exclusivamente positivos. O uso dessas fórmulas num ritual de Reiki nunca dá errado, nem acarreta consequências negativas. "Pense na palavra Reiki" – energia espiritual!

Com o tempo, conforme o Reiki for purificando seu espírito cada vez mais, você perceberá que é fácil eliminar as coisas negativas da vida cotidiana. Preste atenção aos seus pensamentos, aos seus sentimentos, àquilo que você diz, e tente encarar cada ser vivo com amor e pensamentos positivos. *Kyo dake wa*.

Tanden

"*Tanden*" (ou "*hara*", ou "*dantien*" em chinês) é o centro do corpo. Costuma-se distinguir três partes do *tanden*: superior, médio e inferior. Os rituais do Reiki lidam com o *tanden* inferior, um dos pontos mais importantes da medicina chinesa. Esse ponto se localiza dois ou três dedos abaixo do umbigo e não deve ser confundido com o segundo chakra. Takata Sensei diz em seu diário que é nesse ponto do corpo humano que reside o Reiki. Trata-se precisamente de uma anotação do diário datada de 10 de dezembro de 1935. Depois da morte de Takata Sensei, sua filha reuniu num caderno alguns materiais sobre o Reiki que foram encaminhados para um punhado de discípulos pioneiros. Eles incluem, entre outras coisas, várias anotações dos anos 1935 e 1936, assim como fotos de Hayashi Sensei e Takata Sensei, o Hayashi Ryoho Shishin e o plano terapêutico de Hayashi Sensei, reproduzido no *Reiki-Kompendium* [*Compêndio de Reiki*] e *Die Reiki-Techniken des Dr. Hayashi* [*A Técnica de Reiki do Dr. Hayashi*]*, ambos publicado pela editora alemã Windpferd. O trecho a seguir foi traduzido por mim:

"O significado da energia do Reiki em você, usada num paciente de forma concentrada, curará todas as doenças. É a maior força terapêutica da natureza e não precisa de remédios. Ela ajuda em todos os sentidos, tanto na vida humana quando na animal. Para concentrá-la, é preciso purificar os pensamentos em palavras e atos e meditar para fazer a energia subir a partir do interior. O *tanden* se localiza no parte inferior do abdome, cerca de dois centímetros abaixo do umbigo. Sente-se numa posição confortável, feche os olhos, concentre seus pensamentos e relaxe. Junte as palmas das mãos e espere pelo sinal. Ponha as mãos sobre o paciente com carinho e suavidade, começando pela cabeça. Ao receber o tratamento, o paciente deve purificar seus pensamentos, sentir-se confortado e abrigar dentro de si o desejo de curar-se. É *muito* importante sentir

---

* Publicado pela Editora Pensamento, São Paulo, 2005.

gratidão. A gratidão é um grande remédio para o espírito. Invariavelmente, um paciente pode ser diagnosticado só pelo toque da mão."

Gassho

A palavra "*Gassho*" significa "duas mãos postas". A postura correta de *Gassho* consiste em juntar as mãos para que as palmas se toquem. Cada dedo deve tocar o dedo correspondente da outra mão. Entre as palmas deve haver pouco ou nenhum espaço. É preciso posicionar as mãos com as pontas dos dedos logo abaixo do nariz. Os cotovelos não devem tocar o corpo. Entre a parte superior do braço e o corpo deve haver espaço aproximadamente da largura de um ovo. É preciso manter as costas retas, num ângulo de noventa graus em relação ao abdome. Isso se consegue mais facilmente inclinando a bacia um pouco para trás.

A barriga e, sobretudo o baixo-ventre devem ficar relaxados, sem nenhuma constrição. Deve-se evitar qualquer tensão da cabeça sobre o pescoço, como se ela estivesse "suspensa" no ar por um balão de hélio. Enquanto estiver sentado em silêncio, volte sua atenção para as palmas das mãos e sobretudo para os dedos médios. (Mais instruções sobre a posição *Gassho* podem ser consultadas no capítulo "Técnicas japonesas de Reiki" à p. 213).

Kokoro

Em muitas traduções do japonês, "*kokoro*" equivale a "coração". Mas isso é meia verdade. Nas culturas ocidentais, costumamos separar o espírito humano em duas partes: coração e mente, emoções e pensamentos. Mas os japoneses não fazem essa distinção, pois enxergam coração e mente como um todo indivisível.

Esse conjunto é chamado "*kokoro*": "Eu gostaria que minhas emoções e pensamentos estivessem sempre juntos e integrados!" É uma maneira completamente diferente de encarar o mundo e a nós mesmos, com consequências de longo alcance. Por exemplo, quando se pergunta a um japonês o que ele pensa ou o que sente, muitas vezes a resposta nos parece ambígua, pois a fronteira entre sentimentos e pensamentos não está bem definida.

Primeira parte

História concisa do Reiki

"O homem é o ser mais evoluído do planeta
e deveria viver de acordo com isso."

— Hayashi Sensei —

Usui Sensei e a associação Usui Reiki Ryoho Gakkai

臼井甕男 Talvez você ainda encare Mikao Usui como uma figura lendária, cercada por uma névoa mística. Mas ele foi basicamente um homem como eu e você, um homem em busca de um caminho para si mesmo. Infelizmente, ainda sabemos muito pouco sobre sua vida. No entanto, quanto melhor entendermos o contexto político, religioso e cultural da época em que ele viveu e trabalhou, maior e mais ampla será nossa compreensão do Reiki. Então, diante do nosso "olho interior" teremos uma imagem fantástica de cura e libertação espiritual. Foi por esse motivo que escrevi este capítulo extenso e o mais atualizado possível sobre a história do Reiki.

As informações sobre as origens do clã Usui transcritas a seguir foram fornecidas pelo Sr. Nakamura, neto da irmã mais velha de Usui Sensei (ver foto 6). No que diz respeito à história, à prática e ao treinamento do Reiki,

6. Com Tadao Yamaguchi diante da casa do Sr. Nakamura, descendente de Usui Sensei

baseei-me em todas as fontes confiáveis descobertas até hoje, que serão indicadas em detalhes a cada menção.

Escrevi o relato a seguir sem nenhuma pretensão de esgotar o assunto. Muito tempo já se passou depois disso, e aqueles que conheceram Usui Sensei pessoalmente acabaram falecendo. Duas testemunhas oculares dos fatos são apresentadas às pp. 68-9. Desde os tempos de Usui, o Reiki é usado no Japão como medicina caseira, e certamente ainda existem milhares de famílias que mantêm a tradição viva. No entanto, como não praticam o Reiki em público, não sabemos nada sobre elas. Vez por outra, uma dessas famílias emerge da obscuridade para iluminar nossa compreensão do Reiki. Uma delas são os Yamaguchi, que serão mencionados várias vezes neste livro.

Depois de 15 anos de pesquisas, encontros e telefonemas com os Srs. Oishi, Ogawa Sensei e Koyama Sensei, sem contar o estudo dos manuscritos de Usui Sensei, Hayashi Sensei, Ogawa Sensei e Koyama Sensei mencionados adiante, além da pedra memorial de Usui e dos anos sob a direção de Chiyoko Sensei, eu gostaria de contar a história do Reiki com o máximo de exatidão e clareza possível – sem perder de vista o contexto histórico. Talvez isso possa servir como informação para consulta, caso você esteja ensinando Reiki e queira apresentar um resumo de tudo o que se sabe atualmente. As várias fotos devem servir como ilustração para você e seus amigos reikianos, talvez também para um curso sobre o Reiki ou como doce perfume na tradição reikiana do Japão. Todas as informações a seguir podem ser checadas em suas fontes correspondentes.

7. Utako Shimoda

Antepassados

Mikao Usui nasceu em 15 de agosto de 1865 na aldeia Taniai, que fica no distrito Miyama-Cho, na província japonesa Gifu (perto de Nagoya). Seu pai, Uzaemon, filho primogênito, dirigia uma empresa atacadista e varejista de comércio de arroz, cereais, molho de soja (*shoyu*), massa de soja fermentada (missô), sal, madeira para construção e carvão. Era um dos burgueses mais prósperos de Taniai, e por isso era chamado *"shoya-san"*. Era amigo da famosa poetisa japonesa Utako Shimoda (ver foto 7), que por sua vez descendia de um antigo clã de samurais, e nas paredes da casa dele viam-se alguns dos poemas Tanaka originais de Shimoda. Aliás, a poetisa devia seu nome artístico "Utako" ("filha das canções") ao imperador Meiji (1852–1912), em recompensa por seu grande talento.

Não se sabe muita coisa sobre Sadako, a mãe de Usui Sensei. Seu nome de solteira era Sadako Kawai e ela morreu aos 85 anos. O pai de Sadako se chamava Shozaimon Kawai.

Infelizmente, a casa onde Usui Sensei passou os primeiros anos de vida não existe mais, e o próprio terreno não pertence mais à família. Usui Sensei foi o segundo filho de seus pais. Quando ele, ainda rapaz, se mudou para Tóquio, sua irmã mais velha Shu permaneceu na aldeia e se casou com um homem chamado Jotaro Usui (para confusão do historiador de Reiki, muitas pessoas da aldeia Taniai têm o sobrenome "Usui"). Os dois tiveram uma filha chamada Tomiko.

Ao longo das gerações, a propriedade dos Usui infelizmente sofreu três incêndios que destruíram todos os documentos e fotos dos membros da família.

Sanya, irmão mais novo de Usui Sensei, também se mudou para Tóquio, para estudar Medicina, e ali se estabeleceu como médico. O quarto filho dos Usui, o caçula Kunishi, continuou em Taniai e assumiu a direção da empresa familiar (de atacado e varejo). Kunishi Usui conhecia o Sr. Nakamura. Mais tarde, ele passou a vender sobretudo missô e, ao contrário de seus irmãos, não

8. A "fonte espiritual" de Zendo Daishi

9. Casa na antiga propriedade dos Usui

se tornou um homem muito abastado. Uma tia do Sr. Nakamura explicou que o relacionamento entre os irmãos não era muito íntimo, sobretudo entre Usui Sensei e sua irmã mais velha.

O avô Usui possuía uma destilaria de saquê, que desde 1887 (ano 20 do Período Meiji) já não estava mais em posse da família. O avô tinha assumido a hipoteca da dívida de outra pessoa, mas a dívida não pôde ser paga e assim os Usui perderam a destilaria.

Existe uma bela história sobre a fundação dessa destilaria, registrada em dois locais da aldeia com uma placa comemorativa: na floresta (ver foto 8) e diante do templo budista da aldeia (ver foto 12).

A fonte

No ano de 1357, Chitsu Bosatsu, fundador do templo Zendo-Ji, localizado na aldeia Taniai, passou uma ou várias noites no *soan* (casa de fim de semana ou retiro espiritual para fins de meditação ou para a cerimônia do chá) de Kanemaki Usui. Eles combinaram um encontro na parte da manhã e se encontraram num outeiro da estrada de Taniai (*saka michi*). Ali, Chitsu Bosatsu contou ao antepassado de Usui, mencionado de novo mais adiante, que tivera um sonho místico na noite anterior. Nesse sonho, apareceu-lhe um monge budista chinês bem conhecido, chamado Zendo Daishi (ou "grão-mestre Zendo" em japonês, 613–681 d.C., um dos patriarcas do "budismo Terra Pura", ou "Jodo Shu" em japonês). O grão-mestre lhe contou que alguma coisa estava enterrada na floresta, em algum lugar perto da aldeia. Kanemaki também havia tido o mesmo sonho e, assim, munidos de ferramentas, os dois se dirigiram ao local da floresta mostrado no sonho. Ali, eles cavaram um buraco e acharam uma estátua de pedra de Buda, que mais tarde passou a ser exposta no templo da aldeia, assim como uma fonte de água. Convencido de que aquilo era um sinal dos deuses, Kanemaki decidiu fabricar saquê com a água da fonte. O saquê foi chamado de *"kei sen shu"*. Segundo as tradições japonesas, água de fonte encontrada de maneira misteriosa é chamada *"rei-shui"*, que significa "água espiritual". Depois disso, o outeiro no qual os dois se encontraram foi chamado pelos aldeões de "Yumei mi Saka" ("elevação da estrada capaz de enxergar sonhos"). Nakamura-san (o Sr. Nakamura) acredita que a estátua de Buda encontrada na floresta fora arrastada até aquele local por força dos terremotos e desabamentos de terra frequentes no Japão.

10. Pedra memorial perto da fonte de água

Tradução das inscrições na pedra memorial (ver foto 10)

Fonte espiritual de Zendo Daishi. Chitsu Bosatsu, fundador do templo Zendo-Ji, sonhou com Zendo Daishi no ano de 1357.

Depois do sonho, ele encontrou a estátua de Zendo Daishi e esta fonte de água na floresta.

A água da *Rei-Sen* ("fonte sagrada"), também chamada *Ken-Sui*, flui desde então e é venerada como *Rei-Sui* ("água sagrada").

Tradução da placa comemorativa no templo Zendo-Ji (ver foto 11)

Injyu-Zan Goshin-In Zendo-Ji

Este templo budista foi fundado por Kou-Tokkou Chitsu Bosatsu na quinta Era Bunwa (1357).

Chitsu Bosatsu foi mestre budista dos Kohen-In e dos Koshyomatsu-In (duas famílias da nobreza), assim como (mestre) de Godaigo-Tennos (príncipe Takaharu, 1287–1337).

Com base nos ensinamentos de Chitsu Bosatsu, Nijo Kanpaku Fujiwara Yoshiki Ko também se converteu ao budismo.

Esse último inaugurou o Templo Nishi no Shyo Ryushyo-Ji, na capital Gifu.

Na quinta Era Bunwa (1357), Chitsu Bosatsu procurou uma localidade tranquila e encontrou Nishi no Shyo Kikkou Ike.

Chitsu Bosatsu se hospedou na casa de Usui Shoji (apelido de Jiro Kanemaki Usui, da décima geração dos Usui). Ao sonhar naquela noite, viu-se diante do grão-mestre Zendo Daishi, do Jodo-Kyo (em japonês, *"kyo"* quer dizer "fé" ou "seita"; o "budismo Terra Pura" também é conhecido como "Jodo Shu").

(Outro documento relata que o Mestre não apareceu apenas a Chitsu Bosatsu, mas também a Usui.)

No sonho, Zendo Daishi profetizou a ele (ou eles) onde poderiam achar uma estatueta de pedra e uma fonte de água. A água da fonte é chamada *"kei-sui"* e é venerada até hoje como água sagrada.

O imperador Gokomatsu, que reinou na terceira Era Shitoku (1386), sacramentou o lugar onde Zendo Daishi apareceu. O local foi chamado de Injyu-Zan Zendo-Ji. O imperador utilizou esse templo para suas orações.

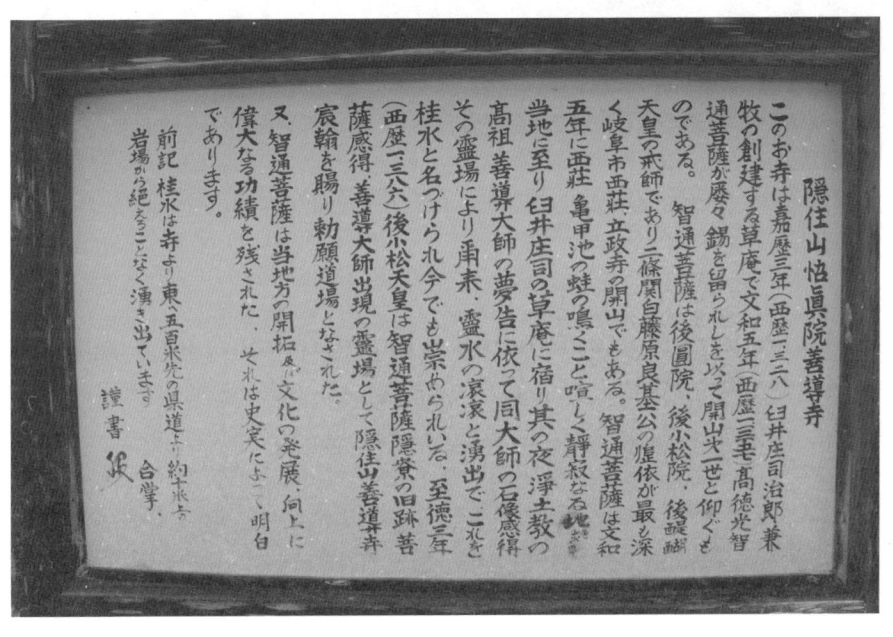

11. Placa comemorativa no templo Zendo-Ji

Chitsu Bosatsu se empenhou no desenvolvimento da agricultura e na vida cultural dessa região, alcançando muito sucesso em seus esforços.

Todos esses fatos foram comprovados por documentos antigos. A água sagrada *"kei-sui"* continua jorrando de um penhasco a cerca de 10 metros de distância de uma estrada nacional, que por sua vez está a cerca de 500 metros de distância na direção leste.

12. Templo budista Zendo-Ji, na aldeia Taniai

Tradução da placa comemorativa diante da fonte do templo Zendo-Ji (ver foto 13)

Escolhida como uma das 50 águas (minerais) mais puras da província de Gifu.

A água da fonte só jorrou depois que Chitsu Bosatsu, fundador do templo, foi inspirado num sonho por Zendo Daishi.

Graças ao poder da água, (aquele que se refresca com ela) sente a alma tranquila e em paz. Em consequência disso, a felicidade o abençoa e ele morre em tranquilidade e paz. A água é venerada como santa por causa dessas virtudes (medicinais).

Local de nascimento de Usui Sensei

Taniai é uma aldeia pitoresca e pacata, escondida nas montanhas da província de Gifu. Há cerca de oito séculos é a residência dos Usui, um clã que na verdade teve origem em Chiba, a nordeste da baía de Tóquio. Como ficou registrado na pedra memorial de Usui Sensei, em Tóquio, seus antepassados descendem do clã de Tsunetane Chiba (herói popular japonês, 1118–1201,

名水五〇選 善導大師の「桂水」

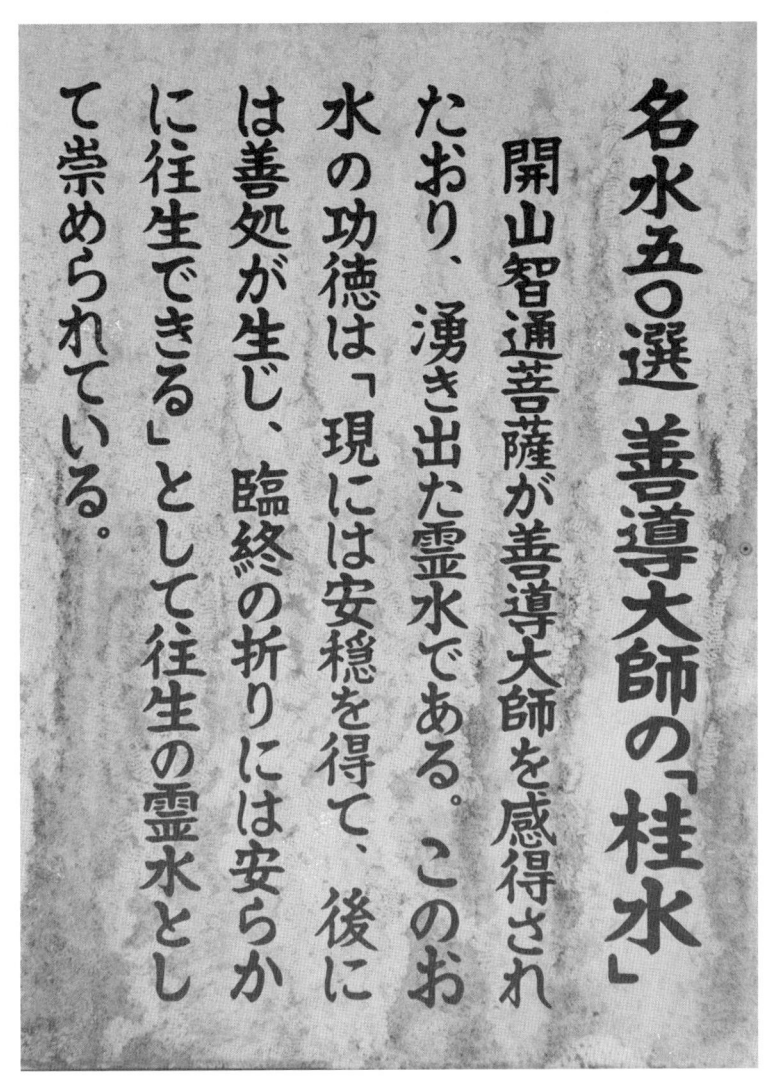

開山智通菩薩が善導大師を感得されたおり、湧き出た霊水である。このお水の功徳は「現には安穏を得て、後には善処が生じ、臨終の折りには安らかに往生できる」として往生の霊水として崇められている。

13. Placa comemorativa diante da fonte do templo Zendo-Ji

general a serviço do imperador Go Shirakawa e líder do clã dos Chiba em Shimosa, uma província que existia então na região de Kanto, no leste do Japão, entre Chiba e Ibaraki). Tsunetane Chiba é lembrado pelo fato de ter pacificado a região de Kyoto no ano de 1187.

No século XIII d.C., os antepassados de Usui Sensei tiveram de deixar, por motivos políticos, sua região natal nas proximidades de Tóquio. Então, sob a liderança do chefe de família da décima geração, Kanemaki Usui, eles se estabeleceram em Taniai, a cerca de 500 quilômetros de distância. Durante o Período Kamakura (1185–1333), os Usui ali residentes possuíam um castelo nas montanhas de Taniai, que para meu desgosto não resistiu até os dias de hoje.

No Japão medieval, todas as famílias que tinham propriedades podiam nomear um *daimyo* (governador de um território do império japonês). De início, esse título só podia ser usado por militares, mas depois se tornou acessível aos comerciantes e latifundiários. Os *daimyo* guerreavam uns contra os outros para ampliar seus territórios, e os Usui tampouco escaparam desse destino. Durante uma guerra entre dois chefes inimigos da região, Kamisato Usui (da 18ª geração do clã) se aliou a um soberano chamado Tokiwada. Na geração seguinte, um de seus filhos, Kanedai, fez aliança com o adversário Saito. Graças a essa divisão estratégica, a família separou-se em duas partes, garantindo assim, em qualquer eventualidade, a sobrevivência do clã.

Um ramo posterior do clã, sob a liderança de Mitsukane Usui e de seus cinco filhos, floresceu cerca de quatro séculos atrás (na vigésima geração dos Usui), alcançando grande glória. Mikao Usui descende desse ramo genealógico.

Juventude

Por volta de 1865, não havia escola primária em Taniai, e assim as crianças da aldeia frequentavam a escola anexa ao templo budista (*"Terakoya"* em japonês). Na época, isso era comum em todas as regiões do país e não significava que as crianças se tornariam mais tarde monges ou freiras. A *Terakoya* de Taniai funcionava no templo Zendo-Ji (ver foto 12), que os antepassados de Usui reformaram no século XIV. Esse templo pertence ao budismo Terra Pura ("Jodo Shu" em japonês). A escola budista foi fundada pelo chinês Eun (798–869), e se baseia na devoção a Amida Buda. Esse Buda é representado por um símbolo sânscrito (*"bongo"* em japonês, ver foto 14), conhecido no Reiki ocidental como "símbolo da cura mental" (para mais informações, ver o capítulo "Origens do símbolo da cura mental"). Um dos cinco mestres dessa escola budista foi Zendo Daishi, que apareceu no sonho de Kanemaki Usui e também dá nome ao templo de Taniai. Atualmente, o monge responsável pelo Zendo-Ji (templo Zendo) pertence à 41ª geração de sacerdotes desde a fundação do templo.

Todos os antepassados de Usui foram enterrados no cemitério do Zendo-Ji (ver foto 15) e eram adeptos do budismo Jodo Shu. O próprio Usui Sensei também foi sepultado num templo Jodo Shu, do qual falarei mais adiante. Portanto, não restam dúvidas sobre a seita seguida por Usui Sensei.

Com exceção do Zendo-Ji, a região ao redor de Taniai é dominada pelo zen-budismo. Mais tarde, a convivência com essa corrente budista terá papel importante na vida de Usui Sensei.

Depois de concluir a *Terakoya*, Usui Sensei se mudou para uma aldeia vizinha a fim de cursar o ensino secundário. Não conhecemos a localização exata dessa aldeia. É provável que Sadako Suzuki, sua futura mulher, tenha nascido ali.

A partir desse ponto na vida de Usui Sensei, as informações se tornam infelizmente cada vez mais escassas. Sabemos que ele desposou Sadako Suzuki e teve dois filhos com ela, o filho Fuji (nascido em 1908) e a filha Toshiko (nascida em 1913). Fuji Usui faleceu em 1946, com apenas 38 anos de idade. Toshiko morreu ainda mais jovem, em 1935. Os dois foram sepultados no Cemitério Saihoji ao lado de seus pais.

14. Detalhe do túmulo com o símbolo *hrih* (para os japoneses *kiriku*)

A trajetória da filha Toshiko e da família dela – caso ela já fosse casada e tivesse filhos – é desconhecida. Na cultura tradicional japonesa, uma filha casada se tornava membro da família do marido e praticamente perdia todos os vínculos com a família de sangue. Nos anos 1990, meus amigos japoneses de uma família tradicional do sul do Japão me contaram que uma mulher tinha de pedir permissão ao sogro para telefonar para seu próprio pai.

Carreira

Segundo Koyama Sensei, penúltima presidente da Usui Reiki Ryoho Gakkai, Usui Sensei exerceu muitas profissões em sua vida. Foi uma vida cheia de altos e baixos. Usui foi jornalista durante algum tempo, depois voltou a trabalhar como funcionário de prisões, fez serviços sociais, foi funcionário público e militou por algum tempo como missionário de um grupo xintoísta.

15. Túmulos dos antepassados de Usui Sensei no cemitério do templo Zendo-Ji

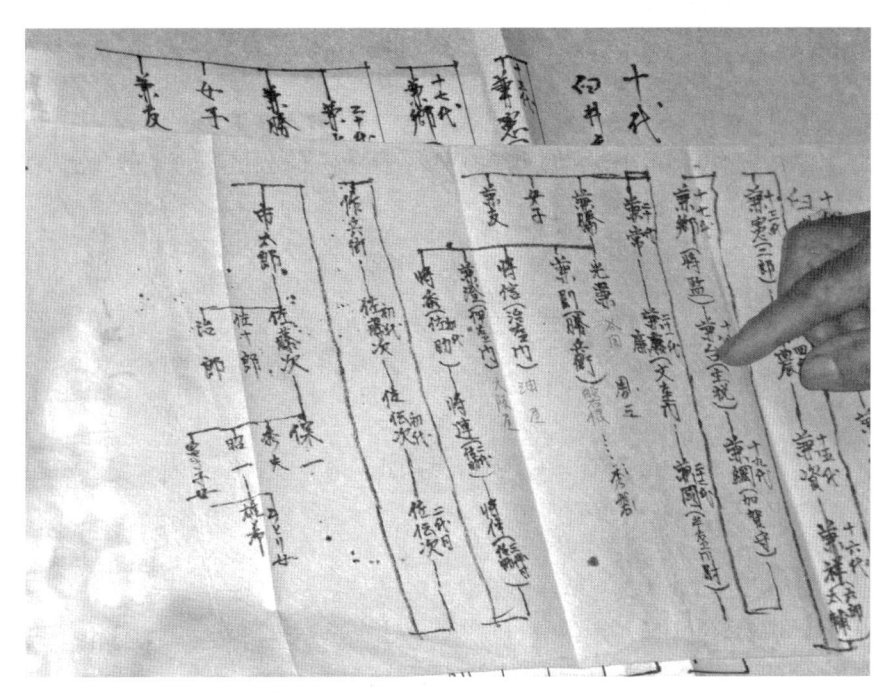

16. Árvore genealógica da família Usui

Barão Shimpei Goto

Além disso, Koyama Sensei conta que Usui Sensei foi secretário particular do político Shimpei Goto. O título honorífico deste último ("*Danshaku*" em japonês) equivale aproximadamente ao título de barão no Ocidente. O barão Shimpei Goto nasceu na província de Iwate no dia 24 ou 25 de setembro de 1857 e morreu a 13 de abril de 1929. Estudou Medicina na Universidade de Fukushima, e em 1890 foi para Heidelberg (Alemanha) para prosseguir os estudos.

Mais tarde, Goto ingressou na política. Trabalhou no Ministério da Saúde japonês até se tornar ministro dessa pasta. No ano de 1890, durante a Primeira Guerra Sino-Japonesa, foi nomeado chefe de quarentena do Exército. Em 1898, tornou-se governador de Taiwan e, em 1906, diretor da Companhia de Estradas de Ferro da Manchúria. Depois disso, foi ministro dos Correios e do Exterior, em 1908 foi nomeado ministro das Comunicações e mais tarde foi ministro dos Transportes. Em 1918, tornou-se ministro das Relações Exteriores do Japão. Em 1920, foi nomeado prefeito de Tóquio. Depois do Grande Sismo de Kanto em 1923, Goto planejou uma reconstrução visionária da cidade, que infelizmente não foi implantada conforme suas ideias por razões financeiras. Se suas instruções tivessem sido seguidas, o bombardeio de Tóquio na Segunda Guerra Mundial não teria custado tantas vidas.

Goto foi um grande visionário. Ao longo de sua carreira política, fundou várias entidades e associações como, por exemplo, o pioneiro Instituto Sismográfico Japonês (Japanese Seismographic Institute), o Instituto Municipal de Pesquisas de Tóquio (Tokyo Municipal Research Institute) e a União dos Escoteiros do Japão. Goto foi amigo de Gishin Funakoshi, fundador do karatê moderno, e ofereceu a esse amigo uma caligrafia com as palavras "Acima de tudo, cultiva a integridade e a honestidade em teu espírito" para ilustrar a primeira edição do livro *Karate Jutsu*. Um museu em homenagem ao barão Shimpei Goto foi inaugurado na cidade Misuzawa, na província de Iwate, ao norte de Tóquio. Infelizmente, esse museu não abriga informações sobre Usui Sensei. O barão Shimpei Goto morreu em 1929.

17. Barão Shimpei Goto

Com base em sua atividade como secretário particular do barão Goto, podemos supor que Usui Sensei se relacionava com muitos políticos influentes, coisa que também explicaria as viagens ao exterior registradas na inscrição de sua pedra memorial (ver pp. 64ss.). No entanto, não sabemos ao certo que serviços ele prestava ao barão. Koyama Sensei contou que Usui teria sido um *"kaban mochi"*, que em tradução literal significa "portador da pasta de documentos", isto é, "secretário particular". Depois de se afastar do posto, Usui Sensei se estabeleceu como empresário, mas os negócios não deram certo e Usui se viu diante de grandes dificuldades financeiras. De acordo com a Sra. Koyama, ele teve que decretar falência.

Segundo a inscrição na pedra memorial de Usui, no Cemitério Saihoji de Tóquio, depois de sua morte, o filho Fuji assumiu a "herança" familiar. Mas essa "herança" não tinha nada a ver com Reiki. Ainda não sabemos se, além do Reiki, Fuji dirigia outro negócio, mas as investigações sobre isso continuam.

Início da história do Reiki

Segundo Koyama Sensei, depois da falência de sua empresa Usui Sensei passou por uma espécie de crise de identidade que o levou a questionar o sentido da vida. Em busca do *"anjin ryumei"* (ver capítulo "Conceitos japoneses importantes para entender o Reiki"), estado de absoluto equilíbrio interior e exterior, Usui concluiu por volta de 1919 um estágio de três anos de meditação e jejum num templo zen-budista de Kyoto (cujo nome infelizmente não conhecemos). Conforme a tradição da época, muitos homens japoneses passavam um período de suas vidas num templo. Esse período podia durar três semanas, três meses, um ano, três anos ou até mais. Mas isso não implicava que o praticante se tornasse necessariamente um monge, como aconteceu no caso de Usui Sensei.

Depois de três anos de retiro espiritual, Usui Sensei pediu ao abade um conselho sobre como deveria continuar sua busca. O abade retrucou que só havia um caminho para Usui Sensei, já que ele não conseguira alcançar a iluminação depois de três anos no templo: a morte do corpo físico.

Muitas escolas zen-budistas dizem que há certas fases da vida nas quais a iluminação é mais provável do que no resto da vida do praticante. Essas fases vão dos 19 aos 29 anos, dos 35 aos 36 e dos 40 aos 45. Quando nada acontece nesses períodos, o praticante se vê em dificuldades. Não pode provocar a iluminação. Só pode criar condições ideais para que ela aconteça – ou não. A maçã cai sozinha do galho quando está bem madura.

Primeira variante

A primeira variante consiste num estágio no templo ou num retiro espiritual. Ali, o praticante enfrenta uma rotina dura. Dorme e come pouco, medita várias horas por dia e, para esvaziar o ego, limpa o chão e os banheiros do templo mesmo quando já estão brilhando. Muitas escolas acrescentam os chamados *"sesshin"*, ou longos períodos de meditação, abstinência e talvez até isolamento, além de trabalho físico exaustivo. O resto do dia se destina à oração, à recitação de mantras, à caligrafia e outras atividades da vida espiritual. Usui Sensei passou por tudo isso – mas sem atingir o objetivo desejado.

Segunda variante

A segunda variante é o trauma. O trauma se divide em três aspectos ou numa mistura deles.
– Trauma físico: acidentes ou doença.
– Trauma emocional: um acontecimento doloroso como o fim de um relacionamento ou a morte de uma pessoa querida.

— Trauma mental: dificuldades financeiras, inadimplência, demissão etc.

Talvez você ou algum de seus conhecidos já tenha passado por uma situação igualmente difícil e tenha experimentado assim um abalo espiritual.

Terceira variante

A terceira variante é a morte do próprio praticante. No momento da morte, quando o corpo etérico se separa do corpo físico, uma pessoa com prática em meditação tem condições de finalmente encontrar a si mesma.

Só a primeira das variantes acima pode ser praticada sem restrições. A segunda (trauma) não leva necessariamente ao estado de iluminação, e por isso o risco é grande demais. Por favor, não tentem provar isso em casa.

Mas a terceira variante, a própria morte, é sempre uma possibilidade para o praticante entender a si mesmo e a vida. Na Índia e na Tailândia, eu mesmo vi com frequência estátuas de Budas (ou futuros Budas) macilentos de fome, meditando até morrer.

18. Abrigo Mao Den, próximo ao templo do monte Kurama.
Usui Sensei pode ter meditado aqui ou num local semelhante

A iluminação do Buda histórico, Gautama Siddharta, também passou por algo semelhante. Dizem que ele meditou por sete anos junto com ascetas e flagelou o corpo e a alma até que, um dia, desistiu do sofrimento e sentou-se sob a Árvore Bodhi (*Ficus religiosa*) em Bodhgaya (cidade indiana a 96 km de Patna). Não quis se levantar dali enquanto não alcançasse a iluminação...

A religião de Usui Sensei, o Jodo Shu (budismo Terra Pura), afirma que quem repetir o nome de Amida Buda renasce na Terra Pura. Ali, o simples fato de existir leva imediatamente à iluminação.

Assim, no mesmo estilo do Buda histórico, em março de 1922 Usui Sensei começou no monte Kurama um período de jejum que deveria levá-lo à morte. Não sabemos se ele seguia uma técnica específica de meditação. É provável que ele tenha armado seu acampamento bem longe da estrada, em algum lugar na floresta, para não ser incomodado e também para não assustar algum peregrino. No final dos anos 1990, perguntei no escritório do Templo Kurama se ali se organizavam retiros espirituais de três semanas. A resposta foi negativa.

Koyama Sensei conta que Usui Sensei ficou mais de vinte dias no monte Kurama sentado na posição *Gassho*, com a mente absolutamente vazia e sem pensamentos. No último dia de sua viagem interior, aconteceu então aquilo que ele havia esperado em vão por tanto tempo. À noite, sentado sob um abrigo na montanha (ver foto 18), uma espécie de relâmpago o atingiu na testa e ele desmaiou. Perdeu a noção do tempo e não percebeu quanto tempo ficou nesse estado. Quando voltou a si, todo o seu corpo estava possuído por uma força nova. Ele se sentia cheio de luz e energia. Nunca antes estivera tão bem-disposto. Foi assim que ele conheceu o Reiki. "Talvez", pensou ele, "seja isso que o abade quis dizer com *anjin ryumei*." Essa vivência mudou radicalmente sua vida – e a nossa.

Depois da iluminação

Usui Sensei interrompeu o jejum e pôs-se a caminho para perguntar ao abade se aquilo que experimentara era o estado desejado. A iluminação, mesmo quando dura só um instante, pode não ser o que se imagina. Por isso, em todas as culturas asiáticas é importante que ao menos um homem iluminado confirme e abençoe a iluminação do iniciante. Na Índia, dizem que, se possível, a confirmação deve ser feita por três iniciados, separadamente.

Koyama Sensei conta ainda que Usui desceu do monte Kurama para beber a água de um riacho (*observação do autor*: provavelmente na aldeia Kibune, no sopé do Kurama, atravessada por um riacho de águas refrescantes, ver foto 19). No caminho, ele machucou uma unha do pé, mas no momento em que pôs a mão sobre o local machucado, a dor desapareceu (*observação do autor*: no

19. Riacho na aldeia Kibune

monte Kurama vivem cedros bastante antigos cujas raízes nodosas muitas vezes são visíveis, espalhadas pelo chão, ver foto 20).

Quando chegou ao sopé, Usui encontrou numa casa de chá uma moça que sentia dores de dente. Ele a curou, descobrindo assim seu poder de cura sem se esforçar para isso.

20. Raízes de cedro no monte Kurama

Em seguida, Usui Sensei visitou o abade, que ficou muito satisfeito com a notícia trazida pelo discípulo. Ele confirmou que Usui tinha experimentado o *anjin ryumei* e recomendou-lhe que começasse o trabalho imediatamente e ensinasse o que aprendera. Disse-lhe que o poder terapêutico era um efeito secundário da vivência espiritual e que a partir daquele momento Usui deveria curar o mundo e seus habitantes com esse poder. Conta-se que o Buda histórico sempre repetia a seus discípulos: "Meditem o máximo possível, mas não se esqueçam da compaixão."

A Usui Reiki Ryoho Gakkai

Assim, Usui Sensei voltou para o mundo e, um mês mais tarde, em abril de 1922, fundou a Usui Reiki Ryoho Gakkai (臼井靈氣療法学会). Como dissemos anteriormente, o nome completo dessa associação era "Shin Shin Kaizen Usui Reiki Ryoho Gakkai". A tradução seria "Associação do Método de Cura de Energia Espiritual de Usui para a Melhora do Corpo e da Mente". Koyama Sensei explica que a associação não era uma comunidade religiosa e que Usui teve o grande mérito de não transformar o Reiki Ryoho (método de cura) numa seita. O objetivo da associação era seguir o grande Reiki e trabalhar com ele e com a saúde de cada praticante de forma disciplinada, todos os dias. O Reiki era encarado como a força espiritual do universo. Embora o universo esteja repleto de Reiki, a cura de si mesmo e das outras pessoas exige muito trabalho. A prática do Reiki Ryoho significa que o praticante deseja felicidade, saúde e bem-estar para todos os seres vivos (ver "Juramento Bodhisattva" à p. 163).

Koyama Sensei escreve sobre os membros do grupo: "Cada membro deve zelar por sua própria saúde, formar seu caráter e purificar seu coração. Para continuar saudável, cuide de si mesmo, coma e durma bem. Abasteça-se

21. Santuário Meiji sob a chuva

com o Reiki todos os dias. O Reiki cura todas as regiões do corpo e ajuda a fortalecer a capacidade de resistência do organismo. Ajuda a regenerar as células e estimula todos os órgãos internos, e assim o praticante não precisa de remédios nem operações."

Apenas um mês depois de sua vivência no monte Kurama, Usui Sensei começou a ensinar Reiki. Abriu sua primeira clínica em Harajuku, perto do belíssimo Meiji-Jingu (santuário xintoísta dedicado ao imperador Meiji), no coração de Tóquio (ver foto 21). Acredita-se que a sede principal da Usui Reiki Ryoho Gakkai ficasse perto do Togo Jinja (santuário xintoísta Togo, ver foto 22).

Antigamente, eu achava suspeito o intervalo tão curto entre o *anjin ryumei* e a fundação da associação. As pessoas só sabiam que Usui Sensei havia subido ao monte Kurama para meditar. Quem me contou pela primeira vez sobre o estágio de três anos no templo zen-budista foi Fumio Ogawa. Anos mais tarde, Chiyoko e Tadao Yamaguchi confirmaram o fato. Quando uma pessoa tem uma profunda vivência espiritual, normalmente não se recupera em apenas quatro semanas. A vivência fragmenta o ego em mil pedaços, e o discípulo precisa de muito tempo e de um mestre experiente para se recompor e voltar à vida normal. Mas quando descobri que antes disso Usui Sensei passara

22. Santuário xintoísta Togo

três anos num templo zen-budista, tudo começou a fazer sentido. Ele estava bem preparado para aquela vivência, que com certeza não foi a primeira em seu longo caminho de vida.

O movimento do Reiki se expande

A Usui Reiki Ryoho Gakkai cresceu depressa. Como já dissemos, Usui Sensei tinha relacionamentos na política e na Marinha japonesas. Em suas viagens a serviço do barão Shimpei Goto, havia travado conhecimento com altos oficiais da Marinha, que mais tarde conseguiu conquistar para o Reiki. Usui viajou com eles para a China e outros países estrangeiros (como ficou registrado em sua pedra memorial).

Aparentemente, os anos 1920 ofereceram um solo fértil para movimentos espiritualistas em todo o mundo, inclusive no Japão. No Período Meiji (1868–1912), o governo japonês adotou o xintoísmo como religião oficial, certamente por motivos políticos. O imperador passou a ser considerado encarnação da principal divindade xintoísta, garantindo assim seu poder nos planos mundano e religioso.

O budismo foi reprimido, em parte com violência. Monges e freiras budistas foram obrigados a renegar sua religião, e seus templos foram profanados. Pessoas foram torturadas e mortas. Os elementos da cultura budista incorporados ao xintoísmo ao longo dos séculos foram afastados (mas isso só funcionou em parte).

O imperador Meiji (ver foto 23) e seu governo promoveram uma abertura de seu país ao Ocidente. Essa abertura não favoreceu o conjunto da população. Os camponeses se empobreciam cada vez mais, e também os intelectuais começaram a se voltar para os valores da cultura japonesa tradicional.

No Período Taisho (1912–1926), a situação política se acirrou e eclodiram revoltas, semelhantes a guerras civis, cujos líderes defendiam a abolição da monarquia. Taisho Tenn (o imperador Taisho) sofria de meningite e, por motivos de saúde, não conseguia governar o país a contento e com o mesmo carisma de seu pai.

Na Terceira Parte deste livro, apresento um panorama das correntes espiritualistas contemporâneas de Usui Sensei. Nos anos 1920, alguns dos grupos e seitas mais importantes, de diferentes orientações religiosas, foram proibidos, e seus líderes foram presos. A seita Omoto Kyo (também grafada "Oomoto-kyo" – ver descrição em detalhes no capítulo "Grupos relacionados com o Reiki na época Usui Sensei" às pp. 168ss.), por exemplo, foi injustamente acusada do crime de lesa-majestade, delito mais grave da sociedade japonesa. Muitos dos membros que pertenciam à alta hierarquia da seita ocupavam postos de comando no Exército e na Marinha do país. Essas cerca de 500 pessoas, só da seita Omoto Kyo, foram ameaçadas pelo governo com a perda de seus cargos e o fim de suas carreiras.

Talvez seja por esse motivo que Usui Sensei dava grande importância ao culto do imperador Meiji em seus ensinamentos. Usui oferecia aos discípulos 125 poemas do imperador como parte do currículo de aprendizado, e sempre falava do imperador (já falecido àquela altura) com grande amor e respeito. No ritual de limpeza e sintonização (*Reiju*), Usui sempre recitava um poema do imperador, juntamente com seus *Shihan* – tradição mantida depois por Hayashi Sensei. As inscrições da pedra memorial de Usui Sensei recomendam a conservação da herança do imperador Meiji. Segundo Ogawa Sensei, a relação de Usui com o imperador era como a de um filho diante do pai.

No início dos anos 1920, o governo japonês proibiu as técnicas de cura espiritual, inclusive de cura pela imposição das mãos. Só médicos e terapeutas formados em academias oficiais podiam praticá-las. Depois disso, muitos

23. O imperador Meiji

desses grupos – com exceção da Usui Reiki Ryoho Gakkai e alguns outros – mudaram sua orientação e se tornaram exclusivamente religiosos, escapando assim à perseguição com base na liberdade de religião.

Vários *Shihan* da Usui Reiki Ryoho, e, sobretudo três de seus futuros presidentes, eram altos oficiais da Marinha japonesa (instituição muito poderosa e respeitada), e graças a eles o governo autorizou a existência da Associação Usui. Um aspecto decisivo dessa autorização foi o fato de que a doutrina pregava reverência ao imperador e não ensinava à sociedade princípios nem práticas semelhantes às das seitas suspeitas. Com isso, o Reiki foi preservado para a posteridade.

O Grande Sismo de Kanto, em 1923

No dia 1º de setembro de 1923, a região de Tóquio viveu o terremoto mais violento da história do Japão. As cidades de Tóquio, Yokohama, Kamakura, Atami, Odawara, Ito, Hakone, Miyanoshita, Yokosuka e Soga foram devastadas. Segundo estimativas oficiais, o tremor causou ao todo 140 mil mortes, deixou 180 mil pessoas feridas e 1,5 milhão de desabrigados (ver foto 24). Só em Tóquio e Yokohama cerca de 360 mil lares foram destruídos, número que chegou a cerca de 700 mil em toda a região atingida.

24. Depois do Grande Sismo de Kanto, em 1923

Mais tarde, o terremoto foi chamado de "Kanto Dai Shinsai". "Kanto" é o nome da região ao redor de Tóquio, e "Dai Shinsai" significa "grande zona devastada pelo terremoto". Além do tremor de terra, o aspecto mais grave do acontecimento foram os incêndios inexpugnáveis causados pelos inúmeros fogos acesos nas casas de madeira, imediatamente após o terremoto. Esses incêndios formaram verdadeiras tempestades de fogo e destruíram tudo o que o tremor havia poupado. Para piorar, ocorreram ainda deslizamentos de terra e formação de grandes ondas oceânicas (tsunamis).

Grande parte dos hospitais e clínicas das cidades afetadas foi imediatamente consumida pelo fogo, e as instituições que restaram ficaram superlotadas em questão de horas por causa da grande quantidade de feridos. Assim, os feridos não tiveram outra opção a não ser procurar terapias alternativas.

Por uma triste e de certa maneira surpreendente coincidência, foi graças a esse terremoto que Usui Sensei e o Reiki se tornaram conhecidos de uma hora para a outra em todo o país. Mas a vida não faz distinção entre o bem e o mal; para o Reiki, vida e morte são inseparáveis. De um lado, muitas pessoas perderam a vida, mas de outro, novas possibilidades de cura se abriram, no passado, no presente e no futuro...

Como já dissemos anteriormente, os incêndios que se seguiram ao terremoto e duraram dois dias inteiros tiveram consequências mais graves do que o próprio tremor. Nas instalações do Army Clothing Depot [depósito de uniformes do exército], no distrito de Honjo, 40 mil pessoas pereceram vítimas do fogo. Porém, o Templo Asakusa de Kannon, no qual cerca de 100 mil pessoas procuraram refúgio contra as chamas sempre reavivadas, permaneceu misteriosamente intacto. As pessoas que ali estavam passaram a acreditar que só foram poupadas por causa de suas orações à deusa Kannon (ou Kuan Yin no budismo chinês), que representa a compaixão e a misericórdia.

Koyama Sensei conta que, devido à extrema gravidade da situação, Usui Sensei atendia pelo menos cinco pacientes ao mesmo tempo: tocava um deles com a mão direita, o segundo com a mão esquerda, o terceiro com o pé direito, o quarto com o pé esquerdo e o quinto com os olhos ou a respiração. E, como se isso não bastasse, também atendia simultaneamente grupos inteiros.

Ushida Sensei (ver foto 25), segundo presidente da Usui Reiki Ryoho Gakkai, ajudou Usui nessa empreitada, juntamente com outros sete mestres formados. Segundo testemunho de Koyama Sensei, o terremoto modificou profundamente a

25. Ushida Sensei

entidade. Antes, só Usui podia iniciar e instruir outras pessoas, mas depois do terremoto ele decidiu compartilhar seu saber com toda a humanidade.

Ele e seus mestres percorreram a região durante meses, tratando as vítimas do tremor pelas técnicas do Reiki. Segundo Koyama Sensei, a Usui Reiki Ryoho Gakkai praticou várias centenas de milhares de sessões terapêuticas.

26. *Torii* (portal xintoísta) na entrada do Santuário Amataka

Regresso a Taniai

No mesmo ano, Usui Sensei regressou a Taniai e, para exprimir sua gratidão, mandou construir diante do santuário xintoísta da aldeia, o Amataka Jinja (Templo da Águia do Céu), um portal de pedra natural (*"torii"* em japonês). De acordo com o Sr. Nakamura, Usui era um homem muito religioso.

O *torii*[1] de Amataka Jinja (ver foto 26) traz inscrições com os nomes das pessoas que colaboraram em sua construção. Ali são homenageados Mikao Usui (ver foto 27) e seus dois irmãos mais novos, Sanya e Kunishi (ver foto

---

1. Portal situado na entrada de um santuário xintoísta, assinalando o limite de seu campo energético. Tais portais são encontrados em todo o Japão, em diferentes versões. Podem ser feitos de madeira, pedra ou metal, e apresentam-se individualmente, em grupos de três ou numa série de múltiplos *torii* diante do santuário. Ao transpor um portal, os fiéis japoneses se inclinam e juntam as mãos.

28). A pedra foi trabalhada pelo entalhador Sugiura Isojiro, que também registrou o então endereço de Usui Sensei: Tokio Shi (cidade de Tóquio), Azabu Ku (bairro), Morimoto-Cho ou Morimoto-Matchi (duas leituras possíveis dos mesmos *kanji*). A construção do *torii* custou à época cerca de um milhão de ienes, quantia astronômica quando se pensa que 20 ienes eram suficientes para o sustento mensal de um indivíduo. Um dos motivos pelos quais o já mencionado Sr. Nakamura, descendente da irmã de Usui Sensei, decidiu pesquisar a biografia do mestre foi para descobrir como um habitante da aldeia pôde se dar ao luxo de doar tanto dinheiro ao santuário xintoísta. Nos arredores de Taniai não havia pedreiras, e o Sr. Nakamura supõe que as pedras para o monumento tenham sido trazidas da cidade de Okazaki, a leste de Nagoia, na província de Aichi.

Na mesma época, segundo me contou o Sr. Nakamura, os habitantes da aldeia tomaram conhecimento da profissão exercida por Usui Sensei.

27. Nome de Mikao Usui no *torii* do Santuário Amataka

Depois do terremoto de 1923

Depois do terremoto, a situação política japonesa se acirrou ainda mais. A abertura para o Ocidente perdeu fôlego de repente, sendo substituída pela aproximação com os países asiáticos. O choque levou os japoneses a uma "volta às origens", e essa mudança foi benéfica ao Reiki. O líder Mokichi Okada, por

28. Nomes dos irmãos de Usui Sensei

exemplo (ver p. 175), conta que o Grande Sismo de Kanto o abalou no fundo do coração, e depois disso ele passou a refletir cada vez mais sobre o sentido da vida. Tenho certeza de que isso aconteceu a muitas pessoas em busca da verdade e da iluminação.

A reconstrução de Tóquio durou um longo período de sete anos. Até mesmo depois do terremoto de Kobe, em 1995 (do qual o leitor deve se lembrar), milhares de pessoas viveram em acampamentos durante anos. Quando ouvi falar pela primeira vez no trabalho de Usui Sensei com as vítimas do terremoto, a antiga lenda reikiana segundo a qual Usui teria trabalhado sete anos no "bairro dos mendigos" ficou clara para mim. Os "mendigos" eram na verdade as vítimas do terremoto, que tinham perdido suas famílias e todas as suas posses. As inscrições na pedra memorial de Usui Sensei contam que seu coração se encheu de tristeza diante da enorme tragédia, e que as pessoas necessitadas faziam fila diante de sua casa. Certa vez, Usui atendeu um homem que tinha acabado de sofrer um AVC (acidente vascular cerebral) e estava desacordado. Durante o tratamento, o homem começou de repente a eliminar escarro e finalmente acordou, voltando depois a pé para casa.

Mudança para Nakano

A fama de Usui Sensei se espalhou como um vendaval pela cidade, e em 1925 ele se mudou para Nakano (que na época era um subúrbio de Tóquio, mas hoje faz parte da região metropolitana e fica no distrito Suginami-Ku), passando a habitar uma casa maior, que também era usada como *dojo* (centro de treinamento). Toda casa japonesa tradicional tem uma espécie de *hall* ou vestíbulo (chamado *"genkan"* em japonês) onde as pessoas descalçam os sapatos antes de entrar. Koyama Sensei conta que o *genkan* de Usui estava sempre cheio de sapatos, a qualquer hora do dia.

Os descendentes de Usui Sensei ainda moram ali. Quando passei pelo local em outubro de 2007, para ter uma ideia da região onde viveu o mestre, conversei com um neto de Usui na porta de entrada. Ele me perguntou o que eu fazia ali, mas encurtei a conversa e me despedi em seguida, pois não queria incomodar a família.

Mais tarde, quando Tadao Yamaguchi e eu estávamos em Kyoto, mandamos alguns doces tradicionais à família Usui como um pedido de desculpas pelo incômodo inesperado. Logo depois, o Sr. Usui telefonou para Tadao para agradecer pelos doces. Disse que não sabia sobre o trabalho de Reiki de seu avô e que não conhecia o túmulo do mestre. Na aldeia de Taniai, soubemos também que os descendentes de Usui Sensei não se reúnem ali para o *"obon"*, ou cerimônia anual de homenagem aos antepassados, que é muito comum no Japão. Em 1994, eu já tinha conversado com a esposa do Sr. Usui (neto do mestre), que nos contou que sua sogra (isto é, a nora de Usui Sensei) deixou uma cláusula em seu testamento, estabelecendo que o nome Mikao Usui nunca deveria ser pronunciado em sua casa. O motivo dessa exigência não nos foi explicado, mas é óbvio que se trata de um conflito familiar não resolvido, com o qual as pessoas de fora não têm o direito de se envolver.

Usui Sensei viajou por todo o Japão ensinando o Reiki. Numa dessas viagens, ele sofreu um derrame cerebral com formação de coágulo e faleceu a 9 de março de 1926 em Fukuyama, na província de Hiroshima, no sul do Japão. Segundo Koyama Sensei, a morte ocorreu durante o trabalho, no momento em que Usui ensinava para um grupo de alunos. Ele já havia sobrevivido a dois AVCs. Se o leitor ou a leitora examinarem atentamente as fotos de Usui Sensei apresentadas neste livro, poderão observar os efeitos dos derrames em seu rosto e sua postura corporal.

Usui foi enterrado no Cemitério Saihoji de Tóquio, no distrito de Suginami-Ku. Deixou para trás 2 mil discípulos e seguidores e 40 sucursais da Usui Reiki Ryoho Gakkai. A associação permitia a qualquer *Shihan* fundar sua própria sucursal, sob a condição de que ele recrutasse ao menos cinco novos membros. Um ano depois da morte de Usui, na celebração do primeiro aniversário de seu falecimento, uma pedra memorial (ver foto 29) foi erigida

29. Túmulo de Usui Sensei com pedra memorial à direita

30. Inscrições na pedra memorial de Usui Sensei

ao lado de seu túmulo. As inscrições na pedra (ver foto 30) foram talhadas por seu sucessor Ushida Sensei, que era um calígrafo de grande talento. O cabeçalho das inscrições diz o seguinte: "Pedra memorial de Usui Sensei, fundador do método espiritual."

Segue abaixo o texto das inscrições, numa tradução elaborada por Akiko Sato.

Pedra memorial de Usui Sensei, fundador do *reiho* (método espiritual)

A virtude é algo que cada um encontra dentro de si como resultado de um treino constante de evolução espiritual.

O sucesso se dá quando cada um aprofunda seu caminho de salvação dos seres humanos, contribuindo assim com um pouco de sua virtude em prol da natureza e de seus semelhantes.

Só aqueles capazes de expandir essa virtude e esse sucesso são chamados de Grandes Mestres.

Nas ciências do espírito, todas as pessoas eminentes foram Grandes Mestres.

Um desses Grandes Mestres foi Usui Sensei.

Usui Sensei inventou um método baseado no REIKI do Universo, capaz de curar o corpo e a mente.

Ele ensinou aos outros o Reiki do Universo (*energia espiritual universal*).

Inúmeras pessoas o procuraram e lhe pediram que ensinasse o grande Caminho do Reiki e que as curasse de seus males.

Seu prenome é Mikao e seu nome artístico é Gyohan. Ele nasceu na aldeia Taniai, hoje cidade Yamagata, no distrito de Yamagata e na província de Gifu.

O nome de um de seus antepassados é Tsunetane Chiba. O nome de seu pai era Uzaemon, e o sobrenome de solteira de sua mãe era Kawai.

Ele nasceu no dia 15 de agosto do primeiro ano da Era Keio (1865), ano este chamado de *"Keio Gannen"* (primeiro ano da era correspondente). Aprendeu muitas coisas e tinha talentos extraordinários. Depois de adulto, viajou por vários países do Ocidente e pela China. Aproveitou então para se aprofundar na história e na cultura desses países.

Embora fosse um homem fora do comum e de grande vocação, teve de lidar com muitos conflitos e dificuldades. Mas nunca desistiu de seus objetivos e continuou firme em seu aprendizado.

Certo dia, ele se dirigiu ao monte Kurama para um retiro espiritual, no qual meditou e jejuou por vinte dias.

No último dia, ele sentiu a grande Energia do Reiki em sua mente. Experimentou a iluminação e compreendeu os métodos do Reiki.

Primeiro experimentou as técnicas do Reiki em si mesmo, e a seguir com os membros de sua família. Percebendo que as técnicas eram eficazes contra os mais diversos males, decidiu empregá-las não só em seu próprio benefício e no de sua família, como também no de outras pessoas. Além disso, passou a praticar as técnicas com alegria e reverência, para que se tornassem acessíveis e conhecidas em toda a sociedade.

Inaugurou um *dojo* (centro de treinamento) em Harajuku, Aoyama, Tóquio, em abril do décimo primeiro ano do Período Taisho (1922). Dirigiu seminários de iniciação e conduziu sessões terapêuticas com muitos pacientes. Inúmeras pessoas vinham procurá-lo, de longe e de perto. Elas faziam fila diante de sua casa para serem atendidas.

Em setembro do décimo segundo ano do Período Taisho (1923), o Grande Sismo de Kanto abalou toda a região de Tóquio. Milhares de pessoas morreram, ficaram feridas ou doentes. O coração de Usui Sensei se entristeceu, e cheio de compaixão ele começou a percorrer toda a cidade para visitar e curar as vítimas do terremoto. Visitou e curou assim muitas vítimas que não tinham condições de ir até ele.

Logo sua clínica ficou pequena demais, e assim ele se mudou para Nakano em fevereiro do décimo quarto ano do Período Taisho (1925), onde construiu um novo *dojo*. A localização do novo *dojo* foi definida por meio de clarividência (*uranai*).

Sua fama logo se espalhou por todo o Japão, e ele recebeu convites para visitar muitas cidades. Viajou certa vez para Kure, em outra ocasião, à província de Hiroshima, depois à província de Saga e também a Fukuyama.

Ele adoeceu e faleceu aos 62 anos de idade, no dia 9 de março do décimo quinto ano do Período Taisho (1926), em Fukuyama.

O nome de sua mulher era Sadako, e seu sobrenome de solteira era Suzuki. Eles tiveram um filho e uma filha. O filho, Fuji Usui, assumiu a herança familiar depois da morte de Usui Sensei.

Usui Sensei era uma pessoa muito cordial, simples e humilde. Tinha um corpo saudável e bem proporcionado. Nunca se vangloriava de seus feitos e trazia sempre um sorriso nos lábios.

Resolvia problemas com determinação, sinceridade, tranquilidade e paciência. Era muito cauteloso e circunspecto em atos e palavras. Tinha também muitos talentos extraordinários.

Gostava de ler e possuía conhecimentos abrangentes em matéria de psicologia, medicina, fórmulas mágicas (ver a definição de *Jumon* no capítulo "Conceitos japoneses importantes para entender o Reiki", à p. 24), fisiognomonia (a arte de ler o rosto), clarividência e teologia das religiões orientais e ocidentais.

Sem dúvida, seus esforços incansáveis para aprender e reunir novos conhecimentos foram decisivos para que ele recebesse a iluminação do Reiki e entendesse como empregar essa energia.

O objetivo principal do Reiki não é só curar doenças, mas também promover o fortalecimento de talentos naturais já existentes, o equilíbrio da mente, a saúde do corpo e, com isso, a conquista da felicidade.

Para ensinar tudo isso às pessoas, é preciso seguir a herança espiritual do imperador Meiji e abraçá-la no mais fundo do coração.

1. Hoje, não se zangue.
2. Hoje, não se preocupe.
3. Hoje, seja grato.
4. Hoje, cumpra seu dever (*trabalhe com afinco*).
5. Hoje, seja bondoso com as pessoas (*criaturas*) ao seu redor ("shinsetsu" *é um conceito japonês complexo que pode significar gentileza, carinho e compaixão*).

Aqueles que seguem esses preceitos extraordinários atingem a paz espiritual dos sábios antigos.

O objetivo último é entender como se chega à felicidade (*Reiki*), descobrindo assim um procedimento terapêutico universal contra muitas doenças.

Para poder difundir o Reiki, você não deve divagar para longe, e sim ocupar-se com as coisas próximas e imediatas. Cale-se e sente-se todas as manhãs e todas as noites na posição *Gassho*, com as mãos unidas diante do peito. Deixe que sua alma se equilibre e se tranquilize. Tenha consideração por si mesmo e pelas outras pessoas. Isso é algo que qualquer um consegue fazer.

Tudo muda depressa, as ideologias se modificam, mas se o Reiki for difundido no mundo inteiro, iluminará para sempre o coração das pessoas e mostrará o caminho correto da convivência. Não somente curará doenças, como também terá grande utilidade para todos os seres vivos.

Mais de 2 mil pessoas aprenderam Reiki com Usui Sensei.

Algumas aprenderam o Reiki com seus discípulos mais antigos. Dessa forma, o Reiki foi se espalhando também em cidades distantes.

Apesar da morte de Usui Sensei, o Reiki continuará se expandindo para sempre.

É uma bênção ter aprendido Reiki com ele, ter vivenciado sua grandeza e ser capaz de transmiti-la aos outros.

Muitos discípulos de Usui Sensei se reuniram para erigir este monumento no Cemitério do Templo Saihoji, no distrito de Toyotama. Fui encarregado de escrever estas palavras para que seu trabalho extraordinário seja perpetuado.

Encaro seu trabalho com a maior reverência e gostaria de dizer a todos os seus discípulos que para mim é uma honra me desincumbir dessa tarefa. Nos anos que ainda virão, espero que muitas pessoas compreendam os serviços inestimáveis que Usui Sensei prestou ao mundo.

Fim da inscrição comemorativa

Pós-escrito:
Em fevereiro, segundo ano da Era Showa (1927)
Autor da inscrição: Masayuki Okada/*Jyu San-i Kun San-to* (doutor em Literatura)
Caligrafia: Juzaburo Ushida/*Jyu Yon-i, Dou San-to, Kou Yon-kyu* (almirante da Marinha Imperial e segundo presidente da Usui Reiki Ryoho Gakkai, sucessor direto de Usui Sensei).

Encontros com Usui Sensei

Um dos dois únicos relatos sobre Usui Sensei feitos por uma testemunha ocular, aos quais tive acesso em minhas pesquisas, é o de Harue Nagano Sensei[2]: "Usui Sensei curou muitas pessoas. Como não podia fazer tudo sozinho, fundou a associação. Até sua morte, a associação já tinha cerca de quarenta sucursais. Conheci Usui Sensei em maio de Taisho 14 (1925) em Sagano, num *"Reiju-Kai"* (encontro de "sintonização", isto é, intercâmbio ou transmissão de energia). Era um homem simples (no sentido de que não era mesquinho), modesto e bem-humorado. Tinha o dom da oratória. Durante aqueles cinco dias, todos os participantes se sentiram concentrados e felizes por estarem ali. O Reiki irradiava de todas as partes do corpo de Usui Sensei, e os participantes se juntavam ao seu redor e tocavam em suas roupas. Em Taisho 15 (1926), no dia 9 de março, ele faleceu subitamente durante um *Reiju* por causa de um

---

2. Esse relato está no manual de Koyama Sensei; ver também o Apêndice deste livro.

coágulo no cérebro, depois de já ter sofrido dois derrames. (Nessas duas ocasiões, ele curou a si mesmo.) Morreu aos 62 anos de idade.

"É uma lástima perder um líder espiritual tão extraordinário. Quando penso nos 56 anos transcorridos desde a fundação da entidade, vejo pontos altos e baixos. Durante a guerra, a Usui Reiki Ryoho Gakkai não pôde funcionar, os *Shihan* originais foram morrendo um após o outro e algumas sucursais tiveram de fechar. Mas, graças aos esforços de Koyama Sensei, a associação ganhou novo impulso e hoje está em plena atividade."

32. Usui Sensei em Shizuoka

O segundo relato de uma testemunha ocular é o de Gizo Tomabechi, político conhecido que, na condição de presidente da Câmara dos Deputados, foi um dos cinco estadistas japoneses que assinaram o Tratado Internacional de Paz de San Francisco, em 1951 (ver foto 33).

Outras observações interessantes sobre a Usui Reiki Ryoho Gakkai e seus modos de atuação podem ser lidas num trecho da autobiografia de Tomabechi, intitulada *Kaiko Roku* [*Minhas Memórias*], apresentado no Apêndice deste livro.

33. Assinatura do Tratado Internacional de Paz de San Francisco

Segue abaixo o testemunho de Tomabechi:

"Quando ele [Tomabechi] começou a frequentar [a Usui Reiki Ryoho Gakkai], ouviu dizer que a mulher de um de seus colegas, o Sr. Amami, havia um ano já não conseguia ficar de pé por causa de um problema nos quadris. Tomabechi pediu então a Usui Sensei que a atendesse. O Sr. Usui lhe ministrou o Reiki durante 20 a 30 minutos, e em seguida pediu que ela se levantasse.

"Fazia um ano que ela não era capaz de dar, sozinha, uma volta ao redor de sua cama, porque lhe era impossível ficar de pé. Apesar disso, ela tentou e conseguiu, e quando ficou de pé, gritou de alegria. Usui Sensei olhou para ela e disse-lhe que ela deveria caminhar. A mulher então começou a andar no quartinho ao lado ajudada por seu marido."

O Sr. Tomabechi achou que aquele era mesmo um milagre, se é que eles são possíveis neste mundo. Usui, com um sorriso, apenas olhava para a mulher.

A mulher, o marido e o Sr. Tomabechi ficaram mudos de espanto. Depois desse acontecimento, o Sr. Tomabechi abraçou o Reiki com grande convicção, até receber de Usui Sensei o grau de grande mestre (*Shihan*).

O Sr. Tomabechi queria ajudar outras pessoas por meio do Reiki. Nessa época, foi nomeado diretor executivo do Instituto de Fertilizantes Dai Nippon. Depois de se mudar de cidade para assumir o novo cargo, passou a viver sozinho num apartamento, sem a presença da família. Começou então a usar o apartamento para sessões de Reiki, deixou que alguns aprendizes trabalhassem ali e atendeu vários pacientes de graça.

Em suas memórias, ele escreve: "Depois do Grande Sismo de Kanto, no décimo segundo ano do Período Taisho [1923], estive muitas vezes com Usui Sensei e observei-o no atendimento aos pacientes. Testemunhei a eficácia do Reiki Ryoho na cura de doenças físicas e psicológicas. Aprendi o Reiki com inteira convicção até receber o grau de *Shihan*. Comecei a tratar a mim mesmo e as outras pessoas pelas técnicas do Reiki. Depois disso, meu estado de saúde melhorou incrivelmente e passei a pesar mais de 60 quilos. Desde os tempos de escola, pela primeira vez me sentia realmente saudável."

Usui Reiki Hikkei

O Usui Reiki Hikkei é o único legado escrito de Usui Sensei do qual temos conhecimento. É o manual que ele mesmo distribuía a seus discípulos. Em 1997, recebi uma cópia de Ogawa Sensei, cujo pai tinha aprendido Reiki diretamente com o mestre. O texto reproduzido a seguir é uma nova revisão, feita por Akiko Sato, da tradução do manual do Reiki Ryoho.

Usui Sensei responde aqui pessoalmente a várias perguntas. A data da entrevista e o nome do entrevistador não são mencionados. Uma vez que o texto original tem cerca de 75 anos e foi redigido em japonês antigo, tivemos de fazer algumas pequenas mudanças para torná-lo mais inteligível. Por causa de seu trabalho como jornalista, Usui Sensei conseguia formular preceitos importantes do Reiki utilizando palavras simples. Por favor, leia a entrevista várias vezes com atenção. Eu mesmo a releio com frequência, e a cada vez descubro algo novo... Minhas observações são apresentadas entre parênteses.

Por que ensino publicamente o Método (Reiki)
— Declaração do fundador Mikao Usui —

Antigamente, era comum que uma pessoa que descobriu uma lei ou princípio original ou secreto o guardasse para si mesma, ou só o compartilhasse com seus descendentes. Esse segredo era então encarado como uma espécie de herança de vida para os descendentes. Não era transmitido às pessoas de fora. Mas trata-se aqui de um hábito antiquado do século passado. (A herança espiritual da maioria dos mestres contemporâneos de Usui era perpetuada por seus descendentes, mas em muitos casos o próprio fundador não tinha condições de transmitir seus conhecimentos a um parente próximo.)

Numa época como a nossa, o bem-estar da humanidade se baseia na cooperação entre as pessoas e no desejo de progresso social. Por isso, nunca permitirei que alguém tente monopolizar o Reiki para seu próprio uso! Nossa associação Reiki Ryoho é algo absolutamente original e não pode ser comparada a qualquer outra corrente (espiritualista) do mundo. (Além disso, o Reiki não foi "redescoberto", nem surgiu a partir de outras fontes.) Assim, quero ensinar esse método (livremente) para o público em geral e para o bem da humanidade. Qualquer pessoa tem o potencial de entrar em contato com a dimensão divina, o que resulta numa unidade entre corpo e alma. Grandes multidões podem assim (por meio do Reiki) experimentar a bênção divina. Acima de tudo, nossa Reiki Ryoho é uma terapia original que se baseia na energia espiritual do universo (o Reiki). Essa energia pode curar o ser humano, intensificando assim a paz de espírito e a alegria de viver. Hoje em dia, precisamos melhorar e reestruturar nossa vida para livrar nossos semelhantes da doença e do sofrimento intelectual e emocional. É por esse motivo que tomei a iniciativa de ensinar o método livremente e para qualquer interessado.

Pergunta: O que é o Usui Reiki Ryoho?
Resposta: Com gratidão recebemos (aprendemos) e praticamos os princípios preconizados pelo imperador Meiji.

Para trilhar o caminho (espiritual) correto da humanidade, temos de viver de acordo com esses princípios. Isso significa que temos de aprender a aprimorar nossa alma (mente)[3] e nosso corpo por meio de exercícios. (A designação original do Reiki era "Shin Shin Kaizen Usui Reiki Ryoho", que significa "método terapêutico Usui Reiki para o bem do corpo e da alma ou espírito".) Ou seja, primeiro temos de curar a alma.

Depois disso, curamos o corpo. Quando nossa alma se encontra no caminho saudável da integridade e da retidão de caráter, o corpo se cura sozinho. Desse modo, alma e corpo se unem e a pessoa vive sua vida até o fim em

---

3. O termo japonês utilizado aqui é *"kokoro"*; ver o capítulo "Conceitos japoneses importantes para entender o Reiki".

paz e alegria. A pessoa cura suas próprias doenças e as doenças dos outros, intensificando e fortalecendo sua alegria de viver e a de todos os demais.

É esse o objetivo do Usui Reiki Ryoho.

O Usui Reiki Ryoho é semelhante à hipnoterapia, ao Kaijutsu (reunir a energia no tanden, ou centro do corpo, e soltar um grito), à Shikoryoho (terapia religiosa) ou outras correntes? É um método terapêutico semelhante a outro, mas com nome diferente?
Não, não. Não se parece com os métodos terapêuticos mencionados aqui. Depois de muitos anos de treinamento intenso, descobri um segredo espiritual. O Reiki é um método capaz de curar o corpo e a mente.

Ele (o Reiki) é então um Shinrei[4] Ryoho *(método espiritual de cura)?*
Sim, poderia ser chamado de *Shinrei Ryoho*. Mas também pode ser encarado como terapia corporal, pois a energia e a luz irradiam de todas as partes do corpo do terapeuta.

A energia e a luz irradiam, sobretudo dos olhos, da boca e das mãos do terapeuta. Por isso, é preciso olhar fixamente por dois ou três minutos para o local afetado no corpo do paciente, soprar sobre ele e massageá-lo suavemente.

Dores de dente, de barriga, doenças do estômago e intestino, dores neurológicas, inchaço no tórax, contusões, cortes no corpo, queimaduras e outros males podem ser curados assim de maneira simples. (Trata-se de técnicas utilizadas em caso de acidentes ou ferimentos graves. Segundo Chiyoko Sensei, devem ser usadas o mais depressa possível depois que a pessoa sofre o ferimento, assim este é curado com rapidez surpreendente e não deixa cicatriz.)

Doenças crônicas, por outro lado, não podem ser curadas tão facilmente. No entanto, uma única sessão de tratamento já surte efeito (positivo) em caso de doença crônica.

Eu mesmo me pergunto como esse fenômeno pode ser explicado do ponto de vista da ciência médica. A realidade, porém, é sempre mais impressionante do que a ficção. Basta ver os resultados (de um tratamento de Reiki) para concordar comigo. Até aqueles que negam a eficácia do Reiki são obrigados a reconhecer a realidade (a verdade, os resultados).

É necessário acreditar no Usui Reiki Ryoho para que a cura seja possível?
Não, pois ele (o Usui Reiki Ryoho) não se confunde com outros métodos psicológicos de cura, como psicoterapia ou hipnoterapia.

---
4. O texto japonês usa aqui o *kanji "rei"*, como na palavra "Reiki".

Não é preciso haver fé ou assentimento, pois o Reiki não trabalha com sugestões. Não faz diferença se o paciente sente antipatia ou desconfiança, ou se ele se recusa a acreditar na terapia. Por exemplo, o Reiki funciona bem tanto com crianças pequenas como com pessoas gravemente doentes ou em estado de inconsciência.

De cada dez pessoas, talvez só uma comece a primeira sessão já sentindo confiança (no resultado do tratamento ou na cura). As demais sentem os efeitos positivos depois da primeira sessão e sua confiança cresce automaticamente.

Que doenças podem ser curadas pelo Usui Reiki Ryoho?
Qualquer doença, seja de cunho físico ou psicológico, pode ser curada pelo Usui Reiki Ryoho.

O Usui Reiki Ryoho só cura doenças?
Não, ele não cura apenas doenças do corpo físico. Outros problemas podem ser curados: maus hábitos, distúrbios psicológicos como desespero, fraqueza (no sentido de fraqueza de caráter), medo irracional, apatia e nervosismo ou neurastenia (referência a *Sei Heki Chiryo*; sobre o tratamento de maus hábitos, ver pp. 166 e 235).

Graças ao Reiki, o espírito (*kokoro*) passa a se assemelhar a Deus ou Buda, e seu objetivo de vida torna-se ajudar os semelhantes. Com isso (pela semelhança com Buda), a pessoa conquista a felicidade e faz seus semelhantes felizes. (Interiorizar esse princípio é uma condição para entender o Reiki.)

Como funciona a cura do Usui Reiki Ryoho?
Ninguém no universo me "iniciou" neste método. Tampouco fiz estudos ou pesquisas para adquirir poderes terapêuticos fora do comum. No período em que pratiquei o jejum, uma energia forte entrou em contato comigo e senti uma inspiração misteriosa. Como por acaso, percebi que tinha adquirido a arte espiritual da cura. Embora eu seja o fundador desse método, sinto dificuldade de explicá-lo com mais clareza. Médicos e acadêmicos estão fazendo pesquisas incansáveis (nesta área), mas será difícil chegar a uma conclusão baseada na ciência médica. No entanto, acredito que um dia o Reiki vai se reconciliar com a ciência. (Caso você seja um/uma cientista, tente se dedicar a este assunto.)

O Usui Reiki Ryoho usa remédios? E esses remédios têm efeitos colaterais?
Não usamos remédios nem instrumentos. Usamos somente as técnicas de mirar fixamente, soprar, acariciar, golpear ou tocar levemente (as partes doentes do corpo). É isso o que leva à cura. (Todas essas técnicas terapêuticas impelem o Reiki para dentro do corpo do paciente, que depois disso se cura sozinho. (Ver o capítulo "Técnicas japonesas de Reiki", sobretudo os subcapítulos 10 [*Gyoshi-Ho* e *Koki-Ho*], 17 [*Hanshin Koketsu-Ho*] e 20 [*Ketsueki Kokan-Ho*]).

É preciso ter conhecimentos médicos para usar o Usui Reiki Ryoho?
Nosso *Ryoho* (método de cura) é um método espiritual que transcende a ciência médica. Seus princípios são distintos.

O objetivo é atingido por meio de técnicas como olhar fixamente para a parte doente do corpo, soprar sobre ela, tocá-la ou acariciá-la. Por exemplo, deve-se tocar a cabeça para tratar o cérebro, deve-se tocar a barriga para os problemas gástricos ou intestinais, ou os olhos para os problemas da visão. Não é preciso tomar remédios amargos nem usar a quente moxabustão[5] para alcançar a cura em pouco tempo. Por isso, este *reiho* (método espiritual) é nossa criação original.

Como o Usui Reiki Ryoho é encarado por médicos famosos?
Os corifeus (da medicina tradicional) parecem agir com muito senso de justiça nesse aspecto (reputação do Usui Reiki Ryoho). Hoje em dia, médicos europeus conhecidos se opõem cada vez mais ao uso de certos medicamentos.

Aliás, o professor e doutor em medicina Hiroshi Nagai, da Universidade de Medicina de Teikoku, declarou: "Nós, médicos, sabemos diagnosticar doenças, sabemos defini-las e entendê-las empiricamente, mas não sabemos tratá-las." O professor e doutor em medicina Kondo diz: "É uma grande pretensão de nossa parte achar que a medicina fez grandes progressos. A medicina moderna ignora o equilíbrio espiritual (do paciente). Esta é sua maior desvantagem." O Prof. Sakae Hara disse: "É um absurdo tratar como um animal um ser humano capaz de sabedoria espiritual. Acredito que no futuro teremos uma grande revolução no âmbito das técnicas terapêuticas." O Prof. Rokuro Kuga declarou: "O fato é que não médicos (terapeutas) têm aplicado com

---

5. A moxabustão é uma prática terapêutica usada no Tibete, na China e no Japão. Baseia-se numa filosofia e numa técnica semelhantes à da acupuntura. Em vez de espetar finas agulhas no corpo do paciente, queima-se uma quantidade mínima de mogusa ("lã de moxa" ou simplesmente "moxa", um preparado feito a partir da planta artemísia) sobre determinados meridianos do corpo e numa certa sequência e quantidade.

grande sucesso uma série de técnicas, como a psicoterapia, que não podem ser apoiadas oficialmente pelas faculdades de medicina. Essas terapias levam em conta a personalidade e o diagnóstico global de cada paciente, além de muitas técnicas (curativas) diferentes. Se eles (os representantes da medicina oficial) rejeitarem cegamente terapeutas e psicoterapeutas independentes, tentando impedi-los de trabalhar, estarão agindo de maneira tacanha e injusta" (de uma reportagem da *Nihon Iji Shinpo*[6]).

Cada vez mais médicos e farmacêuticos percebem essas questões e me procuram (procuram a Associação) para serem iniciados em nosso aprendizado.

Qual a posição oficial do governo (sobre o Usui Reiki Ryoho)?
No dia 6 de fevereiro do décimo-primeiro ano do Período Taisho (1922), o representante o professor e doutor em medicina Teiji Matsushita fez a seguinte pergunta diante do Parlamento reunido para deliberar sobre o orçamento governamental: "Qual é o ponto de vista do governo sobre terapeutas que atuam hoje em dia sem licença (médica) e utilizam técnicas de terapia e terapia espiritual (como o Usui Reiki Ryoho)?"

O Sr. Ushio, da comissão de Orçamento, respondeu da seguinte maneira: "A hipnoterapia e outras técnicas (terapêuticas) semelhantes foram condenadas há mais de dez anos como fruto de superstições, mas hoje em dia são mais bem pesquisadas e, além disso, têm sido usadas com muita eficácia na psiquiatria. É difícil tentar resolver todos os problemas humanos apenas com remédios. Os médicos usam certas técnicas baseadas nas leis fundamentais da medicina para curar as doenças. Mas técnicas como o toque e o uso da eletroterapia no combate às doenças não estão incluídas no currículo das faculdades de medicina."

Por todos esses motivos, o Usui Reiki Ryoho não segue nem os princípios defendidos pela medicina oficial, nem os da acupuntura ou da moxabustão.

Neste tipo de terapia, o poder de cura espiritual só deve ocorrer em pessoas desde o nascimento, como um talento nato. Acho que nem todas as pessoas podem aprender essas técnicas. O que diz disso?
Não, não.[7]

---

6. Publicação médica cujo título significa "Novidades da Medicina Japonesa".
7. No idioma japonês, às vezes se responde "não" a uma pergunta, quando na verdade a intenção é uma resposta afirmativa. Trata-se de uma nuança estilística da língua.

Todos os seres imbuídos de vida recebem o poder espiritual da cura como um presente (da existência ou de Deus). Isso vale para plantas, animais, peixes e insetos.

Mas o ser humano é mais poderoso, pois ele representa o ápice da Criação. O Usui Reiki Ryoho surgiu no mundo para fazer valer essa energia (concedida aos homens em seu caminho de vida). (Os leitores que aprenderam Jikiden Reiki podem perceber aqui uma alusão clara ao *Kotodama* do ritual de cura Sei Heki-Chiryo.)

Qualquer pessoa pode ser iniciada nas técnicas do Usui Reiki Ryoho?
Sim, claro. Homens e mulheres, jovens e idosos, médicos e pessoas sem formação acadêmica que sigam princípios morais com certeza podem aprender a curar a si mesmos e às outras pessoas em pouco tempo. Até hoje já iniciei mais de mil pessoas, e não houve um único aluno que não atingisse os resultados previstos. Qualquer um, até mesmo os que só aprenderam até o *Shoden* (o primeiro grau), parece ser capaz de curar doenças. Pensando bem, é difícil explicar como se pode aprender em tão pouco tempo a curar doenças, embora esta seja a meta mais difícil (do mundo) para a humanidade. Eu mesmo me espanto com isso. Uma das características de nosso método de cura espiritual é que algo tão difícil possa ser aprendido de maneira tão simples.

Com ele (o Usui Reiki Ryoho) pode-se curar outras pessoas, mas e quanto a si mesmo?
Uma pessoa consegue curar suas próprias doenças?
Se uma pessoa não conseguisse curar suas próprias doenças, como poderia curar doenças alheias?

O que é preciso fazer para aprender o Okuden *(o segundo grau)?*
O *Okuden* consiste em várias técnicas (terapêuticas): *Hatsureiho*, golpear levemente, acariciar, fazer pressão com as mãos, cura a distância, cura de maus hábitos e várias outras.

Primeiro os alunos aprendem o *Shoden*. Se e quando me trazem (trazem ao mestre) bons resultados, sinceridade, comportamento ético e entusiasmo pelo Reiki, então eu (ou nós) lhes ensinamos o *Okuden*.

No Usui Reiki Ryoho existem mais ensinamentos depois do Okuden*?*
Existe (ainda) o *Shinpiden* (o grau superior).

(A entrevista termina aqui.)

Depois da morte de Usui Sensei

Ushida Sensei assumiu o comando da Usui Reiki Ryoho Gakkai logo após a morte de seu mestre. Ele aparece na foto dos *Shihan* da Usui Reiki Ryoho Gakkai (ver abaixo) sentado à esquerda do mestre.

Essa foto de janeiro de 1926 também apresenta um homem que mais tarde veio a ser o pai do Reiki ocidental, e por isso tem tamanha importância para todos nós: Chujiro Hayashi Sensei. Hayashi Sensei concluiu o treinamento de *Shihan* em 1925. Mas, antes de discorrer mais sobre ele, eu gostaria de acrescentar algumas informações sobre os *Shihan* da Associação Usui e sobre seu presidente. Essas informações me foram transmitidas por Koyama Sensei.

34. Usui Sensei e os *Shihan* treinados por ele, fotografados no dia 26 de janeiro de 1926. Usui Sensei está sentado no centro; à direita dele (de nosso ponto de vista) está Ushida Sensei; à extrema esquerda da primeira fila vê-se Hayashi Sensei. Na fila de trás, também à extrema esquerda, vê-se Taketomi Sensei, e o terceiro em direção à direita é Wanabe Sensei. Gizo Tomabechi Sensei não estava presente no dia da foto, por isso foi incluído separadamente à direita. Sob a foto lê-se a inscrição em kanji: "Todos os membros que têm permissão para ensinar o *Reiju*." A foto foi recortada; no original pode-se ver o *Gokai* ao fundo.

Mestres da Usui Reiki Ryoho Gakkai que tiveram seus próprios discípulos

A sequência abaixo se baseia nas informações de Koyama Sensei.

Hayashi Chujiro Sensei

Hayashi Sensei (ver foto 35) foi um dos vinte *Shihan* formados por Usui Sensei. Tinha grandes dotes terapêuticos e possuía um *dojo* em Shinano-Cho, Tóquio, onde suas camas de Reiki estavam sempre ocupadas, todos os dias. Um discípulo de Hayashi Sensei, Shou Matsui (1870–1933), escreveu um livro intitulado *Kofuku na shakai o shuchi subeku* [*Como se cria uma sociedade feliz*], infelizmente já esgotado.

Hayashi Sensei faleceu durante a guerra, na cidade de Atami.

Shiki Sensei

Shiki Sensei teve muitos discípulos e faleceu a 20 de julho do ano Showa 15 (1940).

Imaizumi Tetsutaro Sensei

Imaizumi Sensei (nascido a 12 de setembro de 1877) era o braço direito do terceiro presidente, Taketomi Sensei, e lecionava em seu lugar quando este não podia fazê-lo. Imaizumi Sensei foi alto oficial de Marinha. Sua carreira militar terminou em 12 de setembro de 1940. Ele morreu a 8 de fevereiro de 1945, aos 67 anos de idade.

35. Hayashi Sensei

Isoda Shiro Sensei

Isoda Sensei começou seu treinamento com Ushida Sensei, e depois junto ao próprio Usui Sensei. Dirigiu três filiais da Usui Reiki Ryoho Gakkai: em Hiroshima, Kyoto e Suma. Era um naturalista por profissão e encarava o Reiki em função dessa atividade profissional. Sua mulher era famosa pelos sucessos obtidos em tratamentos de Reiki.

Mine Ishie Sensei

Mine Ishie Sensei era musicista de profissão e escreveu um livro intitulado *Michi Shirube* [*Itinerário* (do Reiki)]. Além disso, escreveu uma autobiografia sob o título *Kyuju Nen no Ayumi* [*Noventa anos de meu caminho de vida*], publicada a 10 de outubro de 1967. O livro contém informações sobre todos os *Shihan* formados por Usui Sensei, com a data de formação de cada um. Ela se casou com Mine Umetaro Sensei e dirigiu as filiais de Kobe-Suma e Hyogo. Ao longo de toda a sua vida, tratou muitos pacientes; faleceu aos 103 anos de idade.

Kaneko Shigeyo Sensei

Kaneko Sensei foi um bom orador. Tinha talento para entusiasmar e convencer os ouvintes. Foi alto funcionário do Exército imperial e uma grande personalidade. Dirigiu seminários em Hiroshima e Kagoshima.

Tsuboi Sensei

Tsuboi Sensei foi um mestre da cerimônia do chá. Faleceu a 20 de novembro do ano Showa 57 (1982), aos 99 anos. Aprendeu Reiki com Taketomi Sensei no ano Showa 8 (1933). Naquela época, a sede geral da Usui Reiki Ryoho Gakkai ficava em Harajuku. Essa sede foi destruída pelo fogo na Segunda Guerra Mundial. Depois da guerra, os *Reiju-Kai* (encontros de "sintonização") eram organizados na casa de Tsuboi, em Higashi Nakano. Mais tarde, Tsuboi se mudou a passou a realizar os encontros em Jiyugaoka (ver foto 36), na casa de seu filho (infelizmente, a casa não existe mais). Ali se reuniam só duas ou três pessoas, sendo uma delas Koyama Sensei. Foi na casa do filho de Tsuboi que Koyama Sensei e Watanabe Sensei se encontraram por acaso, sendo que ambos tinham se juntado à associação na cidade de Takaoka. Naquela época, não havia muito que Koyama Sensei pudesse fazer, mas depois ela treinou muitos discípulos. Foi graças a seu trabalho que a Usui Reiki Ryoho Gakkai voltou a funcionar depois da guerra.

Morihaku Yoshiko Sensei

Morihaku Sensei foi discípula de Taketomi Sensei. No ano Showa 9 (1934), ela curou o governador de Oita Ken, que sofria de cálculos biliares, e depois disso recebeu permissão oficial para clinicar livremente. Morreu no ano Showa 43 (1968).

Nagano Harue Sensei
Nagano Sensei aprendeu Reiki diretamente com Usui Sensei e trabalhou na sede principal da Usui Reiki Ryoho Gakkai. Mais tarde, ela foi ajudante de Wanabi Sensei, então já em idade avançada. Nagano faleceu em abril do ano Showa 59 (1984).

Outros mestres foram (ou ainda são): os senhores Hanai, Harada, Haraguchi, Hida, Ichinose, Ichiraizaki, Isobe, Jo, Kobayashi, Kosone, Matsuo, as senhoras Nagano, Nagamine, Nakagawa, os senhores Nomura, F. Ogawa, Onizuka, Senju, Takayama, as senhoras Tamura e Uchida e os senhores Usui e Yoshizaki.

Segundo Koyama Sensei, Toshihiro Eguchi, homem antigamente conhecido nos meios espiritualistas e muito comentado na Internet, só aprendeu com Usui Sensei até o segundo grau do Reiki. Por isso, não chegou a se formar como *Shihan* e assim não é mencionado na lista de Koyama Sensei.

36. O *dojo* de Jiyugaoka

Presidentes ("*Kaicho*" em japonês) da Usui Reiki Ryoho Gakkai
Primeiro presidente: Mikao Usui
Nascido a 15 de agosto de 1865 na atual aldeia de Taniai, na província de Gifu, e falecido a 9 de março de 1926 em Fukuyama, na província de Saga. Seu nome

artístico era Gyohan.[8] Sua mulher se chamava Sadako Suzuki. Seu filho Fuji morreu a 10 de julho de 1946, aos 38 anos de idade. Sua filha Toshiko faleceu em 1935, aos 22 anos. Segundo as inscrições de sua pedra memorial no Cemitério Saihoji, Usui Sensei foi um homem cordial, simples e modesto, sempre com um sorriso nos lábios. Sua biografia detalhada já foi apresentada anteriormente.

Segundo presidente: Juzaburo Ushida
Ushida Sensei nasceu em Kyoto a 8 de maio de 1865 e frequentou a Academia de Marinha até o décimo segundo ano. Sua carreira militar seguiu as seguintes etapas:

1905, 5 de agosto: promovido a capitão-tenente da Marinha (é condecorado com a Ordem Ko Yon)

1905, 5 de agosto: nomeado capitão no navio "Akitsu-Shu"

1905, 29 de dezembro: promovido a diretor administrativo da Marinha

1908, 20 de fevereiro: nomeado capitão do navio "Okishima"

1908, 7 de abril: nomeado capitão do navio "Nisshin"

1908, 20 de novembro: nomeado capitão do navio "Asahi"

1911, 1º de dezembro: promovido a contra-almirante

1911, 1º de dezembro: promovido a comandante-em-chefe

1912, 1º de dezembro: nomeado para uma missão secreta

1913, 31 de maio: torna-se reservista

Ushida Sensei entendeu que o Reiki Ryoho é uma prática terapêutica espiritual e que é possível curar doenças basicamente pelo trabalho com a personalidade do paciente. Teve muitos discípulos competentes e também era um talentoso calígrafo. Foi ele que escreveu as cinco regras de vida (na foto de Usui Sensei tirada na cidade de Shizuoka, ver canto superior esquerdo da foto 32 à p. 69), assim como os ideogramas das inscrições na pedra memorial de Usui, no Cemitério Saihoji (ver foto 37).

A carreira militar de Ushida Sensei terminou a 8 de maio de 1926. Ele morreu a 22 de março de 1935, aos 69 anos de idade.

Terceiro presidente: Kanichi Taketomi
Taketomi Sensei nasceu a 28 de dezembro de 1878 em Tóquio. Sua carreira militar seguiu os seguintes passos:

---

8. No Japão, na época de Usui Sensei era comum as pessoas terem três nomes: 1. *"Yobi-Na"* (literalmente: "nome próprio"), que ficava registrado nos ofícios de registro civil; 2. *"Jitsu Mei"* (literalmente: "nome verdadeiro"); e 3. *"Go"* ("nome artístico").

1918, 1º de dezembro: promovido a capitão
1918, 1º de dezembro: comandante-em-chefe do porto Ominatu-Yokobu
1919, 2 de dezembro: inspetor ou comissário de alfândega na cidade de Kure
1923, 20 de janeiro: capitão do navio "Setsu"
1923, 1º de outubro: capitão do navio "Setsu" com atribuições especiais
1923, 1º de dezembro: promovido a contra-almirante
1923, 10 de dezembro: nomeado para uma missão secreta
1924, 25 de fevereiro: torna-se reservista

Taketomi Sensei conseguia fazer diagnósticos precisos com base na técnica do *Reiji-Ho* (ver capítulo "Técnicas japonesas de Reiki"). Durante as tardes de treino, ele ajudava seus alunos a praticar a técnica do *Reiji-Ho* com a respiração, ensinando cerca de 50 discípulos ao mesmo tempo. Taketomi Sensei pedia a seus alunos que se colocassem em fila. Cada um devia tocar os ombros do aluno à frente. Então, ele mesmo se colocava no final da fila e de repente dizia "Isto é o Reiki", fazendo a energia do Reiki percorrer a fila inteira. Taketomi ensinava seus discípulos a treinarem sua capacidade de percepção com relação ao Reiki.

Certa vez, ele atendeu uma criança com septicemia. Diagnosticou que a infecção fora causada por um estado de esgotamento físico e curou a criança tratando sua coluna vertebral. Ensinava a seus alunos que era importante aprender a fazer um diagnóstico correto para que o trabalho desse bons resultados. Chiyoko Sensei também ensinava o mesmo princípio (ver capítulo "*Byosen*: a etapa mais importante da cura pelo Reiki").

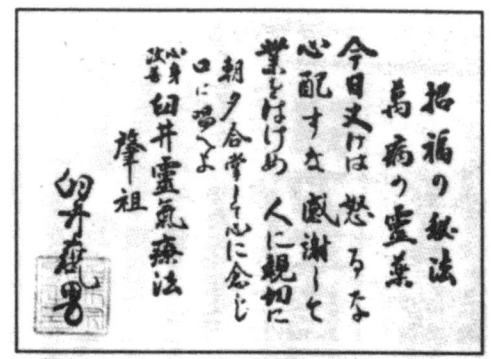

37. Caligrafia do *Gokai* de Ushida Sensei

No contexto de sua atividade, algumas vezes Taketomi Sensei foi encarregado de localizar criminosos. Ele era conhecido pelo fato de descobrir nomes de suspeitos quando não se conhecia o autor de um crime. Escrevia os nomes dos suspeitos numa folha de papel e deslizava sua mão pela superfície do papel. A mão se detinha sobre o nome do criminoso. Taketomi usava a mesma técnica para responder a perguntas do tipo "sim ou não". Viveu em Kyoto durante a guerra. Depois do conflito, voltou a Tóquio e retomou seu trabalho de Reiki no *dojo* de Inogashira (um subúrbio de Tóquio). Morreu no dia 6 de dezembro de 1960, aos 81 anos de idade. (Hayashi Sensei foi assistente de Taketomi Sensei.) Sua carreira militar terminou a 28 de dezembro de 1941.

Quarto presidente: Yoshikaru Watanabe, professor
Watanabe Sensei (ver foto 38) foi professor do Takaoka Koto Shogyo Gakko (Ginásio de Takaoka). Trabalhou ali como professor de inglês de 25 de março de Showa 4 (1929) até 23 de maio de Showa 10 (1935). Sua especialidade era a manipulação de pacientes. Sua mulher trabalhava com ele. Certa vez, ele reanimou um afogado, e em outra ocasião curou a disenteria do filho de um membro da Usui Reiki Ryoho Gakkai, que já tinha sido desenganado pelos médicos. Watanabe tratou-o por meia hora pela técnica do *Tanden Chiryo* (ver capítulo "Técnicas japonesas de Reiki"). Depois da guerra, ele dirigiu a associação na sede principal. Faleceu a 6 de dezembro do ano Showa 35 (1960).

38. Watanabe Sensei

Quinto presidente: Hoichi Wanami
Wanami Sensei (ver foto 39) nasceu no dia 2 de novembro de 1883 na província de Mie. Sua carreira militar consistiu nas seguintes etapas:

1924, 1º de dezembro: estuda na Escola de Submarinos e Mergulho e é vice-presidente e comandante da primeira equipe Ichsen

1925, 1º de dezembro: promovido a capitão (recebe a cruz de mérito por apoio logístico)

1926, 1º de agosto: diretor da Fábrica de Submarinos da Cidade de Kure

1926, 1º de dezembro: nomeado vice-presidente da Escola de Submarinos e Mergulho

1927, 15 de novembro: nomeado capitão do navio "Jinjei"

1928, 10 de dezembro: trabalha na Marinha de Guerra e torna-se membro do Estado-Maior

1931, 1º de dezembro: promovido a contra-almirante

1931, 1º de dezembro: promovido a quinto diretor do Estado-Maior; torna-se membro da elite

1932, 15 de novembro: promovido a segundo comandante de combate em submarinos

1934, 15 de novembro: nomeado presidente da Escola de Submarinos e Mergulho

1935, 15 de novembro: promovido a vice-almirante

1935, 15 de novembro: fim de sua carreira militar

1936, 16 de março: nomeado para uma missão secreta

1936, 30 de março: torna-se reservista

Wanami Sensei era um homem cordial, sempre de bom humor. Tinha uma grande rede de amigos e conhecidos. Apresentou o Reiki a muitas pessoas. Em idade avançada, pediu à sua sucessora a presidente, Koyama Sensei, que assumisse o tratamento de seus pacientes. Interessava-se por todos os aspectos da saúde, e sobretudo pela saúde dos idosos. Deu palestras e sempre gozou de ótimas condições físicas. Chegou a escalar o Monte Fuji aos 90 anos de idade (!); faleceu a 2 de janeiro de 1975, aos 91 anos.

A caligrafia à direita de Wanami Sensei, na foto ao lado, diz: "A resposta do verdadeiro coração é a luz divina" (*"Tanshin no seimei"* em japonês).

39. Wanami Sensei

Sexto presidente: Sra. Kimiko Koyama

Koyama Sensei aprendeu Reiki no outono do ano de Showa 7 (1932) junto a Taketomi Sensei, na cidade de Takaoka, província de Toyama. Nos três anos seguintes, ela tomou parte em *Reiju-Kai* de cinco dias cada, duas vezes por ano, aprendendo muitas coisas. De início, seu único interesse era aprender o Reiki para criar seus seis filhos de maneira saudável. Então, descobriu que o Reiki era muito mais do que apenas um método de cura de doenças. Em 1935 (Showa 10), seu marido foi transferido para outro local, e pelos treze anos seguintes ela praticou o Reiki sozinha. No ano de 1948 (Showa 23), voltou a tomar parte nos *Reiju-Kai* da Usui Reiki Ryoho Gakkai e aprendeu sobretudo com Wanami Sensei e Watanabe Sensei.

Durante a Segunda Guerra Mundial, o marido de Koyama Sensei serviu em Myanmar (nome atual da Birmânia). Ela começou a sentir "forças celestiais" depois da morte de seu segundo filho. Durante a guerra, ouviu a voz dos deuses em Meiji Jingu (ver foto 21). Os dois filhos mais velhos tinham disenteria, mas naquela época ela não sentia o *Byosen* deles. Então, Wanabi Sensei tratou os dois e depois de uma hora eles passaram a evacuar fezes pretas. Depois disso, ela praticou por três dias o *Tanden Chiryo* (ver capítulo "Técnicas japonesas de Reiki" à p. 244).

Koyama Sensei conta que recebeu o *Reiju* do céu e da terra em todos os dias de sua vida (mas, por favor, não tente isso em casa, pois você poderia começar a levitar, e precisamos de você aqui). Aos poucos, todos os seus mestres morreram e ela se tornou a encarregada de transmitir a sabedoria deles às crescentes gerações de reikianos.

No ano Showa 51 (1972), a sede principal da Usui Reiki Ryoho Gakkai ficava em Jiyugaoka.

Quatro vezes por semana, Koyama Sensei organizava encontros de treinamento em sua casa no distrito de Meguro-Ku, em Tóquio. O grupo principal de Tóquio tinha cerca de 250 membros, e ao todo os membros chegavam a 600. Havia treze filiais (isso no início dos anos 1990). A filha de Koyama Sensei, Makino Sensei, é atual vice-presidente da sociedade. Koyama Sensei faleceu a 3 de dezembro de 1999.

Koyama Sensei disse sobre si mesma: "Todos os dias, trabalho o melhor que posso pelos deuses e cuido de mim mesma. O Reiki não é uma religião, mas tenho a sensação de que sou guiada por algo maior. Sempre me esforço ao máximo e às vezes não durmo à noite, pois estou mandando Reiki para meus pacientes. Quem tem o coração iluminado recebe a revelação do caminho. Quem não é egoísta passa a ser guiado pelo céu e recebe do céu suas tarefas de vida."

No Apêndice, publico excertos inéditos do manual de Koyama Sensei, que recebi de Fumio Ogawa em 1997. Recomendo a leitura desses excertos, pois eles contêm muitos tesouros para a compreensão e a prática do Reiki!

Sétimo presidente: Masayoshi Kondo, professor universitário
O Sr. Kondo assumiu a presidência da Associação Usui no ano de 1998. É professor universitário. Apesar de várias tentativas, até agora infelizmente não consegui entrar em contato com ele.

As informações sobre as carreiras militares de Ushida Sensei, Taketomi Sensei e Wanami Sensei foram colhidas na *Ricku Kaigun Shokan Jinji Soran (Kaigun Hen)* [*Lista abrangente de todos os oficiais do Exército e da Marinha*], editada por So ou Misao Toyama ou Sotoyama e publicada em 1, Showa 56 (janeiro de 1981).

As informações sobre a personalidade e os métodos de trabalho dos presidentes da Usui Reiki Ryoho Gakkai se baseiam no manual de Koyama Sensei.

A Usui Reiki Ryoho Gakkai depois da morte de Usui Sensei

Como já explicamos, Usui Sensei formou pessoalmente vinte *Shihan*, encarregando-os oficialmente de perpetuar o ensino do Reiki. Tadao Yamaguchi conta que Usui Sensei sempre ensinou que devemos estar bem preparados para nossa morte. Ele seguiu seu próprio conselho, garantindo que o Reiki pudesse continuar se difundindo da melhor maneira possível por meio dos *Shihan* formados por ele. Não se sabe ao certo quantos dos vinte *Shihan* continuaram atuando na Usui Reiki Ryoho Gakkai depois da morte do mestre. Infelizmente, também não foi possível identificar os nomes de todas as pessoas na foto da p. 78.

Koyama Sensei conta que dois dos discípulos de Usui Sensei fundaram seu próprio grupo espiritualista. Infelizmente, não sabemos os nomes deles. É provável que nem todos os *Shihan* formados por Usui Sensei tenham continuado na associação, e que alguns tenham seguido seu próprio caminho. Há muitas incógnitas em toda essa história. Pode-se supor que muitos *Shihan* continuaram lecionando, mas seus nomes ainda permanecem desconhecidos.

O Reiki se difunde em forma de "pirâmide", pois um mestre diligente pode formar várias centenas de discípulos, dos quais só alguns, por sua vez, treinam outras centenas de discípulos. Portanto, é provável que no Japão ainda existam muitos mestres e praticantes do Reiki que não conhecemos.

Hayashi Sensei e a Hayashi Reiki Kenkyukai

林忠次郎 Vamos tratar agora da vida de Hayashi Sensei, nosso "pai do Reiki" (as informações sobre ele foram fornecidas por Tadao Yamaguchi Sensei). Chujiro Hayashi nasceu em Tóquio a 15 de setembro de 1880. Em 1902, concluiu o curso de medicina na 30ª turma da Academia da Marinha Japonesa. Depois disso, serviu na Guerra Russo-Japonesa até 1906. Em 1918, tornou-se comandante do posto de defesa do Porto de Ominato. Seu então chefe do Estado-Maior era Kanichi Taketomi, que mais tarde viria a ser terceiro presidente da Usui Reiki Ryoho Gakkai.

Hayashi Sensei se casou com Chie Hayashi. Tiveram dois filhos, Tadayoshi (nascido em 1903) e Kiyoe (nascida em 1910). Sua mulher Chie tinha nascido em 1887. Não se sabe mais nada sobre os filhos de Hayashi Sensei.

Como já dissemos, ele concluiu o grau de *Shihan* em 1925, um ano, portanto, antes da morte de Usui Sensei.

Por causa de sua formação médica, Usui Sensei recomendou a Hayashi que fundasse sua própria associação. Esse fato foi essencial para a preservação do Reiki. Provavelmente, o que estava em jogo eram sobretudo as exigências legais. No Japão, já naquela época apenas médicos, acupunturistas ou massagistas tinham permissão oficial para atender pacientes. Usui Sensei sabia que, por causa de sua profissão, Hayashi Sensei tinha as melhores condições de difundir o Reiki. Essa decisão mostrou ser fundamental, como Usui Sensei talvez já tenha percebido na época.

Depois disso, Hayashi Sensei criou a Associação de Reiki de Hayashi (ou "Hayashi Reiki Kenkyukai" em japonês), num local que hoje pertence ao distrito de Shinjuku, um dos cinco grandes centros urbanos de Tóquio. O endereço antigo era 28 Higashi Shinano Cho. Depois disso tudo mudou por ali, pois a região foi totalmente devastada durante a Segunda Guerra Mundial.

Foi ali que Hayashi Sensei instalou seu *dojo*, no qual mais tarde curou Takata Sensei, entre outras pessoas. Em sua clínica havia dez camas de massagem, com dois terapeutas trabalhando em cada uma delas.

Expansão da Associação de Reiki de Hayashi

A Associação de Hayashi cresceu rapidamente. Como seu mestre Usui, Hayashi Sensei viajava muito pelo Japão, e sua fama se espalhou como um sol nascente por todos os rincões do reino.

Um de seus discípulos, Wasaburo Sugano, cursou com ele o primeiro e o segundo graus (chamados *"Shoden"* e *"Okuden"*) na província de Osaka, no ano de 1928 (ver capítulo "Conceitos japoneses importantes para entender o Reiki").

Na juventude, Sugano foi para Osaka da província de Ishikawa, no oeste do Japão, a fim de tentar a sorte. Do ponto de vista financeiro, seus planos foram coroados de êxito. Ele se tornou um rico empresário, diretor da primeira empresa japonesa a fabricar papel do tipo ocidental. A fabricação do tradicional papel de arroz era complicada e muito cara, e assim o sucesso de sua empresa estava garantido.

Mas Sugano não foi feliz nos assuntos familiares, pois perdeu seus dois filhos devido à tuberculose. O primeiro morreu logo depois do nascimento e o segundo, na adolescência.

Sugano começou a procurar desesperadamente por um método de cura que impedisse a repetição de seu próprio infortúnio em gerações futuras. Todo o dinheiro do mundo não fora suficiente para salvar seus filhos.

Em Hayashi Sensei, encontrou o mestre e o método terapêutico que procurava. Mas, depois de Sugano concluir o *Shoden* e o *Okuden*, sua esposa também adoeceu de tuberculose. Graças aos constantes tratamentos reikianos de seu marido e de Hayashi Sensei, ela se curou completamente. Isso entusiasmou tanto os Sugano que eles começaram a trabalhar intensamente pela divulgação do Reiki no Japão. A Sra. Sugano era a mais empenhada nesse projeto.

Naquela época, não era fácil viajar pelo Japão. O país é pouco acessível devido às suas peculiaridades geográficas. É um país montanhoso, com vales estreitos, e havia poucas estradas e linhas férreas. Por isso, os pobres não tinham a menor condição de viajar, e até para os ricos as viagens eram demoradas e caras. Certo dia, o Sr. Sugano perguntou a Hayashi Sensei se ele não gostaria de visitar sua cidade natal, na província de Ishikawa, para conduzir ali um seminário.

Hayashi Sensei respondeu que iria com prazer se Sugano conseguisse reunir dez alunos para seu curso de introdução. Isso não foi difícil, e logo depois aconteceu o primeiro seminário de Reiki na aldeia Daishoji, na província de Ishikawa. A mulher de Sugano foi uma das alunas presentes, assim como vários parentes dos Sugano. Naquela época já acontecia como hoje em dia: quando um membro da família se torna adepto do Reiki, toda a família é "contaminada" pelo mesmo interesse... Depois disso, o Sr. Sugano continuou trabalhando bastante com o Reiki em seu tempo livre, e sua mulher dedicou ainda mais tempo nessa prática.

O primeiro seminário em Daishoji

Assim se passaram cinco anos de colaboração intensa. No ano de 1935 ocorreu o primeiro curso de Reiki em Daishoji, e mais tarde esses seminários ficaram conhecidos como "Filial de Daishoji" da Associação de Reiki de Hayashi. Duas vezes por ano, na primavera e no outono, seminários de Reiki *Shoden* e *Okuden* eram oferecidos ali.

O trabalho com o Reiki entusiasmou tanto os Sugano, que eles decidiram se formar até o grau de *Shihan*.

Já naquela época, o treinamento em Reiki não era barato. Os graus de *Shoden* e *Okuden* custavam cerca de um mês de salário de um professor assistente. Por isso, a maioria dos discípulos vinha das classes sociais mais ricas. Eles estudavam o Reiki para aliviar o sofrimento de seus semelhantes. Por outro lado, os tratamentos de Reiki não eram caros. O terapeuta recebia apenas uma pequena quantia ou o paciente pagava com provisões e outros presentes.

Com o tempo, a maioria dos membros adultos da família Sugano se iniciou no Reiki. Em 1935, uma sobrinha de Sugano Sensei chamada Katsue tomou parte num seminário conduzido por Hayashi Sensei. Sua irmã mais nova, Chiyoko – que mais tarde se tornaria minha mestra –, ainda era muito jovem naquela época. Chiyoko nascera em 1921 e crescera com o Reiki desde a primeira infância. Certa vez, ela me contou que sentia muito ciúme de sua irmã mais velha. Depois do seminário de Reiki, Katsue passou a ser requisitada por seus talentos curativos, e muitas vezes um carro com motorista vinha buscá-la para tratar pacientes. "Eu também queria isso...", contou Chiyoko.

Sugano Sensei, tio e educador de Chiyoko, recusou muitas vezes seus pedidos de tomar parte num seminário, pois achava que ela deveria terminar primeiro sua formação escolar. Finalmente, no ano de 1938 chegou a oportunidade, e Chiyoko, pela primeira vez, tomou parte num curso com Hayashi Sensei (ver foto 40). Sugano Sensei financiou o treinamento e disse que o Reiki fazia parte de seu "dote" à sobrinha. Dessa forma, mais tarde, Chiyoko poderia cuidar do bem-estar de sua família.

Quando conheci Chiyoko, ela ainda falava com admiração da figura imponente de Hayashi Sensei, seu carisma e seu enorme saber. Depois de concluir o primeiro grau de Reiki, ela começou a conduzir sessões em casa ou no círculo de amigos. Logo depois, seu campo de atuação aumentou e, pelos 65 anos seguintes, ela trabalhou sem interrupção como terapeuta até sua morte. Adiante falarei mais sobre isso.

40. Em 1938, Chiyoko Yamaguchi (quinta a partir da direita) concluiu os graus de *Shoden* e *Okuden* com Hayashi Sensei

Um encontro importante: Hawayo Takata conhece Hayashi Sensei

Em 1935, Hawayo Takata, norte-americana (nascida no Havaí) de origem japonesa, foi a Tóquio para se submeter a uma operação. Segundo ela mesma contou, quando já estava na mesa cirúrgica, ouviu uma voz dizendo-lhe que a cirurgia não era necessária. Ela obedeceu à sua sabedoria interior e cancelou a operação. Em seguida, perguntou ao cirurgião se ele conhecia outra possibilidade de cura para ela. O médico respondeu que sim, mas avisou que essa terapia alternativa podia custar muito tempo. A futura Takata Sensei decidiu então buscar a felicidade para si mesma e para todos nós, reikianos. O cirurgião lhe apresentou Hayashi Sensei, e foi assim que, em 1938, o Reiki se expandiu para o Havaí por intermédio da pessoa do primeiro *Shihan* estrangeiro, Takata Sensei. Se isso não tivesse acontecido, é bem provável que o Reiki se extinguisse quase totalmente no Japão, cultivado apenas por um pequeno grupo de iniciados. Felizmente, aconteceu coisa bem diferente. O certificado de formação de Takata Sensei assinado por Hayashi Sensei (ver *Das Reiki Kompendium* [*Compêndio do Reiki*] à p. 298) afirma que, àquela época (1938), ela era um dos 13 *Shihan* com formação plena de Reiki. Provavelmente, outros mestres se formaram enquanto Hayashi Sensei ainda estava vivo.

Em 1938, Takata Sensei voltou para o Havaí. Como costumava fazer, Hayashi Sensei pediu à sua discípula que o convidasse para dar palestras ali, tentando iniciar outras pessoas nas técnicas do Reiki (ver foto 41).

Essas circunstâncias preservaram o Reiki para o resto do mundo, mas é possível que também tenham custado a vida de Hayashi Sensei.

41. Hayashi Sensei trabalhando no Havaí

Morte de Hayashi Sensei

Hayashi Sensei cometeu suicídio no dia 11 de maio de 1940. Sua mulher Chie assumiu a presidência da associação. Até hoje não se sabe ao certo por que Hayashi Sensei atentou contra a própria vida. Takata Sensei disse que ele era pacifista, mas isso parece improvável tendo em vista sua carreira militar. Além disso, o Exército não o recrutaria na idade em que estava, e no momento de sua morte o Japão nem sequer tinha ingressado na Segunda Guerra Mundial. Isso só ocorreu cerca de um ano e meio mais tarde.

Tadao Yamaguchi supõe que o governo japonês tenha pedido a Hayashi Sensei para comandar uma missão de espionagem no Havaí, tendo em vista sua carreira militar e o fato de já ter estado ali duas vezes. Na condição de japonês, oficial da Marinha e líder reikiano, Hayashi Sensei só encontrou uma saída. Não podia dizer "não" ao imperador, mas tampouco podia concordar com a espionagem; portanto, só lhe restava a morte.

Hayashi Sensei cortou os pulsos em sua casa de campo em Atami. Antes de morrer, pediu à mulher que ocultasse a verdade, em consideração a seus discípulos. No Japão, o mestre leva seu trabalho e seu *status* muito a sério: ele é responsável por seus discípulos, e por isso não deve deixá-los sozinhos...

Deve-se observar também que, para as pessoas nascidas em países cristãos, o suicídio é interpretado como um pecado, ou pelo menos como um ato de fraqueza, a tentativa de escapar da vida e suas responsabilidades. No Japão, porém, o suicídio é um ato nobre. Uma pessoa que se mata "por um bom motivo" – como, por exemplo, para defender suas convicções – merece respeito.

Tempos de turbulência

Um ano e meio depois do suicídio de Hayashi Sensei, em dezembro de 1941, a Força Aérea Japonesa atacou os Estados Unidos em Pearl Harbor, entrando assim ativamente nos conflitos da Segunda Guerra Mundial. O que era uma bênção se converteu em maldição. Antes da guerra, o governo japonês deixava em paz as associações de Reiki, pois seus líderes tinham contatos na Marinha. A Marinha era uma instituição muito respeitada, e tudo o que ela decidisse valia como lei. De repente, a coisa mudou de figura: o país estava em guerra, todos os homens aptos para o serviço militar foram mobilizados e o governo queria garantir que nenhuma oposição se manifestasse.

Todos os grupos espiritualistas e humanitários passaram a ser identificados com o movimento pacifista e, até agosto de 1945, tiveram de agir na clandestinidade. A Usui Reiki Ryoho Gakkai e a Associação de Reiki de Hayashi não podiam mais atuar publicamente. A sede principal da associação de Usui em Tóquio foi destruída num bombardeio. Foi preciso mudar de endereço, formar novos grupos e mudar de endereço de novo... A mesma coisa deve ter acontecido à associação de Hayashi. Sabe-se que o distrito de Shinjuku, onde ficava o instituto, foi totalmente destruído.

Apesar disso, o interesse pelo Reiki continuou presente, por exemplo, na família Yamaguchi. Yoshio Ushio, irmão mais velho de Chiyoko, aprendeu Reiki a 29 de abril de 1943 com a mulher de Hayashi Sensei. Entre outras informações interessantes, o livro *Jikiden Reiki*, de Tadao Yamaguchi, contém duas fotos dos anos de guerra que mostram Chie Hayashi juntamente com seus discípulos (entre os quais os Yamaguchi).

Depois de 1945

Depois da Segunda Guerra Mundial, a divulgação do Reiki continuou a minguar. A capitulação conduzida pelo Showa Tenno (imperador Showa, conhecido no Ocidente como Hirohito) permitiu aos norte-americanos assumirem o comando do país, e isso teve consequências fatais para os métodos terapêuticos tradicionais do Japão. O governo de ocupação proibiu todas as terapias alternativas. Claro que isso tinha motivações econômicas – a indústria farmacêutica pretendia faturar com a guerra...

O Reiki, a medicina chinesa tradicional (medicina Kampo), a acupuntura, o *shiatsu* e outras pequenas correntes terapêuticas tiveram de interromper seus trabalhos ou tomar outro rumo, como já havia acontecido no Período Taisho. Mas o Reiki sempre encontra um caminho para curar o planeta e seus habitantes. Depois de se tornar praticamente ilegal no Japão, ele cresceu e se expandiu no Havaí, sob a liderança de Takata Sensei.

Inúmeros grupos terapêuticos espiritualistas invocaram a liberdade de religião, garantida pela Constituição japonesa, e deram a seus grupos um caráter religioso. Felizmente, nem a Usui Reiki Ryoho Gakkai, nem a Associação de Reiki de Hayashi optaram por esse caminho.

A Usui Reiki Ryoho Gakkai afirma que, antes da Segunda Guerra Mundial, havia no Japão ao menos um milhão de praticantes do Reiki. Só essa associação mantinha cerca de quarenta filiais espalhadas por todo o país. Não se sabe quantas filiais tinha a associação de Hayashi, mas acredito que fossem no mínimo trinta.

Chie Hayashi dirigiu a Associação de Reiki de Hayashi até meados dos anos 1950. No entanto, ela não possuía o mesmo carisma do marido, e assim a organização foi se desfazendo ano a ano. A década de 1950 foi uma época difícil no Japão. A guerra tinha destruído a infraestrutura, a população civil estava desmoralizada e, por causa do número de mortos e feridos, faltava mão de obra para reconstruir o país. Nesses tempos difíceis, era improvável que alguém se dispusesse a dirigir um grupo espiritualista que, ainda por cima, era quase ilegal e não podia atuar publicamente.

Segundo o tio de Tadao Yamaguchi, a Sra. Hayashi perguntou a Takata Sensei e vários *Shihan* do clã dos Yamaguchi se eles não queriam assumir a direção da organização. Os Yamaguchi não queriam se mudar para Tóquio, e Takata Sensei recusou porque já tinha voltado ao Havaí muito tempo antes. Dessa forma, a Associação de Reiki de Hayashi desapareceu completamente em meados dos anos 1950.

Mesmo assim, a família Yamaguchi continuou praticando o Reiki diariamente. E é provável que muitas outras famílias que não conhecemos tenham mantido (e ainda mantenham) viva a chama do Reiki. Tadao Sensei conta que, em sua juventude, descobriu bem depressa que não se devia mencionar o Reiki na escola. Seu último livro, intitulado *Jikiden Reiki*, dá muito que pensar ao leitor interessado, pois descreve o Reiki do ponto de vista de alguém que cresceu com o Reiki naturalmente, e não por meio das instituições oficiais de ensino.

O Reiki no Japão – Minhas investigações

Nos anos 1950 e 1960, o Reiki foi sendo cada vez mais esquecido. A geração mais antiga estava desaparecendo, e poucos dos que haviam trabalhado diretamente com Usui Sensei ainda restavam. Como expliquei anteriormente, todos os mestres da época de Usui eram pessoas maduras, nascidas antes de 1875. Hayashi Sensei (nascido em 1880) foi o *Shihan* mais jovem, formado aos 47 anos de idade.

A Usui Reiki Ryoho Gakkai passou a atuar como uma loja maçônica ou Lions Club. Teoricamente, era aberta a qualquer pessoa, mas só admitia as que previamente já conheciam algum membro. Então, o candidato era apresentado ao presidente. Caso este estivesse de acordo, todos os outros membros tinham de concordar com a admissão do candidato. A admissão valia pelo resto da vida e havia duas categorias de membros: os que detinham certificados oficiais e os chamados "amigos da associação". Um amigo da associação podia tomar parte nos encontros, mas não recebia um certificado.

Depois que o Reiki começou a ganhar popularidade no Ocidente em meados dos anos 1970, uma das condições para o ingresso na Usui Reiki Ryoho Gakkai era que o candidato não praticasse o Reiki ocidental. Estrangeiros não eram aceitos de maneira nenhuma. Um membro da associação de Usui, conhecido de Tadao Sensei, contou que nos últimos 10 anos só foram aceitos dois novos membros. E a decisão foi de não aceitar mais nenhum. Em 1997, conheci um mestre de Reiki de um grupo dissidente do Usui Reiki Ryoho que chamou a associação original de "clube de dinossauros".

Desde a mesma época, o governo japonês não foi muito escrupuloso com relação aos grupos religiosos ou espiritualistas. Como já dissemos, existem milhares de pequenos grupos, cada um com sua orientação espiritual. Alguns parecem unicamente interessados no crescimento interior, enquanto outros almejam poder e dinheiro. A sociedade japonesa tem pouco espaço para propostas diferentes. Nesse contexto religioso, só existe a possibilidade de sobreviver enquanto subcultura.

A associação de Usui teve de escolher entre dois caminhos: continuar a tradição original e enfrentar a proibição, pois sua atividade terapêutica contrariava a legislação médica, ou fechar as portas e só atuar no interior de sua própria comunidade. Foi o que aconteceu. A associação deixou de ser anunciada nas páginas amarelas e retirou as tabuletas na entrada de suas clínicas. Desde então, ela só atua entre o grupo de frequentadores e no âmbito familiar de cada membro.

Em 1989, quando visitei o Japão pela primeira vez, só consegui localizar uma discípula de Barbara Weber Ray, chamada Mieko Mitsui, que ensinava Reiki uma ou duas vezes por ano. Desde 1984, Mieko já mantinha contato com Ogawa Sensei, que só vim a "descobrir" dez anos mais tarde. A associação de Usui continuava atuando secretamente, e os mestres da The Radiance Technique©, comandada por Barbara Weber Ray, só ensinavam o primeiro e o segundo graus do Reiki.

Comecei minhas pesquisas sobre a história do Reiki no Japão na primavera de 1994 – com pouco sucesso. Nenhuma das pessoas que eu interrogava conhecia Usui Sensei ou o Reiki. As poucas que tinham ouvido a palavra "Reiki" achavam que fosse uma técnica inventada nos Estados Unidos...

Meu primeiro contato com Koyama Sensei

No verão de 1994, recebi um telefonema inesperado de Toshitaka Mochizuki, um de meus alunos de Tóquio. Ele me disse que tinha o número do telefone de uma senhora que já praticava o Reiki havia cerca de 60 anos. Porém, não quis me revelar quem era a senhora. Infelizmente, só depois de conversar com ela descobri que se tratava da Sra. Kimiko Koyama, presidente da associação de Usui. Mochizuki-san me explicou que só poderia dar o número sob a condição de que eu não contasse à senhora de quem tinha vindo a informação. Não entendi o motivo dessa condição, mas prometi guardar segredo. Algumas semanas mais tarde, chegou o grande momento.

Meu coração estava disparado quando o telefone tocou e do outro lado atendeu uma senhora idosa. Sua primeira pergunta foi: "Quem lhe deu este número?" Fiquei com a respiração presa, mas depois de algum tempo os ânimos se acalmaram, embora ela continuasse perguntando: "O que vocês querem de mim?" Nós (eu e Chetna, minha mulher naquela época) respondemos: "Não queremos importunar a senhora. Estamos pesquisando a vida e a missão de Usui Sensei para escrever um livro." "Não pretendo ler seu livro", disse Koyama Sensei, "e, além disso, não me interesso absolutamente pelo Reiki praticado no Ocidente." Além disso, ela recusou um encontro pessoal comigo. Alguns estrangeiros já tinham tentado a mesma coisa, mas ela sempre se negara.

Para meu consolo, portanto, eu não era o único. Aos poucos, Koyama Sensei foi contando um ou outro detalhe sobre a vida de Usui Sensei. Falava dele com grande admiração. Disse que era um homem carismático e cheio de energia, no qual a presença do Reiki era algo evidente. Em seus encontros de Reiki, os discípulos tocavam no quimono dele para sentir um pouco dessa energia e levá-la para casa. (Não é permitido tocar no Sensei, mas pode-se pegar nas pontas de suas vestimentas.) Segundo Koyama Sensei, Usui tinha realizado curas incríveis: certa vez, atendeu um homem que sofrera derrame cerebral e cujo rosto e corpo estavam paralisados. Depois do tratamento, Usui Sensei lhe disse: "Agora, vá para casa." E o homem, de fato, se levantou e foi para casa...

Usui tinha muito senso de humor e fazia os discípulos rirem, embora levasse a sério seu trabalho. Atendia a todos os que o procuravam e também ensinava a todos os que pediam ensinamento. Enquanto ele viveu, havia 60 escolas de Reiki (depois descobrimos que se tratava das "filiais" da Usui Reiki Ryoho Gakkai). Ao todo, ele iniciou cerca de 2 mil discípulos reikianos.

Koyama Sensei contou também que Usui estava enterrado no Cemitério Saihoji de Tóquio. Disse-nos os locais e as datas de seu nascimento e morte. Sobre o Reiki, declarou: "Até os iluminados como Buda ou Jesus sabiam claramente que eram apenas uma pequena parte da grandeza divina. O Reiki é essa grandeza divina. Não tentem encarar o Reiki somente como um método de cura das doenças físicas. O amor é o fundamento do Reiki, e segundo esse princípio temos de trabalhar todos os dias, de todo o coração."

Depois de concluir sua fala, ela nos pediu que não voltássemos a incomodá-la, coisa que prometi. E eu costumo manter minhas promessas.

Na conversa telefônica, Koyama Sensei mencionou o Templo Saihoji de Tóquio como última morada de Usui Sensei, e assim decidi visitar o local. Esta foi a primeira de minhas várias viagens ao túmulo de Usui Sensei. Mais detalhes podem ser lidos na primeira parte deste livro, "História concisa do Reiki".

Meu primeiro encontro com Tsutomu Oishi

Conforme descobri nas inscrições tumulares, Usui Sensei estivera no monte Kurama, ao norte de Kyoto, preparando-se para a morte. Aquele local seria então minha próxima etapa, como explicarei em detalhes mais adiante.

Um pouco antes de minha partida para Kyoto em agosto de 1995, o telefone tocou de novo. Era Shizuko Akimoto, uma de minhas alunas. Muito excitada, ela contou que na véspera atendera um paciente (não pelas técnicas do Reiki) e que, durante a sessão, o paciente lhe dissera: "Sabe, antigamente havia um tipo de terapia japonesa chamada Reiki." "Pois eu sou professora de Reiki", respondeu Shizuko. "Tive aulas com um professor alemão em Sapporo." O paciente, chamado Sr. Oishi, quase caiu da cama de susto, contando que sua mãe tinha cursado o segundo grau do Reiki junto a um discípulo de Usui Sensei.

Fiquei assombrado, mas não acreditei totalmente na notícia e decidi refletir um pouco sobre ela. No dia seguinte, liguei de novo para Shizuko e lhe pedi que fizesse algumas perguntas importantes ao Sr. Oishi.

Na sessão seguinte, o Sr. Oishi trouxe uma foto que sua mãe recebera de presente de Usui Sensei. Agora eu tinha a certeza de estar na pista certa. A foto pode ser encontrada à p. 69 deste livro (ver foto 32).

Shizuko começou a fazer perguntas sem parar, mas o Sr. Oishi respondeu que não sabia muito sobre Usui Sensei e o Reiki, pois naquela época a mãe dele não quisera lhe dar mais explicações. Já contei anteriormente que os japoneses têm uma cultura estruturada em função de determinados grupos. Fora do grupo, não se deve comentar o que acontece no interior do grupo – nem mesmo com um filho.

No Japão, o mais importante na relação entre duas pessoas é a confiança. E confiança toma tempo. Assim, não me afobei naquela situação e evitei pressionar o Sr. Oishi, mesmo sentindo vontade de fazê-lo.

No encontro seguinte entre Shizuko e o Sr. Oishi, ele contou que existia uma associação com sede em Tóquio que praticava o Reiki e provinha diretamente de Usui Sensei. Essa associação tinha várias filiais no Japão, e o Sr. Oishi conhecia pessoalmente o diretor da filial de Shizuoka City (capital da província de Shizuoka). Se Shizuko quisesse, ele teria prazer em apresentá-la ao diretor.

Fumio Ogawa Sensei, um *Shihan* da Usui Reiki Ryoho Gakkai

42. Ogawa Sensei

Finalmente chegara o grande dia. Pela primeira vez – ao menos, foi o que pensei –, um ocidental entrava em contato com um praticante do Reiki oficial japonês. Algumas semanas depois, Shizuko e o Sr. Oishi viajaram como planejado para Shizuoka City, a fim de visitar o Sr. Fumio Ogawa, diretor da filial Shizuoka da Usui Reiki Ryoho

Gakkai. Num fax para Shizuko, mandei uma lista de perguntas (ver entrevista no Apêndice) e esperei em casa, mal conseguindo controlar minha ansiedade. O primeiro encontro aconteceu a 20 de julho de 1996. Ogawa Sensei tinha sofrido um derrame em 1995, mas segundo Shizuko quase não mostrava sinais disso, tanto do ponto de vista físico como intelectual. Ele já fora procurado anteriormente por outros professores de Reiki, e assim sua família decidira restringir um pouco essas visitas, tendo em vista os problemas de saúde e a idade avançada. Shizuko ficou encantada com a personalidade de Ogawa Sensei.

Naquela altura, ele tinha 89 anos de idade – mas, depois da primeira conversa com Shizuko, fiquei em dúvida se ele sabia muito sobre a história do Reiki. Minha lista começava com perguntas sobre Takata Sensei e Hayashi Sensei. Mas Ogawa Sensei não parecia conhecer nenhum dos dois.

Depois, minhas perguntas tratavam dos símbolos do Reiki. Ogawa Sensei identificou os do segundo grau, mas não conhecia o símbolo do mestre de Reiki. No entanto, era um mestre reikiano – como podia desconhecer o símbolo do mestre de Reiki? Será que se esquecera? Lembrei-me de minha avó,

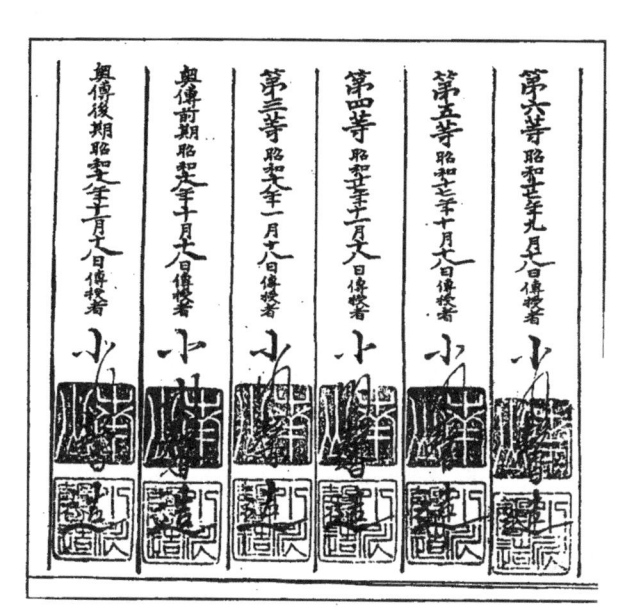

43. Certificados de *Shoden* e *Okuden*
(6 módulos de aprendizado) que o pai de Ogawa
Sensei emitiu para um discípulo entre 18 de
setembro de 1942 e 18 de novembro de 1943

que podia reproduzir palavra por palavra conversas que tivera com o pai aos 5 anos de idade, mas não se lembrava do que fora dito cinco minutos antes. Ou então, pensei com angústia, será que o símbolo do mestre não fazia parte do sistema original? Essa pergunta só foi esclarecida muitos anos mais tarde, em 2003, quando comecei minha formação de mestre com Chiyoko Yamaguchi. Na verdade, o chamado "símbolo do mestre de Reiki" não é usado nem na Usui Reiki Ryoho Gakkai, nem na corrente semelhante da associação do Dr. Hayashi.

Ogawa Sensei contou que a sede principal da Usui Reiki Ryoho Gakkai ficava em Tóquio, sempre presidida por um sucessor direto, desde os tempos de Usui Sensei. O primeiro presidente fora o próprio Usui Sensei. O segundo, um certo Sr. Ushida. O terceiro, o Sr. Taketomi. O quarto, o Sr. Watanabe. O quinto, o Sr. Wanami. O sexto, uma certa Sra. Koyama. Nesse momento, senti um arrepio de excitação. Era a mulher com quem tínhamos conversado ao telefone dois anos antes. Entendi então por que ela perguntara várias vezes: "O que vocês querem de mim?" Na época, Koyama Sensei era presidente da Usui Reiki Ryoho Gakkai. Um ano antes de sua morte, em 1998, um certo Sr. Kondo assumiu o cargo de sétimo presidente, e até hoje é o sucessor direto de Usui Sensei.

Este encontro com Ogawa Sensei abalou minha concepção do Reiki, baseada nos mal-entendidos históricos e factuais que costumavam ser aceitos no Ocidente, e que Chiyoko Sensei verificou e esclareceu depois.

Em seguida pedi a Shizuko que perguntasse a Ogawa Sensei se ela podia lhe aplicar uma sessão de Reiki. Ele aceitou a oferta com prazer, e foi o que aconteceu no encontro seguinte. Ogawa Sensei ficou encantado com as mãos de Shizuko e disse: "O que vocês fazem é muito bom, mas nós fazemos de um jeito bem diferente..."

Depois, ele começou a ensinar o que sabia para Shizuko. Em primeiro lugar, ensinou-a a trabalhar sem seguir um esquema fixo, deixando-se levar pelo *Byosen* no corpo do paciente. Durante os dois anos seguintes, Shizuko visitou Ogawa Sensei sempre que podia, aprendendo de que maneira ele trabalhava. Uma de minhas primeiras dúvidas na lista de perguntas era se Usui Sensei distribuía material escrito a seus discípulos e se ainda existiam documentos escritos da época de Usui. No primeiro encontro com Shizuko, Ogawa Sensei já tinha contado que Usui Sensei distribuía um manual para seus discípulos. Esse manual continha um plano terapêutico para doenças comuns na época, a fim de ajudar o principiante – alguém incapaz de reconhecer o *Byosen* com segurança – a conduzir um tratamento com sucesso mesmo sem a presença do mestre (ver *Original Reiki-Handbuch des Dr. Mikao Usui*, Editora Windpferd).*

Em 1997, Shizuko me trouxe um livro intitulado *Jeden kann Reiki* [Qualquer um pode praticar o Reiki], escrito pelo próprio Ogawa Sensei. Foi também por intermédio de Shizuko que recebi o manual de Koyama Sensei, escrito em 1972 por ocasião do jubileu (50º aniversário) da Usui Reiki Ryoho Gakkai (reproduzido em parte no Apêndice), e o Usui Reiki Hikkei, material que Usui Sensei distribuía a seus alunos (reproduzido anteriormente neste livro).

Fumio Ogawa morreu em 1998, e o Sr. Oishi me contou ao telefone que seus descendentes me permitiriam copiar seu espólio de textos e materiais. Foi uma grande honra que eu deveria ter aceitado. Porém, algo em meu coração dizia que aceitar a oferta seria uma coisa totalmente errada. Assim, desisti do projeto. A porta que a Usui Reiki Ryoho Gakkai abrira para mim se fechou da mesma maneira silenciosa e discreta.

Koyama Sensei também faleceu no início de janeiro de 1999, e então comecei a sentir que já era hora de seguirmos nosso próprio caminho.

Os Yamaguchi – Uma família devotada ao Reiki

山口千代子 Mais tarde nesse mesmo ano, ouvi falar várias vezes em Chiyoko Yamaguchi, discípula direta de Hayashi Sensei, que estaria vivendo em Kyoto. O excelente livro *Jikiden Reiki* (Editora Windpferd), de Tadao Yamaguchi, apresenta o histórico de Reiki dos Yamaguchi em todos os detalhes, com muita documentação fotográfica e exemplos clínicos reveladores da prática de Reiki pela família ao longo de décadas.

Perguntei a Toshitaka Mochizuki se ele conhecia Chiyoko Yamaguchi, e ele me sugeriu que procurasse Hiroshi Doi. Liguei para o Sr. Doi, com quem já tinha me encontrado várias vezes, e ele me deu o número de telefone dos Yamaguchi.

Por causa de experiências anteriores que não tinham dado muito certo, pedi a minha ex-mulher que ligasse para os Yamaguchi. Achei que o fato de eu ser estrangeiro seria um problema, e assim resolvi não arriscar. Tadao Yamagu-

---

* *Manual de Reiki do Dr. Mikao Usui*, publicado pela Editora Pensamento, São Paulo, 2001.

chi, filho de Chiyoko Sensei, atendeu ao telefone e se mostrou muito receptivo desde o primeiro instante. Pedi que minha ex-mulher perguntasse se a Sra. Yamaguchi dava aulas. A resposta foi positiva. E ela aceitava estrangeiros em seus cursos? Tadao perguntou se eu sabia japonês. Ao ouvir que eu falava o suficiente para me comunicar, ele disse que o fato de eu não ser japonês não seria um problema.

Tadao Yamaguchi contou que sua mãe aprendera Reiki com Hayashi Sensei e conduzia seus cursos exatamente como o mestre lhe ensinara. Na época, Hayashi Sensei ensinava Reiki Um e Reiki Dois num bloco de cinco dias, assim como Chiyoko Sensei fazia agora. Até o dia do nosso telefonema, ela nunca ensinara Reiki num contexto formal – ou seja, em seminários. Durante 60 anos, tinha ensinado e clinicado só por meio da propaganda boca a boca. "A melhor maneira de ensinar o Reiki a alguém", disse ela, "é quando um doente vem até você, cura-se pelo tratamento e mais tarde pede espontaneamente para aprender Reiki."

Ela contou que conhecera alguns japoneses que tinham estudado pela escola ocidental, mas achava que uma pessoa já iniciada em Reiki ocidental faria bem em começar de novo pelo Reiki Um. Isso não significava que o Reiki aprendido pelos ocidentais não valesse nada. Ela só queria transmitir o que aprendera com Hayashi Sensei da maneira mais fiel possível. Pediu-me que prometesse que não iria misturar o Reiki ocidental ao Jikiden Reiki. Fiz a promessa e me alegrei por finalmente encontrar um professor de Reiki japonês disposto a me aceitar como aluno.

O próximo curso livre de Reiki Um e Dois iria ocorrer em julho de 2000. Eu mal podia esperar pelo início do curso e torcia para que o tempo passasse depressa. Sentia-me como uma criança às vésperas do Natal: faltam cinco noites, faltam quatro noites, faltam três noites...

Treinamento de Reiki com Chiyoko Yamaguchi

No outono de 1999, meu sonho antigo de adquirir formação de Reiki no Japão finalmente se realizou. Chiyoko Yamaguchi me aceitou como aluno, e no verão de 2000 peguei um avião, com o coração cheio de alegria, para o encontro combinado em Kyoto. Passamos juntos cinco dias intensivos, com aulas das 9 às 15 horas ou das 13 às 19 horas.

À noite, depois da aula, eu ficava sentado no quarto de hotel, ouvindo o silêncio da cidade antiquíssima, impregnado de inúmeros ruídos. Eu me tornara aluno de novo e sentia meu coração se expandir. Para reforçar ainda mais minha reflexão, eu repassava os acontecimentos do dia com meu "olho interior" e anotava-os num diário. As próximas páginas reproduzem essas anotações, para que você possa compartilhar minhas experiências. Informações sobre os símbolos, a maneira de escrevê-los e os mantras correspondentes foram intencionalmente deixadas de lado, pois elas só devem ser transmitidas de maneira integrada num curso de Reiki.

44. Chiyoko Yamaguchi

O primeiro encontro

No dia 24 de julho de 2000, às 9 horas da manhã, encontro os Yamaguchi pela primeira vez. É amor à primeira vista. Mais tarde, percebo que esse sentimento é compartilhado por eles. O treinamento acontece numa casa tradicional, com 120 anos de existência, no centro de Kyoto, antiga residência dos Yamaguchi. Há muitos anos, a parte da frente da casa é usada como papelaria e escritório. No segundo andar, depois de uma subida arriscada por

45. Tadao Yamaguchi

uma escada íngreme e estreita, nós nos encontramos para a aula de Reiki. Anos mais tarde, a casa é reformada para dar lugar a um lindo Instituto de Reiki (ver foto 46). Sinto que há algo errado com o meu corpo. Sinto-me desajeitado, como se meu nariz, pescoço e pernas fossem "compridos" demais, me atrapalhando para tomar chá, levantar-me e até ir ao banheiro. O chão da sala de treinamento é coberto de tatame. Nós nos sentamos sobre almofadas ao redor de uma mesa de sala japonesa, que mais tarde é coberta com um futon para funcionar como cama de massagem.

Os outros detalhes da decoração são tipicamente japoneses: cômodas e armários antigos enfeitam a sala simples, mas arranjada com bom gosto. Como diz o provérbio, aqui "o pouco vale muito". Sinto-me como alguém que finalmente retorna ao lar depois de uma longa viagem. Desde minha infância, uma paixão pela cultura do silêncio arde em meu coração, e aqui estou sentado dentro dele. Certificados antigos de Reiki rebrilham nas paredes, realçando os acontecimentos. Fotografias de Usui Sensei e Hayashi Sensei até então desconhecidas envolvem a sala numa luz solene. O ponto alto é um pergaminho com as cinco regras de vida do Reiki, escrito pessoalmente por Hayashi Sen-

46. Instituto de Jikiden Reiki em Kyoto, tal como é hoje

sei, que reluz por trás do lugar onde Chiyoko se senta. Será que estou no paraíso do Reiki?

Além de mim, outros quatro alunos japoneses estão presentes. Eles tratam a Sra. Yamaguchi como "Chiyoko Sensei" e o filho dela como "Tadao Sensei", coisa que também começo a fazer. É ótimo ser aluno de novo, sem achar o tempo todo que já sei tudo. Assim como eu, três dos outros alunos já aprenderam Reiki ocidental, e o quarto aprende Reiki pela primeira vez. Ouço pelos ouvidos deles e observo pelos olhos deles.

Minha paixão pelo Reiki desperta em mim muitas perguntas. Converso à parte com Tadao Yamaguchi para lhe explicar meu dilema. Sei que os japoneses não costumam fazer perguntas e não gostaria de ser desrespeitoso com minha professora. As perguntas põem um professor à prova e questionam sua capacidade de ensinamento. Se eu fizer uma pergunta sobre algo que não entendi, estou dizendo ao professor que seu trabalho não é consciencioso. Mas Tadao me garante que posso seguir minha paixão e perguntar sem problemas.

Mas não sou o único que tem perguntas a fazer. Chiyoko Sensei gostaria de saber se sou terapeuta de Reiki. É a pergunta que sempre faz, conta ela, aos que já praticam o Reiki. Respondo que sim, e conto que inexplicavelmente gosto mais de tratar certas doenças do que outras, como asma, dores nas costas e desafios psicológicos. A próxima pergunta é imediata: ela quer saber se meu trabalho dá bons resultados. Claro que sim, respondo, e ela me encara com olhar benevolente. "Muito bem", diz ela. "Várias pessoas respondem a essa pergunta com um não, alegando que não têm tempo para a terapia, pois já estão sobrecarregadas de aulas." Eu lhe pergunto então o que essas pessoas pretendem ensinar, se não têm experiência terapêutica?

Chiyoko Sensei é uma mulher simples. Tem um aspecto sensato e acolhedor, a imagem que se espera de uma avó: bondosa e modesta. Não parece se importar nada com o que os outros pensam dela. A única exceção é seu mestre, Hayashi Sensei. Diante dele, ela sente que precisa tomar as decisões certas, que o mestre aprovaria. A sensação de estar em casa se expande em meu *kokoro* (união do coração e do espírito)...

Aula de *Shoden*, primeira parte
Depois das apresentações, Chiyoko Sensei começa a nos contar sua trajetória pessoal de Reiki ao lado de Hayashi Sensei, que você pode ler em detalhes no livro *Jikiden Reiki*, de Tadao Yamaguchi, e em nosso livro conjunto, *Die Reiki--Techniken des Dr. Hayashi* [A Técnica de Reiki do Dr. Hayashi]. Ela aprendeu Reiki bem jovem e, depois do casamento, continuou cultivando a tradição do Reiki em sua família. Seus filhos cresceram com o Reiki: na casa dos Yamaguchi não havia comprimidos contra dor nem antissépticos. Os filhos (e depois os netos) eram e ainda são tratados unicamente pelo Reiki. Antigamente, o Reiki era usado quase como um remédio caseiro. Os praticantes atuavam só entre a família e os amigos, sem divulgar seu trabalho.

Primeira sintonização
Tadao fecha as cortinas, apaga a luz e escurece o ambiente, a ponto de não se poder enxergar a mão diante dos olhos. Ele explica como devemos nos sentar durante o *Reiju* (ver capítulo "Conceitos japoneses importantes para entender o Reiki" à p. 24), de olhos fechados, com a atenção e a respiração voltados para o *tanden*. Explica o significado da palavra *"Reiju"*, e então fica claro por que o ritual é realizado. Ele deve ajudar a nos concentrarmos na energia espiritual dentro de nós. O *Reiju* deve ser praticado todos os dias. Chiyoko Sensei recita as regras de vida junto conosco. Ela começa com *"Kyo dake wa"*, e nós seguimos com *"Ikaru na, shinpai suna, kansha shite, gyo o hage me, hito ni shinsetsu ni"*. Tudo isso é repetido três vezes. Minhas mãos ficam inchadas, e de repente sinto uma calma absoluta. Esqueço os acontecimentos exteriores e volto minha

atenção para o processo interior. Nesse espaço interior, o Reiki se torna visível, tudo se ilumina e todos os participantes se unem. *"Kansha shite"* – tenha gratidão – é a frase que ecoa dentro do coração. Desde o primeiro contato com a cultura japonesa do Reiki, esse momento me dá muito prazer.

O *Reiju* dura cerca de 25 minutos. Percebo que o ritual é conduzido de um jeito diferente do que eu tinha aprendido na tradição da Reiki Alliance. É um ritual discreto e simples. Quando nos pedem para nos levantarmos e nos sentarmos em círculo, não consigo me pôr em pé. A mente não reage, o corpo fica parado, satisfeito com as coisas do jeito que estão. Mais tarde, penso no conceito zen-budista *"shikantaza"*, que significa "simplesmente ficar sentado". É um momento infinitamente prolongado de paz. Minhas mãos e pés pulsam com a energia e o fogo do Reiki.

Tadao abre as cortinas e acende a luz. Pede-nos para tocarmos as costas da pessoa sentada à nossa frente e nos concentrarmos em nossa percepção, sobretudo (mas não exclusivamente) nas mãos. Isso serve para nos tornar mais perceptivos, para mais tarde conseguirmos entender melhor os processos interiores no corpo de nossos pacientes. Depois desse exercício de cerca de 10 minutos, Tadao pergunta a cada participante o que sentiu.

Em seguida, a mesa da sala se transforma numa cama de Reiki. Um futon é colocado sobre ela, e nós nos sentamos de pernas cruzadas, ou às vezes esticadas sob a mesa, com uma sensação de cansaço. Um dos participantes recebe assim uma sessão de terapia pelo grupo. Chiyoko nos ensina que a pessoa mais experiente deve sentar-se junto à cabeça. Obviamente, essa pessoa é ela mesma. Os outros colocam as mãos sobre partes do corpo de importância estratégica. Mais detalhes sobre isso podem ser lidos na quarta parte do livro.

Durante a sessão, Chiyoko explica seu método de trabalho usando o exemplo de um paciente que ela tratou de diabetes.

"Quando a circulação sanguínea é ruim, o sangue impuro flui para o fígado ou o pâncreas. Quando flui para o fígado, a situação não é tão grave, mas quando flui para o pâncreas, isso leva a um choque insulínico (hipoglicemia). Se a pessoa receber injeção de insulina, seu próprio corpo volta a fabricar insulina, mas ela se torna dependente de remédios. Nesse caso, temos de tratar o fígado e o pâncreas de maneira intensiva. Já fiz isso certa vez com um paciente quase todos os dias, durante quatro semanas. Comer iogurte com 'goya' (pepino amargo chinês) ajuda no tratamento do diabetes. Toda doença é um processo de depuração. Os órgãos internos vibram e substâncias tóxicas se acumulam perto deles. Essa toxicidade impede o funcionamento pleno dos órgãos."

Durante o trabalho, não estamos em silêncio "extático" ou "sagrado". Chiyoko nos dá instruções, comenta isto ou aquilo. Às vezes, ela pede a um dos alunos que ponha a mão em determinado lugar e pergunta o que a pessoa sente. O clima é descontraído e às vezes surgem assuntos corriqueiros na conversa, por exemplo, doces muito gostosos para acompanhar o chá etc.

Chiyoko comenta com frequência o método de trabalho de Hayashi Sensei. Em geral, ele usava dois praticantes para tratar um paciente ao mesmo tempo. O primeiro tratava a cabeça, enquanto o segundo tratava os pés ou as partes do corpo afetadas. Naquela época não havia uma rotina básica de tratamento; o mestre estava sempre presente ou estava por perto, podendo ser consultado no caso de eventuais dúvidas.

Perguntada sobre quanto tempo, em sua opinião, deve durar um tratamento, Chiyoko responde: "Dez ou 15 minutos não bastam. Com menos de 30 minutos, quase não vale a pena começar. Sou velha e tenho tempo. Além disso, o Reiki é minha paixão. Há mais de 60 anos, faço um ou dois tratamentos por dia, e cada um dura cerca de 90 minutos. Mas durante o tratamento não olho para o relógio." Esse comentário só fica claro para mim no dia seguinte, ou pelo menos é a impressão que tive na época. Hoje, nove anos depois, sei que é preciso praticar muito mais do que eu supunha então.

Ela nos encoraja a trabalhar pelo maior tempo possível, mas sua atitude a esse respeito é pragmática: "Use o tempo que tiver à disposição. Se tiver uma hora, o tratamento deve durar uma hora. Se tiver 45 minutos, trabalhe por 45 minutos. O importante é trabalhar de maneira intensiva. Se o paciente tiver uma doença grave, deve ser tratado todos os dias durante ao menos quatro semanas. Depois de um mês, você verá como o paciente evolui e poderá adaptar o ritmo de tratamento ao resultado. No segundo mês, talvez o ritmo seja de três sessões por semana. O melhor é iniciar alguém da família no Reiki, para que o paciente não tenha de ser atendido por você todos os dias."

Ela nos aconselha a trabalhar sentados na posição mais confortável possível. Podemos cruzar as pernas, mas se possível os braços devem ficar no meio do corpo durante a sessão. "Do contrário, vocês se cansarão", diz ela. "Dar o Reiki a um paciente enquanto vocês deslocam as costas simplesmente não funciona." Pois é, o Reiki é uma coisa bem simples.

Já esqueci minha insegurança inicial sobre as várias dúvidas que tenho. Chiyoko me encoraja a fazer todas as perguntas que quiser. Aceito o convite com prazer.

Segundo dia, segunda parte do *Shoden*
Hoje saudamos o novo dia recitando as regras de vida e praticando o segundo *Reiju*. Chiyoko e Tadao conduzem juntos o *Reiju*, mas não procuro saber que mãos pertencem a quem. Receber a sintonização de mãe e filho ao mesmo tempo é uma experiência e tanto. Percebo cada vez com mais clareza que o Reiki é impessoal. Quanto mais o mestre que inicia discípulos se recolher e trabalhar a partir de seu vazio interior, melhores serão os resultados.

Hayashi Sensei, conta Chiyoko um pouco antes do *Reiju*, recitava em voz alta um poema do imperador Meiji a cada ritual de *Reiju*.

Depois do *Reiju*, sentamo-nos novamente em círculo para o Reiki Mawashi. Em seguida, Tadao Sensei desenha o primeiro símbolo sobre uma lousa. Os dois nos pedem para não copiar o símbolo, e sim aprendê-lo de memória. Era essa a orientação de Hayashi Sensei. Anos mais tarde, Chiyoko Sensei teve de mudar a orientação do mestre, muito a contragosto, sempre confrontada com a incapacidade de seus alunos ocidentais de aprenderem corretamente os símbolos de memória (sobretudo o terceiro), para que fossem legíveis sobretudo para um japonês. Então, só os alunos não japoneses tiveram permissão para copiar os símbolos, e o terceiro passou a ser inclusive distribuído em fotocópias. "Hayashi Sensei ficaria desapontado comigo", disse-me ela certa vez em tom de desconsolo.

Depois que Tadao Sensei desenhou o símbolo, balancei a cabeça, animado. Chiyoko Sensei me encarou com ar irônico e perguntou: "É verdade que vocês também usam o símbolo no Reiki ocidental?" "Claro", respondi. "E vocês também repetem o nome três vezes, não é?", insiste ela. Disse que sim, com a certeza de que esse é o jeito certo. Ela pegou uma colher sobre a mesa e disse: "Pois é como se eu dissesse agora: colher, colher, colher." Todos nós demos boas risadas. "Não se deve dizer o nome do símbolo." Mais tarde, percebi que o Reiki trabalha com quatro diferentes conceitos de linguagem: *kanji*, *Shirushi*, *Kotodama* e *Jumon* (ou mantra). Para deixar clara a diferença, esses conceitos são explicados em detalhes no capítulo "Conceitos japoneses importantes para entender o Reiki".

Os símbolos que Chiyoko Sensei nos ensina são escritos ou desenhados de maneira um pouco diferente da ocidental. Além disso, as denominações são diferentes e o significado tem claras conotações japonesas. Evidentemente, todos os símbolos têm nomes japoneses que qualquer pessoa pode consultar num dicionário, se conhecer a grafia *kanji* correta.

Depois da descontração das risadas, Chiyoko Sensei nos ensinou uma técnica que eu ainda não conhecia, chamada *ketsueki kokan* (ver capítulo "Técnicas japonesas de Reiki"). Literalmente, *"ketsueki kokan"* significa "renovação do sangue". Essa técnica deve ser usada depois de cada sessão de tratamento para levar o Reiki às camadas mais profundas do corpo e ajudá-lo a eliminar as substâncias tóxicas. Ela estimula a circulação sanguínea e muitas vezes evita assim uma crise terapêutica. Os líquidos corporais carregados de substâncias tóxicas são então renovados. Quando o terapeuta não tem tempo para uma sessão completa, pode usar essa técnica no lugar do tratamento. No caso de doenças do metabolismo, ele pode usar o *ketsueki kokan* várias vezes em seguida. Nos dias seguintes, a técnica é usada por nós depois de cada sessão.

Mais tarde, enquanto aplicamos tratamento uns nos outros, pergunto a Chiyoko Sensei o que o Reiki significa para ela. Ela responde: "Depois do seminário, sempre vou para casa de ônibus. E quando vejo alguém no ponto de ônibus que parece mal de saúde, sinto vontade de ajudar essa pessoa."

Quando pergunto como ela encara as regras de conduta, Chiyoko responde: "As primeiras quatro regras de conduta devem ser integradas no dia a dia. Elas representam todo o trabalho interior necessário. Fica faltando pôr em prática a quinta regra: seja gentil, carinhoso e prestativo com as outras pessoas. Para mim, isso significa ensinar-lhes ou dar-lhes o Reiki."

Hoje, ela nos explica o recurso prático do Reiki que considera mais importante: o chamado *"Byosen"*. "Se vocês não entenderem o *Byosen* no corpo do paciente", diz ela com ênfase, "não poderão trabalhar direito." Isso me sugere a imagem interior de alguém pescando no escuro, que além de fisgar um ou outro peixe também acaba trazendo à superfície sapatos velhos e pneus de bicicleta. O *Byosen* parece ser o aspecto prático que ela valoriza acima de tudo. "Ponha sua mão aqui", diz ela, "o que você sente?" Sinto palpitação e formigamento na mão.

Pergunto o que ela sente quando dá o Reiki a alguém: "Amor", responde Chiyoko Sensei. E nessa resposta sinto que não se trata de um conceito filosófico, e sim do amor que uma avó sente pelo neto (no sentido lato). É um amor realmente "físico".

Um dos participantes recebe tratamento de barriga para baixo, e tento entender por quê. É o que pergunto a Chiyoko Sensei. Ela responde com seu típico senso prático: "A melhor posição é a mais confortável para vocês e o paciente. Quando vocês tratarem seus próprios rins, podem achar desconfortável pôr as palmas das mãos nas próprias costas. Nesse caso, simplesmente usem o dorso das mãos. Isso também funciona – e é mais simples."

De repente, ela começa a massagear suavemente as pernas da pessoa deitada. Pressiona alguns pontos de acupuntura e em seguida põe as mãos abertas ali por alguns minutos. "Se vocês sentirem que uma parte do corpo está bloqueada e a energia não consegue fluir, podem abrir esse ponto com um pouco de pressão. Mas lembre-se de não continuar o trabalho logo em seguida e deixar as mãos sobre aquele ponto alguns minutos. Então, a energia começa a circular melhor no corpo."

Depois de algum tempo, pergunto quanto custava um treinamento de Reiki na infância dela. Ela responde que a formação de mestre custava cerca de 50 ienes, o dobro do salário de um jovem funcionário de nível superior. Pergunto então quanto custava um tratamento de Reiki. Ela responde que as sessões eram baratas, ou feitas na base da troca. O camponês trazia um saco de arroz ou de batatas, o pescador dava um salmão. Se o paciente fosse pobre, o tratamento podia ser gratuito. O Reiki, conta ela, era aprendido e praticado principalmente por pessoas abastadas, que dessa maneira exprimiam sua gratidão e davam uma contribuição à sociedade.

Terceiro dia, terceira parte do *Shoden*
De novo começamos pela recitação diária das regras de vida e pelo *Reiju*. Em seguida vem o Reiki Mawashi, e depois fazemos exercícios de percepção que devem ser continuados em casa. A finalidade desses exercícios é tornar as mãos mais perceptivas, para captar melhor o *Byosen*. "Assim, vocês podem avaliar melhor o estado de saúde do paciente. Podem definir quanto tempo ele é tratado numa determinada posição, quanto tempo dura a sessão e quantos retornos ele terá de fazer. Além disso, vocês podem acompanhar exatamente o processo de cura no corpo do paciente."

Juntamos nossas mãos na posição *Gassho* e nos concentramos no *tanden* (ver capítulo "Conceitos japoneses importantes para entender o Reiki"). Já sei da importância da concentração no *tanden* pelos ensinamentos de Ogawa Sensei e pelo diário de Takata Sensei (ver p. 31). Depois de voltarmos nossa atenção para a percepção das mãos, Chiyoko nos pede para afastar com cuidado as palmas só um centímetro e sentir a energia que se forma ali.

Depois de algum tempo, afastamos as mãos ainda mais, sentindo a corrente de energia entre elas. No final do exercício, colocamos as mãos de novo diante do *tanden* para sentir a energia. Chiyoko Sensei nos aconselha a deixar os olhos abertos durante o exercício nas próximas vezes, para que a mente não se perca num devaneio. Com um pouco de treino, poderemos então fechar os olhos durante o exercício.

Em seguida, fazemos um exercício em duplas. Um aluno se senta em posição relaxada, enquanto o outro põe uma mão aberta sobre a coxa e a outra sobre o ombro do parceiro. Agora, Chiyoko nos pede para sentirmos a diferença de percepção. Minha mão sobre a coxa do parceiro parece relaxada e quente. Sinto um leve prurido. "Esta é a energia", comenta Chiyoko. Minha outra mão parece pulsar e se retorcer. Tenho a impressão de que ela é atraída para a coluna cervical do parceiro. "Este é o *Byosen*", explica Chiyoko.

Depois desse exercício, Chiyoko Sensei nos ensina outro, chamado *Nentatsu-Ho* (ver descrição no capítulo "Técnicas japonesas de Reiki").

No final fazemos o tratamento em grupo, e dessa vez eu sou a "cobaia". Chiyoko se senta por trás de minha cabeça, com as mãos sobre minhas têmporas. Depois de algum tempo, ela massageia meus ombros levemente e diz: "Veja, a pele de sua cabeça (avermelhada pela psoríase) já parece bem melhor." Quando ela me toca com suas mãos carinhosas, penso: "É exatamente aí que eu precisava das mãos dela. Queria que essa sensação durasse para sempre!"

Quarto dia, primeira parte do *Okuden*

De novo começamos com a recitação diária das regras de conduta e com o *Reiju*. Durante o *Reiju* sinto-me sonolento, mas consigo distinguir Chiyoko Sensei e Tadao Sensei de certa distância (com os olhos fechados). O *Reiju-Sha* ("aquele que conduz o *Reiju*" em japonês) irradia um enorme calor e uma luz muito clara. Meu corpo é abalado por descargas elétricas fulminantes que me fazem rir.

Em seguida vem o Reiki Mawashi e um novo exercício, chamado Reiki Okuri. Nós nos sentamos em círculo, com os pés voltados para dentro, e nos damos as mãos. A mão esquerda tem a palma voltada para cima e a direita, voltada para baixo.

Hoje de manhã aprendemos o chamado *Sei Heki Chiryo*. A palavra "*Sei Heki*", me explica Chiyoko (os outros participantes são japoneses e não precisam dessa explicação), significa "hábito". Mais detalhes a esse respeito no capítulo "Origens do símbolo da cura mental". Tadao explica as nuances e o contexto cultural do símbolo do "*Sei Heki Chiryo*", e seus esclarecimentos confirmam aquilo que aprendi cinco anos antes com Myoyu-san. Também sobre isso falarei mais à frente.

Chiyoko nos ensina um *Kotodama* poderoso usado para o tratamento de maus hábitos. Tenho finalmente uma noção completa e coerente dessa técnica. De novo, o símbolo é escrito de maneira um pouco diferente da que aprendi, mas as diferenças são pequenas.

Ela fala com entusiasmo sobre a eficácia terapêutica dessa técnica, e nós a experimentamos num exercício em duplas. Minha parceira diz que não quer mais beber álcool. Olho para ela e digo, antes que ela possa me impedir: "Você mesma não acredita nisso." Ela ri e diz: "OK, você adivinhou meus pensamentos, digamos que não quero mais beber demais..." Em seguida, trocamos os papéis e meu problema é a impaciência. Estou rindo agora, ao escrever este livro. O que aconteceu com minha impaciência? Ao escrever, não consigo me lembrar de algum dia ter sido uma pessoa impaciente. O método realmente funciona!

Depois do exercício, pergunto a Chiyoko Sensei se ela usa essa técnica exclusivamente para problemas mentais e emocionais. Ela responde que sim, sem muita convicção. Percebo a hesitação em sua voz e insisto no assunto. "Estrangeiros abusados", penso com meus botões, mas mesmo assim digo: "Fiz boas experiências com esse símbolo trabalhando com problemas físicos..." Chiyoko pigarreia e diz: "Sim, também experimentei isso, mas não foi o que Hayashi Sensei ensinou." Então, ela nos explica como adaptou essa técnica para o tratamento de males físicos.

Antes de começarmos a aplicar o Reiki uns nos outros como nos dias anteriores, Chiyoko Sensei explica como se trata um ferimento grave com os olhos e a respiração.

Ao longo do dia, alguém pergunta se é preciso algum tipo de concentração ou sintonização no Reiki para tocar num paciente. Ela ri e segura um participante pelo ombro, dizendo: "Ligue!" Ela retira a mão e diz: "Desligue! Costumamos dizer que é possível 'ligar' o Reiki como se acende uma luz apertando o interruptor."

Percebo então que ela aparentemente sofre de dores nas costas. Ela se estica, se alonga e troca de posição com frequência. Sei que não devo tocar no Sensei, e não tenho certeza se posso ignorar as barreiras culturais. Mas é evidente que ela sente dores, e às vezes é uma vantagem ser um estrangeiro ingênuo e intrometido. Assim, questiono Tadao a respeito. Ele me olha com espanto, mas diz que devo perguntar a ela. Chiyoko Sensei reage com alegria. "Você percebeu isso?", pergunta ela, e noto que aquilo lhe dá prazer.

Depois de os outros participantes irem para casa, faço uma sessão com ela para tratar a dor nas costas, e ela se entusiasma. "Dá para ver que você trabalha com o coração e tem muita experiência. Senti como se estivesse dentro de uma gigantesca redoma de energia." Não tomo isso como um elogio pessoal, pois sei que o elogio se dirige a todos os que praticam o Reiki do fundo do coração.

Não importa onde você aprendeu Reiki, ou a que escola, religião ou camada social você pertence. O Reiki é sempre a mesma coisa: luz pura voltada em direção a si mesma.

Quinto dia, segunda parte do *Okuden*

Hoje, infelizmente, é o último dia do nosso treinamento. O tempo passou voando. O encontro começa às 15h30, e de manhã tenho tempo para relembrar esses dias tão interessantes. Por causa das sintonizações diárias, nos últimos dias cresceu em mim um sentimento reikiano até então desconhecido. Só posso compará-lo à sensação de passear no raiar do dia por um santuário xintoísta deserto. O vento sopra no alvorecer, o cheiro de cedros adere suavemente à pele e uma gralha solitária desperta... de repente, tudo está quieto... e, por um instante, tudo é o que é. Minhas dúvidas sobre o Reiki se dissiparam.

Pela última vez, começamos pela recitação diária das regras de conduta e pelo *Reiju*. Minhas mãos e pés se purificam com o fogo do Reiki. O tratamento de "descarga elétrica" de ontem continua. Fico esperando por um curto-circuito, mas aparentemente os circuitos elétricos estão intactos e bem protegidos.

Em seguida vêm o Reiki Mawashi e o Reiki Okuri.

Depois disso, aprendemos o *Enkaku Chiryo* (tratamento a distância). Como sempre, o símbolo da cura a distância é escrito de forma um pouco diferente da que aprendi. A pronúncia também é um pouco diferente. Na condição de professor de Reiki vivendo no Japão, sei que um japonês não se deixa enganar por uma palavra de grafia gramaticalmente incorreta. Imagine que alguém escreva um "A" dizendo que se trata de um "B". Chiyoko Sensei conta que, toda vez que ensina para alunos japoneses que já aprenderam Reiki ocidental, pergunta-lhes como podem escrever o símbolo dessa maneira, embora devessem saber que está errado. Então, eles respondem (diz ela balançando a cabeça): "Mas foi assim que meu professor me ensinou..."

Bem, finalmente tudo está no lugar certo. A própria filosofia por trás da cura a distância é diferente. Mais uma vez, ela gira em torno de limpeza interior, purificação espiritual e volta às origens. Agora estou "em casa".

Pergunto a Chiyoko Sensei quanto tempo deve durar uma cura a distância. Ela diz: "Não existem regras para o tempo de tratamento do corpo, da mente ou da cura a distância. Mas, como eu disse antes, ele deve durar ao menos 30 minutos, ou mais se possível." Argumento que não tenho condições de me concentrar num paciente por 60 minutos no caso de uma cura a distância. "Não importa", diz ela. "Se você se desconcentrar no meio da sessão, faça uma pausa para relaxar e continue depois. O Reiki não depende de sua personalidade. Mesmo quando você não está inteiramente presente, a energia continua fluindo. O que não quer dizer que você não tenha de prestar atenção..."

Depois de aprendermos como se faz a cura a distância, metade do grupo vai para outro aposento para receber tratamento a distância dos restantes. Assim, cria-se um distanciamento "virtual", deixando de lado por alguns instantes a mentalidade racional. Os resultados são impressionantes: pela primeira vez recebo um *feedback* totalmente claro do corpo de um paciente situado a distância.

É uma bênção poder aprender na presença de Chiyoko Sensei. Percebo que sou mais perceptivo na presença dela do que quando trabalho sozinho. Anos mais tarde, observo o mesmo resultado nos meus próprios alunos. A energia do discípulo se volta para a do mestre; a energia e capacidade de percepção mais fortes transformam as mais fracas.

Há anos me pergunto o que acontece com uma pessoa que trabalha intensivamente com o Reiki ao longo da vida. Agora, vejo pelo exemplo de Chiyoko Sensei como se devem praticar as regras de conduta e como elas são usadas no dia a dia. Na casa dela, encontro respostas para minhas perguntas. Sua experiência é enorme, e tenho certeza absoluta de que também vou seguir esse caminho. Mas o que me inspira mais respeito são seu caráter, sua modéstia e sua clareza. A simplicidade e convicção com que ela trabalha. Ela sabe, mas eu ainda hesito. Todas as suas qualidades e aptidões se juntam em seu coração num amálgama reikiano que eu gostaria de imitar. Um novo tesouro brilha em meu interior.

Na presença dela, sinto-me como um menino diante de um adulto carinhoso, e digo-lhe isso no final. À noite, saímos juntos para um jantar vegetariano, e no meio de boas risadas e um ou dois copos de cerveja pergunto a Tadao se ele não quer planejar comigo um projeto de livro. É o começo de uma colaboração que vai render muitos frutos...

Antes e depois de Chiyoko Sensei

De volta a Sapporo, falei sobre Chiyoko Sensei a todos os interessados em Reiki que conhecia. Alguns deles teriam a sorte de conhecê-la depois. Em nosso primeiro encontro, eu a convidara para me visitar na Alemanha, e ela comentara várias vezes com seu filho: "Não quero mais viajar para lugar nenhum, mas quero visitar Frank-san na Alemanha."

Quase um ano mais tarde, convidei Walter Lübeck, Heinz Schoel e alguns amigos de Walter para um treinamento dirigido por Chiyoko Sensei.

48. Com Tadao Yamaguchi numa de nossas
viagens até o Templo Kurama

Oito deles viajaram para Tóquio, onde nos encontramos, e em seguida fomos juntos para Kyoto. Dessa vez, o curso deveria acontecer em parte na casa de Chiyoko Sensei – uma grande honra para todos nós. Era a primeira vez que ela treinava um grupo só de estrangeiros.

Ainda me lembro bem de um acontecimento, embora daquela vez infelizmente não tenha escrito um diário. Certo dia, estávamos num seminário cristão nas montanhas de Kyoto. Tínhamos sido advertidos para não abrir as janelas, pois algum macaco poderia entrar. Durante a explicação do símbolo do *Byosen*, Walter perguntou se podia usar o símbolo para a purificação do ambiente, como se ensina no Reiki ocidental. Chiyoko Sensei mostrou um olhar meio desconcertado, e Walter, depois de explicar exatamente do que se tratava, perguntou se podia mostrar a técnica. Ela concordou. Walter foi até o centro da sala com seu jeito dinâmico, desenhou um símbolo no ar e disparou para cada um dos cantos, desenhando o símbolo de novo. Quando ele terminou, Chiyoko correu até a janela e a escancarou, dizendo: "Tem energia demais aqui dentro, preciso abrir a janela depressa." Mais tarde, ela nos explicou que para a purificação do ambiente interno ou externo basta recitar o *Gokai* (regras de vida) em voz alta.

Eu participava como intérprete, mas quando os alunos foram convidados a se sentar para o *Reiju* no primeiro dia do seminário, Chiyoko e Tadao também me pediram para sentar, para minha surpresa. Eu estava no sétimo céu. De novo poderia receber cinco *Reiju* de Chiyoko e Tadao Sensei.

Ao longo do curso, os alunos fizeram muitas perguntas. Eu já tinha avisado os Sensei sobre isso. Às vezes, Tadao não sabia a resposta para uma pergunta técnica, e dizia simplesmente: "Fazemos assim porque foi o que Hayashi Sensei ensinou."

Chiyoko Sensei respondia muitas vezes: "Vocês pensam demais!" Não se tratava de uma acusação, mas era um fato. Às vezes, eu ficava realmente constrangido ao traduzir as perguntas. De vez em quando, eles nem entendiam o raciocínio por trás da pergunta.

Nesse seminário, Chiyoko se lembrou de um ritual de velas chamado Reiki Kokan (renovação do Reiki), que Hayashi Sensei costumava fazer com seus alunos em Daishoji. Hoje em dia, o ritual faz parte dos ensinamentos do Jikiden Reiki. É um ponto alto que dá muita alegria aos participantes. Como Ogawa Sensei já tinha nos contado, Chiyoko Sensei também consagrava cristais de quartzo que dava aos pacientes que às vezes não podiam se encontrar com ela. Daquela vez, ela presenteou Heinz com um exemplar muito bonito...

Um pouco antes de minha viagem de volta, Chiyoko me contou que no verão seguinte eu poderia fazer com ela a formação de professor de Reiki.

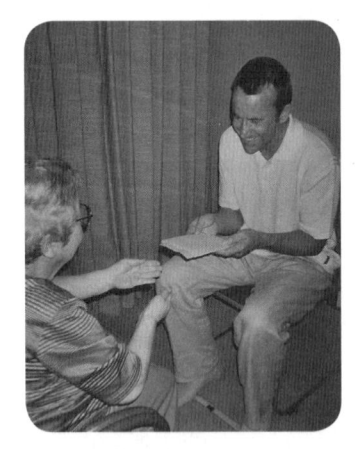

Ensinando o Jikiden Reiki

47. Chiyoko Sensei me entrega o certificado de *Shihan-Kaku*

No dia 18 de julho de 2002, Chiyoko Yamaguchi me consagrou como *Shihan-Kaku*, ou professor assistente (ver foto 47). Aprendi a conduzir o *Reiju* e iniciar outras pessoas no Reiki. Depois do curso, minha vida pessoal mudou drasticamente. Deixei o Japão e minha esposa e comecei uma vida nova na Alemanha.

Na noite de 18 para 19 de agosto de 2003, tive um sonho estranho. Vi uma freira à beira da morte e alguns monges sentados em volta – eu era um deles –, recitando sutras. Quando acordei, não entendi o que aquilo queria dizer. À noite, recebi então a notícia de que Chiyoko Sensei tinha falecido. Infelizmente, não pude viajar ao Japão para o funeral...

No verão de 2004, Tadao Sensei viajou ao exterior pela primeira vez para dar aulas e pôr em prática o desejo de sua mãe. Eu o convidara para uma visita à Alemanha, e a repercussão foi muito positiva. No dia 28 de julho, tornei-me *Jikiden Reiki Shihan*, e desde 22 de outubro de 2007 sou *Jikiden Reiki Dai-Shihan*, podendo assim formar *Shihan-Kaku* em Jikiden Reiki.

Tadao Sensei assumiu as funções de sua mãe com muito amor e dedicação, dirigindo até hoje o Instituto de Jikiden Reiki. Ele nos visita na Alemanha uma vez por ano, e se você quiser ter uma experiência inesquecível, visite-nos também. Se quiser falar comigo, pode me encontrar no *website* www.reikidharma.com.

Segunda parte

Roteiro turístico do Reiki

感謝

"A gratidão é o melhor remédio para o espírito."
— Takata Sensei —

Conhecendo o Japão

Em minha opinião, conhecer o Japão é tão importante para um amante do Reiki quanto uma visita ao castelo Neuschwanstein, na Baviera, para um turista japonês em viagem pela Europa. O Reiki é uma corrente espiritual japonesa que pode ser mais bem compreendida "a partir de dentro", em seu próprio contexto. Mas, se você primeiro quiser ter uma ideia desse contexto, aqui vai uma descrição das principais atrações turísticas do Reiki.

49. Vista do monte Kurama

O Kurama Dera

鞍馬寺

Em primeiro lugar visitaremos o Templo Kurama, ao norte de Kyoto, a cerca de 20 quilômetros da estação ferroviária central. Para mim, Kyoto é uma das cidades mais lindas do mundo. Seus 1.650 templos budistas e 400 santuários xintoístas são simplesmente deslumbrantes. Para todos nós, o Templo Kurama está em primeiro lugar na lista.

A aldeia Kurama fica em localização idílica abaixo do monte Kurama, que várias vezes desempenhou papel importante na história japonesa. O templo dessa aldeia – chamado Kurama Dera *("dera"* = "templo" em japonês) – é um local fascinante para todos os gostos. Cercado de cedros antiquíssimos que deixam o ar mais puro e perfumado, ele é o berço do Reiki. O imponente Templo Kurama foi fundado no ano de 770 pelo monge Gantei (discípulo de Ganjin, fundador do Templo Toshodaiji em Nara), que tivera ali uma experiência mística profunda. Até 1949, o Templo Kurama era ligado ao budismo Tendai, mas desde então se tornou sede principal da Seita Kurama Kokyo. A palavra "seita" deve ser entendida aqui no sentido original, como cisão de um grupo religioso principal.

50. Kurama no alfabeto *kanji*

O budismo Tendai é uma das duas correntes do budismo tântrico esotérico do Japão. O budismo tântrico esotérico chegou ao Japão no começo do século IX, trazido por dois monges japoneses que tinham estudado na China: Kukai (Kobo Daishi, 774–835) e Saicho (Dengyo Daishi, 767–822).

Em sua história de 12 séculos, o Templo Kurama foi oito vezes destruído pelo fogo causado por terremotos, e uma vez foi atingido por um desabamento de terra também devido a um terremoto. Em 1974, um enorme reservatório de água foi construído para evitar outros danos, e o saguão principal foi reconstruído em cimento à prova de fogo. O Templo Kurama abriga inúmeras obras de arte que pertencem ao "patrimônio nacional" japonês – a peça mais importante é uma estátua de Bishamonten (ou Vaisravana, chefe dos Quatro Reis Celestiais da mitologia budista). Felizmente, a estátua pôde ser salva quando o templo foi totalmente destruído no incêndio de 1238. Ela é exibida no museu adjacente, que certamente vale uma visita e também abriga uma estátua impressionante da deusa Senju Kannon. Quem se detém diante dessa estátua entende melhor a quinta regra de conduta do Reiki.

Personagens nobres e poderosos da história japonesa apreciavam o Templo Kurama como retiro espiritual. Vários imperadores japoneses costumavam visitar o templo para fazer orações. Eles ordenaram aos guardiões do templo que preservassem o monte e os bosques ao redor em sua forma original. O próprio monte é símbolo espiritual do Templo Kurama.

A área interna do templo é bastante extensa. Em minha primeira visita, reparei num pequeno altar, num ângulo do primeiro saguão, que exibe três símbolos (ver foto 51). Mais tarde, descobri que a filosofia Kurama é muito semelhante à cosmologia do Reiki. No outono de 2008, entrevistei a abadessa sobre outro assunto, pois sua condição para concordar com a entrevista foi a de que não falássemos sobre o Reiki. Mas nas dependências do templo ouvi, por exemplo, uma gravação sobre a filosofia Kurama na qual a palavra Reiki também era usada no sentido de "energia onipresente".

51. Símbolos espirituais do Templo Kurama

O princípio básico da filosofia do Templo Kurama é chamado "Sonten", ou literalmente "energia vital universal". Essa energia vital seria a fonte da Criação. É considerada verdade absoluta e transcende as diferenças entre religiões. O Sonten permeia todo o universo, e naturalmente também a humanidade. Ela se mostra na Terra em três manifestações principais: amor, luz e força. Ao mesmo tempo que se trata de uma trindade, cada uma das partes também contém o conjunto. O princípio do amor corresponde à Lua, e seu patrono espiritual é uma das manifestações de Buda, chamada Senju Kannon Bosatsu, conhecido como Avalokiteshvara na Índia. O princípio da luz corresponde ao Sol, e seu patrono é Bishamonten ou Tamonten. Na Índia, ele é conhecido como Vaisravana (ver capítulo "Origens do símbolo da cura mental"). A força é o símbolo da Terra, representado por Gohomaoson. Gohomaoson é o patrono e protetor pessoal do Templo Kurama. Segundo a lenda, Vênus o trouxe à Terra há cerca de 6,5 milhões de anos.

Essa trindade constitui o Sonten. A palavra "Sonten" pode ter outra pronúncia, que seria a denominação do símbolo do mestre no Reiki ocidental. Quem vive em harmonia no amor, na luz e na força encontra a felicidade. É preciso entender que a vida cuida de todas as pessoas e todas as coisas como uma mãe cuida de seus filhos. Encontre harmonia e amor em você mesmo e aprenda a reconhecer a energia vital universal em todas as coisas. A filosofia Kurama nos ensina três diretrizes para nossa vida. Essas diretrizes afetam não só o mundo exterior, como também o interior. A primeira é: Não diga coisas erradas, não faça coisas erradas e trabalhe para sua própria evolução espiritual. Isso também significa não prejudicar o corpo, o espírito ou o coração. A segunda diretriz é: Seja honesto e contribua para o bem da humanidade. E a terceira diz: Mergulhe na energia vital universal e confie cegamente nessa fonte. Quanto mais pessoas seguirem esses ensinamentos, mais luz se espalhará pelo planeta. Desde tempos arcaicos, existem duas possibilidades de experimentar a energia vital universal no Templo Kurama. Uma delas é tomar parte numa cerimônia religiosa do Kurama, e a outra é ser iniciado pelo arcipreste (a abadessa). A possibilidade de iniciação na doutrina secreta do Templo Kurama é acessível a qualquer pessoa, independentemente de sua fé, religião ou nacionalidade – contanto que ela esteja disposta a dedicar toda a sua energia ao crescimento espiritual. Ela não precisa renegar sua religião. A energia vital universal lhe dará força, conhecimento e luz, seja qual for seu caminho de vida.

Abaixo transcrevo a "Oração da felicidade no Sonten do monte Kurama":

Trindade do Sonten do monte Kurama:
1. Espírito da Lua – Amor
2. Espírito do Sol – Luz
3. Espírito da Terra – Força

Ó Sonten
Belo como a Lua
Quente como o Sol
Forte como a Terra
Dá-nos tua bênção para enaltecer a humanidade e multiplicar nossa riqueza, assim como nossa honra.
Neste local sagrado, faz com que a paz vença a discórdia, palavras verdadeiras sujeitem a mentira e o respeito prevaleça sobre a ofensa.
Enche nossos corações de alegria, eleva nosso espírito e enche nossos corpos de esplendor.

Sonten, grande Senhor do Universo, grande Luz, grande Impulsor, concede a nós, que aqui nos reunimos para te adorar e que nos esforçamos para tocar teu coração, uma força nova e uma luz magnífica.

Confiamos no Sonten acima de todas as coisas.

Viagem ao Kurama Dera

Primeiro você tem de chegar à Estação Demachiyanagi de ônibus, trem ou táxi, e em seguida viajar pela Kurama Eizan Railway até a parada final, Kurama.

Ao descer na estação, você é saudado por uma espécie de sátiro chamado Tengu (ver foto 52). Ele tem um nariz de proporções assustadoras. Ao lado do Tengu há uma tabuleta que diz: "Cuidado, cobras venenosas e ursos", que felizmente você não consegue ler. Em 14 anos de visitas, nunca tive a chance de avistar um único exemplar dessas espécies. Num de meus guias turísticos, encontrei também a informação de que Kurama é conhecido há muito tempo por seus fantasmas e ladrões, mas nunca me aconteceu de encontrá-los.

Caminhe pela rua principal de Kurama e vire à esquerda. A cem metros, mais ou menos, você verá as escadas que o conduzirão ao templo Kurama (figura 53).

52. O sátiro Tengu

53. Entrada principal do Templo Kurama

Explorando as instalações do templo

54. Um dos tigres no portão do templo

Dois tigres de pedra guardam vigia diante dos portões do templo. Um deles tem a boca aberta e o outro, fechada (ver foto 54). A bocas aberta e fechada significam simbolicamente que os tigres protegem o templo do começo ao fim. O tigre é um auxiliar de Senju Kannon, sobre a qual falaremos a seguir.

No portão de entrada (chamado "Nio Mon", ou Portão da Sentinela), os visitantes pagam uma entrada de 200 ienes (ou R$ 5,20 pelo câmbio de julho de 2012) que permite passar o dia inteiro no local. E a visita realmente vale um dia inteiro. Na verdade, recomendo pelo menos dois dias inteiros de visita. O Templo

Kurama está aberto aos visitantes das 9 às 17 horas. Se você decidir ir a pé da estação de Kurama até o templo, cruzando o monte Kurama de um lado e, na volta, do outro, poderá "curtir" cinco ou seis horas agradáveis de passeio.

Logo atrás do portão de entrada, você é saudado por Senju Kannon, deusa do amor e da compaixão (ver foto 55). Ela é uma das três divindades ou Budas do Templo Kurama: Senju Kannon, Bishamonten e Gohomaoson.

Para saudar Senju Kannon da maneira correta, pegue a concha ao lado do tanque de água com a mão direita e encha-a completamente ou deixe-a encher-se sob o jato de água até a borda. Então, lave sua mão esquerda. Em seguida, faça o mesmo procedimento trocando as mãos. Por fim, enxágue a boca e cuspa a água usada na parte da frente do tanque, ou beba a água e deixe que ela purifique você por dentro...

55. Senju Kannon, deusa do amor e da compaixão

Limpe a concha deixando escorrer a água restante pelo cabo da mesma. Depois, deposite a concha de novo ao lado do tanque e incline-se diante de Kannon. Só então entre no templo...

Os primeiros degraus

Você se depara agora com a primeira de várias escadas no terreno do Templo Kurama. A primeira construção à direita é um jardim de infância. É fácil reconhecê-lo por causa do parque infantil e das estátuas dos Budas bebês, esculpidas ali para a alma das crianças mortas (ver foto 56).

A primeira atração fica logo acima do jardim de infância, à direita. Ali se vê um pavilhão, Fumyo Den, em cujo lado direito se eleva um teleférico que leva ao pavilhão principal. À esquerda pode-se ver um altar dedicado às três divindades do Templo Kurama.

No meio do altar vê-se uma estátua de Bishamonten. Por trás dela há uma placa decorada com um símbolo em sânscrito. Em ocasiões especiais, vê-se do lado esquerdo uma estátua de Gohomaoson, e também por trás dela uma placa com o símbolo em sânscrito que o representa. Do lado direito

56. Budas bebês

57. Símbolo *"hrih"* em sânscrito, ou *"kiriku"* em japonês

pode-se ver o símbolo mais interessante para os iniciados no segundo grau do Reiki, colocado diante de uma estátua de Senju Kannon que só é exposta em ocasiões especiais. Trata-se do símbolo *"hrih"* em sânscrito (ver foto 57), ou *"kiriku"* em japonês. Segundo a lenda, o *kiriku* surgiu a partir de uma lágrima do Amida Buda, que chorava pelo sofrimento da humanidade. Suas lágrimas deram origem ao *kiriku* e também à deusa Senju Kannon, o "Bodhisattva dos mil braços". Mais adiante falarei de novo sobre o Amida Buda.

Se você não tiver condições de escalar o Kurama a pé, pode pegar nesse ponto um teleférico que leva quase até o pavilhão principal. Na parada de cima vê-se um pagode chamado Taho To (ver foto 58), que não é visível pelo caminho a pé. Sugiro que você faça a viagem de ida pelo teleférico e volte pela trilha de pedestres.

58. Pagode Taho To

A pé

Novas escadas conduzem a duas bicas d'água canalizadas pelos monges e freiras do Kurama (ver foto 59). Ali você pode meditar de pé sob uma das bicas, com as mãos postas, para estimular o chakra da coroa. Mas cuidado: a laje de pedra sob a água é coberta de musgo e escorregadia. É importante que você sobreviva à iluminação espiritual! Ogawa Sensei acreditava que Usui Sensei teria experimentado ali seu *satori* (iluminação), mas até hoje não se tem certeza disso. Koyama Sensei conta que Usui ficou sentado numa cabana ou abrigo (talvez o Mao Den, ver foto 18) no topo do Kurama. Acho bem provável que ele tenha se retirado num local solitário, longe dos caminhos do mundo.

O santuário xintoísta Yuki Jinja

Depois de subir por uma escada íngreme, chega-se a um santuário xintoísta (ver foto 60) chamado Yuki Jinja e ladeado por dois cedros sagrados e imponentes.

O caminho segue então por um lindo bosque de plantas variadas até o segundo portão, chamado Chu Mon. Um pouco antes do portão há uma fonte com água potável onde você poderá encher seu cantil.

59. Bica d'água inferior do monte Kurama

Amida Buda

Antes de chegar ao edifício principal, os mundos se separam. Ali se vê um pavilhão grande, de dois andares, chamado Tenporin-do. No primeiro andar você recebe uma xícara de chá e um sorvete (recomendo o sorvete da Häagen Dazs com sabor de chá verde). No segundo andar acontece então a iluminação espiritual, cujo sabor é sempre único.

Na entrada do segundo andar desse pavilhão há uma fonte na qual você, se quiser, pode repetir o ritual praticado no início, diante da estátua de Kannon (ver foto 61).

Às vezes o pavilhão fica fechado, mas você pode abrir a porta sem pedir licença. O motivo do fechamento são os famosos macacos que vivem nas montanhas de Kyoto.

O pavilhão abriga uma estátua magnífica do Amida Buda, chamado "Amida Nyorai" no Japão. Mais informações sobre Amida Nyorai podem ser lidas na terceira parte deste livro. Nesse local é proibido tirar fotografias.

Vá até o altar, instalado sobre uma espécie de tribuna isolada do público. De ambos os lados, você pode se agachar sob a tribuna que sustenta o Amida Buda. Ali se vê uma corda amarrada às mãos do Buda, que você pode tocar sem entrar em contato direto com a estátua. Peça então uma bênção ou faça um pedido, mas não de coisas materiais. Em contraste com outras religiões hindus, a premissa do budismo é que o mundo existe, mas o ego ou ser individual é uma ilusão, uma construção intelectual alimentada por nossos hábitos mentais e emocionais. Mas então, que tipo de pedido devemos fazer?...

60. Cedros sagrados ao lado do Yuki Jinja

61. Fonte diante do Temporin-do

A partir desse ponto, uma escada íngreme leva ao pavilhão principal com seu pátio interno.

Diante do pavilhão principal pode-se ver um desenho geométrico formado por lajes no chão (ver foto 63). Você deve se colocar ali de mãos postas, como minha filha Christina, voltado em direção ao templo. Algumas pessoas dizem que o Reiki do Universo pode ser sentido no chakra da coroa. Por esse motivo, nos últimos anos tenho visto não japoneses que se colocam ali de costas para o templo. Por favor, por uma questão de respeito, não faça isso e avise outras pessoas para não fazê-lo!

O pavilhão principal Honden

O pavilhão principal do Templo Kurama (ver foto 64) foi reconstruído com cimento à prova de fogo, pois já tinha sido destruído em vários incêndios ao longo de seus 13 séculos de história. Apesar disso, é um belo e silencioso edifício, que convida para uma meditação.

A cripta

Sob o pavilhão principal há uma cripta que abriga três belas estátuas e vários milhares de urnas pequenas. Essas urnas guardam cabelos de pessoas que querem permanecer ligadas à trindade de amor, força e luz e às divindades associadas a esses princípios. Trata-se do ritual chamado *"Shin Shin Mu Byo"* ("coração/espírito e corpo sem doenças"). Todos os dias, a abadessa do Templo Kurama ou seu representante rezam ali para que essas pessoas tenham saúde e felicidade.

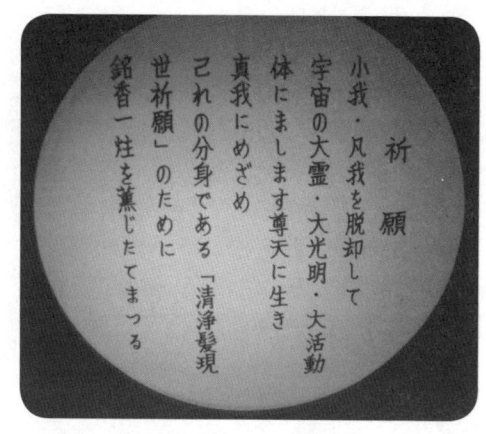

62. A Prece Kigan (em idioma japonês) na cripta do pavilhão principal do Templo Kurama

Qualquer visitante pode comprar uma urna no pavilhão principal, à esquerda da entrada frontal. Uma urna que ali ficará até a eternidade custa 20 mil ienes (ou R$ 520,00 pelo câmbio de julho de 2012). Na parede da cripta, à direita do primeiro altar, há um interruptor que permite acender a luz, para que se possa enxergar melhor as estátuas e as urnas. Se você avistar a urna de Frank Arjava Petter, mande lembranças por mim. Neste lugar, também as fotografias são proibidas.

Diante do altar vê-se a Prece Kigan, reproduzida abaixo. No meio do texto pode-se reconhecer o chamado "símbolo do mestre de Reiki", que na verdade não tem nada a ver com o Reiki e não é usado nas correntes de Reiki tradicionais. Apesar disso, é um símbolo poderoso que representa tudo o que se esconde em nosso íntimo.

Tradução da Prece Kigan

Ó eu pequeno, eu mundano! Vivemos no Sonten (princípio último da existência, conjunção de amor, luz e força, também chamada "Dai Komyo") que existe no grande espírito do universo. Grande luz e grande corpo criador, desperta para teu eu verdadeiro. Como suporte para minha prece nesta vida, ofereço meus cabelos consagrados e dedico este meiko (incenso consagrado especial, de grande qualidade).

63. Minha filha Christina e o Reiki do Universo

64. Pavilhão principal do Templo Kurama

À esquerda do pavilhão principal vê-se um pavilhão pequeno chamado Komyoshin Den. À extrema esquerda funciona o escritório do Templo Kurama, chamado Honbo, que abriga as salas de espera e recepção da abadessa.

Na praça do pavilhão principal, passe pelo escritório à esquerda e suba os degraus da próxima escada até avistar no bosque à direita um grande sino num campanário (ver foto 65). Se quiser, suba até o sino e dê uma badalada, mandando um pensamento positivo para o mundo. Depois, continue até o Museu do Templo Kurama.

Museu Kurama

O Museu do Templo Kurama (Reiho-Den, aberto das 9 às 16 horas) abriga muitas belas estátuas. A meu ver, a mais bela é uma estátua de Kannon que pode ser vista na extremidade direita de uma sala do segundo andar. Você vai reconhecê-la facilmente. Já as mulheres dos grupos de viagem que costumo organizar costumam se apaixonar por uma das estátuas de Bishamonten...

Se você ainda tiver ânimo e vontade de continuar explorando o Kurama, suba as escadas à esquerda do museu até chegar ao bosque. Dali você pode escalar o Kurama até o topo e continuar do outro lado até uma aldeia pitoresca chamada Kibune. A caminhada dura cerca de duas horas, se você for devagar. Durante o trajeto, você poderá admirar no topo do Kurama o *"ki no michi"*, ou "Caminho das Raízes".

Ki no michi

Você se lembra da história segundo a qual Usui Sensei teria machucado uma unha do pé ao escalar o Kurama. Pois esse é o local onde isso provavelmente aconteceu. Do outro lado do *ki no michi* (ver foto 20 à p. 53), você pode seguir uma trilha que leva a um pequeno pavilhão ao lado de uma clareira.

Nesse pavilhão você pode descansar, meditar ou deter-se só por um instante. Koyama Sensei conta que Usui Sensei alcançou a iluminação num pavilhão do bosque. Esse é um dos três pavilhões do bosque do Kurama.

65. Sino do Templo Kurama

A árvore

Nos fundos do pavilhão, vê-se à esquerda uma árvore considerada encarnação de Gohomaoson (ver foto 66). É cercada por uma sebe e chama-se Osugi Gongen. Se você quiser levar para casa um pedacinho da árvore como talismã, poderá comprá-lo na ala direita do pavilhão principal.

66. Osugi Gongen, encarnação de Gohomaoson

Chakras

No caminho para Kibune que você percorre então, veem-se obras de arte semelhantes aos chakras, espalhadas aqui e ali pelo bosque (ver foto 67). Não sei se foram concebidas realmente como obras de arte. O segundo pavilhão do bosque, consagrado a Fudo Myo (divindade protetora das artes marciais), chama-se Sojoga Dani Fudo Do. Nunca o vi aberto.

Seguindo adiante pelo caminho em direção a Kibune, chega-se então ao santuário do Kurama chamado Mao Den (ver fotos 18 e 68).

67. Obras de arte semelhantes aos chakras

Okunoin Mao Den

Este lugar é muito especial e merece uma pausa para reflexão. Foi aqui que Onisaburo Deguchi (ver capítulo "Grupos relacionados com o Reiki na época de Usui Sensei") encontrou Gohomaoson, divindade que teria vindo à Terra há mais de 6 milhões de anos. Depois do Mao Den, o caminho segue montanha abaixo em direção a Kibune. No sopé do Kurama deve-se atravessar o Nishi Mon, ou "Portão Ocidental", para chegar à rua que liga Kibune ao Kurama.

Kibune, Kibune Jinja

Kibune é uma aldeia exótica conhecida por seus dois santuários xintoístas, assim como pelas tradicionais hospedarias japonesas chamadas *ryokans*. O primeiro santuário, chamado Kibune Jinja, pode ser visto a 200 metros de distância, virando à direita depois do portão Nishi Mon. É um local belíssimo, sobretudo nos fins de tarde (ver foto 69). Se você continuar pela rua, chegará ao segundo santuário, que sempre me pareceu um pouco melancólico e sombrio.

68. Mao Den

De volta para Kurama

A partir de Kibune, você pode voltar a pé para a estação principal de Kurama ou tomar o trem da Kurama Eizan Railway e seguir cerca de três quilômetros até a parada final.

Festividades especiais no Templo Kurama

No Festival de Wesak, por ocasião da lua cheia em maio, celebra-se no Templo Kurama uma linda e inesquecível cerimônia. Nesse dia, o mundo budista comemora o nascimento, a iluminação e a morte do Buda histórico. Informações sobre o dia da cerimônia podem ser obtidas no Templo Kurama pelo telefone 0081-75-7412003.

No dia 22 de outubro, o Yuki Jinja (santuário xintoísta no monte Kurama) celebra o Hi No Matsuri, ou Festa do Fogo. Gigantescas tochas acesas são carregadas pela aldeia Kurama e depositadas diante dos degraus do Templo Kurama, onde queimam até se consumirem. É um espetáculo que exige paciência, pois dura várias horas. Se você não se importar com os apertos e empurrões de milhares de turistas no local, terá outra experiência inesquecível.

As duas festividades começam no final da tarde.

69. Santuário de Kibune

Memorial de Usui

西芳寺 Para mim, o local mais importante deste roteiro turístico – juntamente com o monte Kurama, berço do Reiki, com seu templo lindíssimo – é o memorial de Usui em Tóquio. Situado no Cemitério Saihoji, no bairro Minato-ku, o memorial é um oásis de tranquilidade no "formigueiro humano" que é a cidade de Tóquio.

Usui Sensei morreu no dia 9 de março de 1926, numa de suas viagens para Fukuyama, e foi enterrado em Tóquio. No primeiro aniversário de sua morte, uma pedra comemorativa, cuja tradução pode ser lida à p. 64, foi erguida ao lado do seu túmulo.

O Cemitério Saihoji é relativamente pequeno e um pouco difícil de achar, pois na maioria dos mapas de Tóquio é assinalado apenas pelo caractere *kanji* que significa "templo", e não pelo nome.

O templo pertence ao Jodo Shu, ou budismo Terra Pura, indicando assim a filiação religiosa de Usui Sensei. Como acontece em todas as partes do mundo, só os adeptos dessa seita religiosa podem ser sepultados ali.

Em princípio, o cemitério pode ser visitado por qualquer pessoa, mas nos últimos anos tem atraído cada vez mais adeptos ocidentais do Reiki, e por esse motivo visitantes estrangeiros que não estejam acompanhados por um japonês passaram a ser malvistos. O problema é a barreira linguística, pois se alguém do templo fizer um pedido ao visitante, este não saberá como reagir. Minha recomendação é que, se você não falar o idioma, vá ao cemitério na companhia de um japonês para prestar sua homenagem a Usui Sensei.

Mais adiante apresento algumas indicações de como se comportar no local. Por favor, siga essas orientações para que os que irão depois também possam apreciar o silêncio e a tranquilidade no túmulo de Usui Sensei. Se alguém do Templo Saihoji pedir que você faça ou deixe de fazer alguma coisa, siga as instruções com gentileza e em silêncio.

Mas antes quero falar sobre minha primeira visita ao memorial de Usui Sensei. No dia 20 de setembro de 1994, voei para o Japão equipado com minha câmera fotográfica e meu coração. Encontrei-me no aeroporto com dois amigos japoneses dispostos a me ajudar a encontrar o túmulo. Fomos pela linha de metrô Marunouchi até a estação Shinkoenji (ver foto 71), onde descemos e caminhamos em direção a Shinjuku. Chegando ao templo, perguntamos na recepção onde ficava o túmulo de Usui Sensei, e o sacerdote que ali estava nos levou ao lugar. Fiz a seguinte anotação em meu diário:

70. Pedra memorial de Usui Sensei

"Usui Sensei comoveu e purificou milhões de corações com o Reiki, mudando para melhor a vida de todos nós. Como posso agradecer devidamente em nome de todos os outros? Limparei as pedras diante do túmulo e a lápide com um pouco de água. Recolherei os detritos espalhados ao redor. Flores murchas serão trocadas por flores frescas. Duas velas e um pouco de incenso serão acesos. O odor intenso dos bastões de incenso me leva por alguns minutos ao reino dos mortos. Embora o céu esteja nublado e escuro, um sol radiante ilumina meu interior. Inclino-me devagar e profundamente numa reverência, sabendo que ele também se inclina numa reverência lenta e profunda diante do universo, do amor e de Deus. E é aí que nos encontramos."

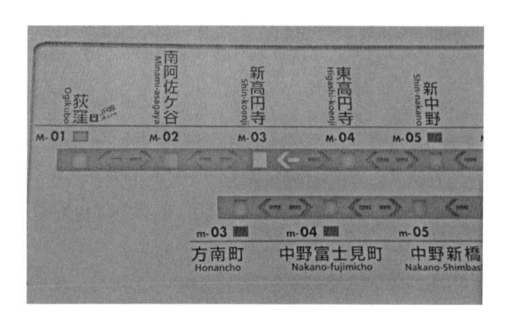

Depois de alguns minutos, examinei melhor o local e quase não acreditei em meus olhos: ao lado do túmulo erguia-se uma pedra natural magnífica, de três metros de altura, entalhada com inscrições. Eu não esperava por aquilo. Impacientemente, pedi a meus amigos que traduzissem o que estava escrito ali. Eles se entreolharam rapidamente e não responderam. Repeti meu pedido, mas de novo eles mostraram a mesma reação e ficaram quietos. Eu já estava um pouco emocionado na terceira tentativa, quando meu amigo finalmente respondeu: "Sinto muito, não sabemos o que diz essa inscrição." Foi a gota d'água. "Mas vocês frequentaram a escola!", deixei escapar sem querer. Meu amigo é um dos mais conhecidos tradutores japoneses de literatura espiritualista em língua inglesa. "Lamento", disse ele. "O texto foi escrito em japonês clássico. Nos anos 1940 houve uma reforma gramatical que simplificou muitos *kanji*, sobretudo os mais difíceis. Não entendemos japonês antigo. Podemos reconhecer algumas palavras, mas isso é tudo."

71. Estação Shinkoenji

Saquei minhas câmeras – duas fotográficas e uma câmera de vídeo – e freneticamente comecei a registrar tudo. De volta a Sapporo, mostrei os closes da pedra memorial à minha então sogra, que tinha aprendido japonês antigo. Ela se pôs a trabalhar por alguns dias com um dicionário, traduzindo o texto para o japonês moderno. Para a publicação deste livro, traduzimos de novo todos os textos históricos com o conhecimento adquirido em 15 anos de prática do Reiki.

Finalmente eu possuía informações sólidas sobre Usui Sensei! Já apresentei a tradução das inscrições no capítulo sobre a vida de Usui (pp. 64ss.). A pedra memorial foi inaugurada no dia 9 de março de 1927, um ano após a morte do mestre. Em meus livros japoneses sobre o Reiki, o Templo Saihoji também é chamado "Templo Bodai". Porém, não se trata de outro templo ou cemitério, pois a palavra significa algo como "último refúgio".

Como eu disse antes, o túmulo familiar de Usui Sensei abriga também os restos mortais de sua mulher Sadako e de seus filhos Fuji e Toshiko. Depois da morte, Usui foi homenageado com o nome Reizan-In Shujyo Tenshi Koji, e sua mulher tornou-se Tenshin-Ing On Ho Jo Ning Daishi. Os nomes honoríficos garantem aos mortos uma boa transição para o outro mundo – tradição japonesa conhecida como "*kaimyo*". Cada corrente budista segue essa tradição de maneira diferente. O sufixo "– In" indica pessoa importante ou notável.

Apresento agora algumas orientações de como se comportar respeitosamente num cemitério japonês.

Condição de estrangeiro

Um estrangeiro ocidental é imediatamente reconhecido no Japão por causa de sua aparência. Isso pode ter suas vantagens ou desvantagens. Ao visitar locais japoneses de culto ou atrações culturais, o ideal é que o estrangeiro se comporte da melhor maneira. Muitos japoneses acham que os estrangeiros são ignorantes ou incultos (coisa que às vezes tem seu fundo de verdade). Temos de nos esforçar para corrigir essa imagem, mesmo quando ela não nos diz respeito.

Coisas que você deve levar

Flores, bastões de incenso, isqueiro, uma sacola plástica.

72. Insígnia familiar dos Usui

Flores

O Templo Saihoji não quer que os visitantes deixem flores sobre o túmulo de Usui Sensei. Portanto, traga algumas flores (mas sem espinhos, por favor) para fazer sua oração, colocando-as nos vasos apropriados à esquerda e à direita da pedra tumular, e depois da oração leve-as de volta para casa. A direção do cemitério não quer que as flores fiquem ali porque os visitantes japoneses trazem não só flores, como também frutas, bolo de arroz e saquê. Isso atrai muitas gralhas e outros animais, deixando detritos e sujeira no local sagrado.

Traje

Escolha trajes apropriados para a visita ao cemitério: nada de bermudas ou minissaias. Você poderá usá-las mais tarde no passeio pelo famoso bairro Harajuku (bairro da moda jovem e da contracultura), perto do Templo Meiji.

73. Pedra tumular de Mikao Usui

Silêncio e compostura

Não faça barulho e tenha comportamento respeitoso, como é normal num cemitério. Outros visitantes estão ali para visitar seus parentes falecidos.

Objetos pessoais

Não coloque sacolas e outros objetos pessoais em cima ou diante do túmulo de Usui Sensei, assim como de outros túmulos. Não se encoste em um túmulo nem suba nele; seria um sinal de desrespeito.

Fotografias

A direção do Templo Saihoji não permite fotografias. Não há avisos a esse respeito, mas a regra deve ser seguida.

Preparação

Depois de passar pelo portão de entrada, siga em frente em direção ao grande pavilhão do templo e ao escritório (à esquerda). Na primeira alameda, à direita, vê-se depois de alguns metros um barracão com baldes entalhados em caracteres *kanji*. Pegue o "balde de Usui" e encha-o de água numa das bicas do cemitério. Leve também uma das conchas pequenas que se encontram no barracão.

Caso você ainda não conheça o túmulo, volte do barracão até o átrio do templo e vire à extrema direita até chegar ao telhado suspenso do grande pavilhão. Siga pela alameda à extrema direita. Depois de cerca de 50 metros, você verá o Memorial de Usui à sua esquerda.

Chegando ao túmulo, recolha os detritos que possam estar espalhados ao redor. Guarde sacolinhas, papéis, folhas secas e flores murchas na sacola plástica que você trouxe. Depois da limpeza, pegue o balde e a concha e espalhe cuidadosamente um pouco de água sobre o túmulo. Trata-se de um ritual de purificação que também ajuda a limpar a poluição ambiental. Em seguida, despeje cuidadosamente um pouco de água sobre a pedra memorial. Acenda dois bastões de incenso, junte as mãos com o rosto voltado para o túmulo e faça suas orações.

Se quiser, nesse momento você pode recitar o Sutra do Coração, como costumam fazer os membros da Associação Usui.

Maka Hannya Haramita Shin Gyo (título japonês)
Sutra da Suprema Sabedoria
KAN JI ZAI BO SA GYO-JIN HAN-NYA HA RA MI TA JI

SHO KEN GO ON KAI KU-DO IS-SAI KU YAKU.
SHA RI SHI SHIKI FU I KU-KU-FU I SHIKI
SHIKI SOKU ZE KU-KU-SOKU ZE SHIKI
JU SO-GYO-SHIKI YAKU BU NYO ZE
SHA RI SHI ZE SHO HO-KU-SO-FU SHO-FU METSU
FU KU FU JO-FU ZO-FU GEN
ZE KO KU-CHU-MU SHIKI MU JU SO-GYO-SHIKI
MU GEN-NI BI ZES-SHIN I
MU SHIKI SHO-KO-MI SOKU HO-
MU GEN KAI NAI SHI MU I SHIKI KAI
MU MU MYO-YAKU MU MU MYO-JIN
NAI SHI MU RO-SHI YAKU MU RO-SHI JIN

MU KU SHU METSU DO-Y
MU CHI YAKU MU TOKU I MU SHO TOK'KO
BO DAI SAT-TA E HAN-NYA HA RA MI TA KO
SHIM-MU KEI GE MU KEI GE KO MU U KU FU
ON RI IS-SAI TEN DO-MU SO-KU GYO-NE HAN
SAN ZE SHO BUTSU E HAN-NYA HA RA MI TA KO
TOKU A NOKU TA RA SAM-MYAKU SAM-BO DAI
KO CHI HAN-NYA HA RA MI TA
ZE DAI JIN SHU ZE DAI MYO-SHU
ZE MU JO-SHU ZE MU TO-TO-SHU
NO-JO IS-SAI KU SHIN JITSU FU KO
KO SETSU HAN-MYA HA RA MI TA SHU
SOKU SETSU SHU WATSU
GYA TEI GYA HA RA GYA TEI HARA SO-GYA TEI
BO JI SOWA KA HAN-NYA SHIN GYO

Tradução do Sutra do Coração

Sutra do Coração

1. Invocação

Salve a suprema sabedoria, a suprema bondade e as coisas sagradas!

2. Introdução

Avalokita, santo e Bodhisattva, seguiu as sendas profundas da verdade, para além (do entendimento). Via tudo a partir do alto, mas só avistou cinco amontoados, percebendo que eles eram vazios em sua essência.

3. Dialética do vazio. Primeira fase.

Aqui, ó Sariputra, a forma é vácuo e este vácuo tem forma; a forma não se distingue do vácuo e o vácuo não se distingue da forma; qualquer coisa que tiver forma será (também) vazia, e onde houver vazio (também) haverá forma. O mesmo vale para sentimentos, percepções, impulsos e consciência.

4. Dialética do vazio. Segunda fase.

Aqui, ó Sariputra, todos os Dharmas (no budismo, "dharma" significa "doutrina" ou "conjunto dos princípios que regem a vida espiritual dos seres humanos e se confundem com a própria doutrina de Buda") estão cheios de vazio; não podem ser feitos nem desfeitos, não estão conspurcados nem puros, não são completos nem incompletos.

5. Dialética do vazio. Terceira fase.

Por isso, ó Sariputra, no vazio não há forma, não há sentimento, percepção, impulso ou consciência; não há olhos, ouvidos, nariz, língua, corpo ou intelecto; não há contornos, ruídos, cheiros, sabores, sensações táteis ou objetos da compreensão; nenhum elemento do órgão da visão, e assim por diante até aonde se pode chegar; nenhum elemento da compreensão e do entendimento; ali não há ignorância nem combate à ignorância, e assim por diante até aonde se pode chegar; não há decadência ou morte, nem anulação da decadência ou da morte; não há sofrimento, não há origem nem fim, não há caminho; não há conhecimento, nada que se possa alcançar ou deixar de alcançar.

6. Incorporação do vazio na vida cotidiana e bases práticas da doutrina.

Por isso, ó Sariputra, um Bodhisattva, com base em sua indiferença por todas as aspirações pessoais e pelo fato de ter se apoiado na perfeição da sabedoria, vive sem comprovação de pensamentos. Na ausência da comprovação de pensamentos, ele não treme nem vacila, supera tudo o que a ansiedade pode causar e no final atinge o nirvana.

7. O vazio pleno também é condição para o "Estado de Buda".

Todos os que surgem como Budas nos três períodos históricos (são) plenamente conscientes no mais alto grau, de iluminação correta e perfeita, pois se basearam na perfeição da sabedoria.

8. Pondo a doutrina ao alcance daqueles que não atingiram a iluminação.

Portanto, devemos reconhecer a Prajnaparamita ("Perfeição da Sabedoria" no budismo) como grande caminho transcendente, como caminho transcendente do grande saber, caminho transcendente incomparável, capaz de anular todo o sofrimento à luz da verdade – pois como poderia falhar?

Foi Prajnaparamita que ditou este caminho. E o caminho é o seguinte: para longe, longe, longe no Além, infinitamente longe no Além, ó supremo despertar, felicidade e bem-aventurança a todos (vocês)!

Aqui termina o Coração da Sabedoria Perfeita.

Faça uma despedida respeitosa, reúna seus objetos pessoais e deixe o cemitério com recordações inesquecíveis.

Taniai

Sobre a pitoresca Taniai, aldeia natal de Usui Sensei, já contei alguma coisa no capítulo a respeito da biografia do mestre. Agora, gostaria de acrescentar algumas informações e imagens. Taniai está situada junto às montanhas da província de Gifu, a duas horas e meia de automóvel de Kyoto, em direção norte (ver foto 74). A cidade grande mais próxima se chama Seiki. Antigamente, Gifu era conhecida sobretudo pela confecção de espadas, fabricação de missô (pasta de soja fermentada), de saquê (vinho de arroz), cultivo de arroz, fabricação de tatames (espécie de esteira) e construção de casas tipo *Gassho zukuri* (casas cujo telhado lembra mãos postas na posição *Gassho*). Para ter uma ideia de como é essa região, assista ao filme O Último Samurai, estrelado por Tom Cruise. Hoje em dia, as espadas deram lugar a facas de cozinha modernas, incrivelmente afiadas e muito bonitas. Quem passa por Gifu tem de comprar uma faca de cozinha como *souvenir*.

74. Província de Gifu nas proximidades de Taniai

Como já expliquei no capítulo sobre a história do Reiki, um ramo da família dos Usui se estabeleceu em Taniai (ver foto 75), e é por isso que muitas pessoas ali se chamam Usui. Em quase todas as casas pode-se ler o nome Usui (ver foto 76). Estive ali pela primeira vez acompanhado de Tadao Yamaguchi, juntamente com sua tradutora Ikuko Hirota, a diretora do instituto Hideko Teranaka, dois dos alunos de Tadao e minha família. Um córrego de águas límpidas (ver foto 77) atravessa a aldeia, à beira do qual Usui Sensei deve ter passado muitas horas de sua vida.

75. Placa rodoviária de Taniai

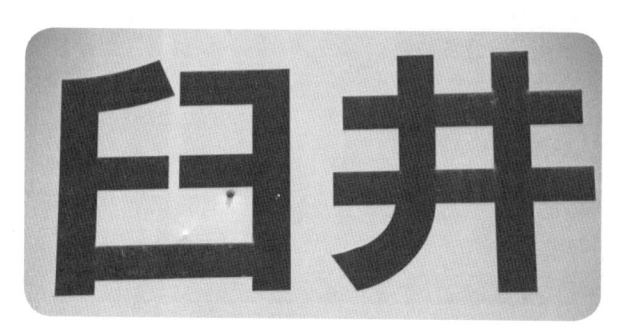

76. Inscrição em *kanji* com o nome "Usui" na porta de uma casa

77. Córrego de Taniai

As únicas atrações relacionadas ao Reiki que restaram em Taniai são o Amataka Jinja (ver foto 78) – santuário xintoísta em cujo *torii* (portal xintoísta) foram gravados os nomes de Usui Sensei e seus dois irmãos –, a fonte no bosque e o templo Zendo-Ji, em cuja escola Usui Sensei estudou (ver fotos 12 e 80, além de "Local de nascimento de Usui Sensei", p. 42).

Se você imaginar a aldeia sem o emaranhado de fios elétricos espalhados para todo lado (um pesadelo para eletricistas), terá uma boa ideia de seu aspecto antigo, já que pouca coisa mudou nos últimos cem anos (ver foto 79).

78. Santuário xintoísta Amataka

79. Rua da aldeia Taniai

80. Tadao Yamaguchi na bica d'água do templo Zendo-Ji

Terceira parte

Antecedentes históricos, culturais e religiosos do Reiki

変容

"Se o espírito estiver sadio,
o ser humano será semelhante a Deus ou Buda."

— Usui Sensei —

Nesta parte do livro, eu gostaria de explicar os fundamentos religiosos com base nos quais Usui Sensei desenvolveu seu método de cura pelo Reiki. Gostaria sobretudo de abordar o chamado "tratamento psicológico" de maneira mais aprofundada. Por fim, apresento uma visão geral das outras correntes terapêutico-espiritualistas contemporâneas de Usui Sensei. Esses dados históricos e culturais podem ser úteis para uma melhor compreensão do Reiki.

A grande quantidade de termos e conceitos japoneses neste capítulo pode dificultar a leitura. Sugiro o seguinte: imagine que você é um tigre e que este capítulo é sua presa. Em pouco tempo você a terá devorado, e depois talvez até tire uma gostosa soneca.

Um encontro

No ano de 1997, uma conhecida me apresentou uma monja budista da escola Tendai, chamada Myoyu-san. Nossa conhecida comum tinha a sensação de que iríamos gostar um do outro, e foi o que realmente aconteceu. Marquei um encontro com Myoyu-san num ponto de ônibus de Sapporo e viajamos juntos até Otaru, sua cidade natal, onde seu avô dirigia um templo do budismo Tendai. No caminho, ela comentou casualmente que não gostava de "falar" de estômago vazio. Falar, como descobri mais tarde, era a forma de sintonizar com Buda. Ela sugeriu um restaurante perto do templo que, para minha alegria, servia chope irlandês, na época uma raridade na região de Sapporo. Assim, pedi um chope para mim, sem imaginar que ela gostasse de cerveja. Mas ela também pediu chope e pôs o maço de cigarros sobre a mesa. E lá ficamos nós numa situação insólita: uma monja de cabeça raspada e hábito preto e um estrangeiro, os dois sentados bebendo cerveja e divertindo-se a valer. Os garçons ficaram aterrorizados. Depois do almoço, fomos até o templo e entramos no silêncio do Oriente. Por toda parte eu via caracteres em sânscrito que me lembravam um símbolo conhecido no Reiki ocidental como "símbolo da cura mental". Queria fazer perguntas sobre isso, mas naquela época eu ainda me comportava de acordo com as regras. Os símbolos deviam ser mantidos em segredo e não se devia falar sobre eles aos não iniciados. Tive uma boa ideia. Perguntei a Myoyu-san se ela não queria que eu a iniciasse no Reiki. Disse que ela certamente iria gostar, e que isso seria bom para os membros da comunidade. Ela se encantou com a ideia, mas contou que não ganhava dinheiro em sua função de monja, e portanto não podia me pagar. Respondi que não havia problema, e assim nos encontramos algumas semanas mais tarde para a iniciação em meu consultório. Cerca de seis meses depois, encontramo-nos de novo no templo dela para a iniciação no *Okuden* (segundo grau).

Pedi-lhe que se sentasse numa cadeira diante do altar, de olhos fechados. O ambiente era impressionante: só o Buda, o Reiki e dois invólucros humanos vazios que se enchiam cada vez mais de néctar divino. Eu tinha lhe pedido que se sentasse na posição *Gassho*, mas ela mudou de posição várias vezes. Primeiro foi a *dhyanamudra* (ou *"jo-in"* em japonês – mão esquerda colocada sobre a direita, com as palmas voltadas para o céu e juntando os polegares), depois foi outro mudra (postura das mãos no budismo) com as mãos postas sobre o coração. Eu admirava o espetáculo surpreendente de seu couro cabeludo, que se revirava da nuca em direção à testa como se uma toupeira sob a pele caminhasse para a frente.

Depois do ritual de "sintonização", mostrei-lhe os símbolos do segundo grau do Reiki. Mais tarde, quando lhe mostrei o símbolo conhecido no Reiki ocidental como "símbolo da cura mental", ela sorriu – e nas próximas páginas você saberá o que ela me explicou na ocasião.

Origens do símbolo da cura mental

A origem do "símbolo da cura mental", considerado pelo Reiki tradicional japonês como símbolo do *Sei Heki Chiryo*, ou tratamento psicológico de maus hábitos, está no alfabeto *siddham* do antigo sânscrito. O alfabeto *siddham* também é chamado "alfabeto sagrado" ou "alfabeto de Buda".

O símbolo incorporado ao Reiki por Usui Sensei era a "sílaba-semente" *hrih*. Ele a conhecia de sua religião natal, inclusive por tê-la visto no túmulo de um de seus antepassados em Taniai. O budismo Jodo Shu (budismo Terra Pura) reverencia Amida Nyorai como divindade suprema, e esse símbolo (chamado *"kiriku"* em japonês) representa o Amida Buda. Já que um japonês não consegue pronunciar a palavra *"hrih"*, ela se tornou *"kiriku"* em japonês. (Se você pedir a um japonês que pronuncie a palavra *"hrih"*, ele dirá: "Você quer dizer *kiriku*?") Nenhuma palavra japonesa termina em consoante, com exceção do "n". E nenhuma contém encontros consonantais (reunião de duas ou mais consoantes). É preciso inserir uma vogal entre elas. O nome "Frank", por exemplo, se torna assim "Furanku".

Pode parecer estranho que um símbolo do sânscrito tenha sido incorporado pelo budismo japonês. A razão desse fenômeno exige explicações mais detalhadas. A primeira pessoa a levar da China para o Japão aquilo que se tornou mais tarde o budismo Tendai japonês foi o mestre chinês Ganjin, fundador do Templo Toshodaiji em Nara. No ano 770, seu discípulo Gantei fundou o Templo Kurama.

Gaijin não estava destinado a difundir no Japão o budismo Tien Tai (ou Tendai em japonês) trazido da China, mas um de seus seguidores espirituais cumpriu esse papel com grande empenho. Trata-se do monge Saicho (767–822, também conhecido como Dengyo Daishi). Saicho foi contemporâneo de Kukai (774–835, também conhecido como Kobo Daishi) (ver foto 81), provavelmente o mais conhecido reformador do budismo japonês.

81. Kukai ou Kobo Daishi

Para entender melhor essa evolução, temos de recuar mais um pouco. Depois dos fantásticos esforços do imperador indiano Asoka ou Ashoka (273–237 a.C.), o budismo se espalhou em duas direções, assimilando as culturas e os costumes dos povos que conquistou. A rota para o sudeste deu origem à escola conhecida mais tarde como budismo Hinayana ("pequeno veículo" em sânscrito), enquanto a rota nordeste levou ao budismo Mahayana ("grande veículo"). A palavra *"hinayana"* tem na verdade conotação negativa. A designação original era budismo Theravada (literalmente, "Ensino dos Sábios" ou "Doutrina dos Anciões").

O budismo Mahayana chegou ao Japão a partir da China. Ao longo de sua difusão na China, os textos budistas originais foram traduzidos do sânscrito e do *páli* para o chinês.

No início, isso ajudou na propagação do budismo no Japão, que nos séculos V e VI tinha adotado os caracteres chineses como língua escrita. Assim, os japoneses cultos podiam ler os textos budistas. Tinham também sua própria escrita, mas aparentemente ela era considerada insuficiente. No Japão existem três alfabetos: o *kanji*, com ideogramas oriundos da China, o *hiragana* e o *katakana*. Os dois últimos são alfabetos fonéticos simples, de 46 caracteres cada um. O *hiragana* é usado para a explicação fonética de *kanji* complicados (para que japoneses menos cultos consigam ler os *kanji* mais difíceis) ou na alfabetização e primeiros anos de ensino de crianças japonesas. O *katakana* serve hoje em dia exclusivamente para a grafia de palavras e nomes estrangeiros. Já expliquei antes que muitos adeptos do Reiki no Japão preferem escrever a palavra "Reiki" em *katakana*, a fim de evitar mal-entendidos.

Kukai e Saicho viajaram à China na mesma época (no ano 803) para encontrar textos originais em sânscrito e levá-los para o Japão. Temiam que as traduções existentes tivessem deturpado o essencial e queriam chegar a uma compreensão mais profunda do budismo. Quatro barcos zarparam juntos em direção à China a partir de Kyushu, ilha do sul do Japão. Dois deles afundaram, mas os outros dois aportaram em locais diferentes. Saicho e Kukai se reencontraram na província Zhejiang (também grafada "Chekiang" ou "Chequião"), no sudeste da China. Estudaram com professores diferentes. Kukai tornou-se discípulo do famoso mestre chinês Hui Kuo, que havia estudado budismo esotérico e transmitiu a Kukai seu legado espiritual. Saicho se estabeleceu no monte Tien Tai, na China, onde se difundira o legado do mestre indiano Nagarjuna, cujo sutra mais importante é o Sutra do Lótus. Ali, Saicho recebeu ensinamentos de Tao-Sui (do qual não se sabe quase nada), assim como de vários outros mestres.

Os dois, portanto, chegaram aonde queriam. Saicho não aprendeu chinês durante sua estadia, mas devido à sua boa formação podia ler textos chineses no original. Kukai aprendeu o idioma chinês.

Depois do retorno ao Japão, Saicho se tornou discípulo do carismático Kukai, até os dois se separarem por causa de divergências inconciliáveis em suas concepções religiosas.

Saicho fundou a escola conhecida mais tarde pela designação de budismo Tendai. Kukai fundou a escola Shingon, que de modo geral se tornou conhecida como "budismo esotérico". Ao longo dos séculos, o budismo Tendai desenvolveu também seus próprios ritos e práticas esotéricas. Hoje em dia, as duas escolas existem sob o nome Mikkyo (simplificação da palavra *"himitsu"*, que significa "secreto" – trata-se do budismo tântrico ou esotérico).

O budismo Tendai deu origem mais tarde ao Jodo Shu, ou budismo Terra Pura, ao qual o clã dos Usui pertence.

Mas, antes de continuar, seguem mais alguns dados sobre as escolas antigas do budismo: Theravada e Mahayana.

Budismo Theravada

O budismo Theravada surgiu na Índia e se propagou para o Sri Lanka, Myanmar (ou Birmânia) e Tailândia, até chegar ao Camboja e à Indochina. Theravada é a escola mais antiga do budismo, baseada em rígidos preceitos morais e na teoria de que só um monge (homem) tem condições de encontrar a iluminação. A tradição Theravada cultiva o ideal do *"arhat"*, isto é, de um monge iluminado que atingiu seu objetivo. Por causa dessa limitação, os opositores da escola a chamaram mais tarde Hinayana ("pequeno veículo"). Uma religião na qual mulheres e leigos não têm qualquer chance de ser felizes não podia mesmo agradar a todas as pessoas.

Budismo Mahayana

O budismo Mahayana foi da Índia para a China e para o Japão, antes de se difundir também no Nepal, no Butão e no Tibete. No Japão, o budismo se fundiu com a religião preexistente, o xintoísmo. Foi uma evolução vantajosa para o budismo, que não detinha o poder social e mundano já exercido pelos xintoístas, graças à sua concepção de vida.

Se você perguntar a um japonês que religião ele pratica, é extremamente provável que ele responda ser budista. Se você perguntar se ele também é xintoísta, talvez ele responda que o xintoísmo não é uma religião, e sim uma concepção de vida. Ele não pratica o xintoísmo; ele *é* xintoísta.

O budismo Mahayana cultiva um ideal diferente do budismo Theravada. Esse ideal é o Bodhisattva, um Buda que coloca sua própria iluminação a serviço do bem da humanidade. O budismo Mahayana parte do princípio de que qualquer pessoa pode ser Bodhisattva: homem, mulher, pobre ou rico, jovem ou velho. As escolas Mahayana do Japão são as seguintes: Kegon, Tendai, Shingon, Zen e Jodo Shu.

Para entender melhor o "tratamento psicológico" do Reiki, eu gostaria agora de aprofundar algumas questões. No budismo Mahayana existem dois tipos de Buda, que podem ser encarados como duas "famílias".

A primeira família são os chamados *"nyorai"* (ou *"tathagata"* em sânscrito). Um *nyorai* tem características divinas. Na entrevista concedida por Usui Sensei (apresentada às pp. 71ss.), ele diz que uma pessoa de espírito sadio se assemelha a Deus ou Buda e conquista felicidade e alegria. O *nyorai* é aquele que entra no paraíso budista (*"jodo"* em japonês, a Terra Pura ou Terra da Bem-Aventurança). Mas a Terra Pura é uma rua de mão única. Quem chega ali não tem mais possibilidade de retorno, a não ser que queira voltar para o bem da humanidade. Então, o *nyorai* recebe uma "permissão de retorno", voltando a viver na Terra sem se submeter novamente à cadeia evolutiva. Ele já percorreu todo o círculo da evolução, sabe quem é e tem plena consciência das coisas, pois já aprendeu tudo o que pode ser aprendido. A divindade do *nyorai* o faz irradiar uma luz que poderia consumir em chamas um observador terreno. Por isso, não se deve olhar diretamente para ele. Para que o acesso à iluminação seja mais fácil aos homens, existe a segunda "família" do budismo, a dos *bosatsu* (ou "Bodhisattva" em sânscrito).

Segue abaixo a lista dos *nyorai*, que têm nomes diferentes nos vários países que praticam o budismo Mahayana. Para não complicar as coisas, limito-me aqui à designação original em sânscrito e ao equivalente japonês.

Sânscrito	Japonês
Gautama Buda (o Buda histórico)	Shaka
Vairochana, imperador do Reino Médio	Dainichi Nyorai
Bhaisajya	Yakushi Nyorai
Lokeshvara Raja	Sejisaio Nyorai

Sânscrito	Japonês
Maitreya	Miroku Nyorai (que ao mesmo tempo também é um Bodhisattva/*bosatsu*)
Aksobhya, imperador do Leste	Ashuku Nyorai
Ratnasambhava, imperador do Sul	Hosho Nyorai
Amogasiddhi, imperador do Norte	Fukujyoju Nyorai
Buda Amitaba (ou Amida), imperador do Oeste	Amida Nyorai

Os mais importantes da lista acima são os *Godai Nyorai*, ou Budas da sabedoria:

Dainichi Nyorai (no Centro)
Ashuku Nyorai (no Leste)
Hosho Nyorai (no Sul)
Amida Nyorai (no Oeste)
Kukujyoju Nyorai (no Norte)

Até onde sei, o único *nyorai* que desempenha uma função no Reiki é Amida Nyorai ("Buda da Luz Infinita"), imperador do Oeste. Numa de suas instruções, o Buda histórico descreveu um monge da Antiguidade chamado Dharmakara ("Hozo Bikku" em japonês). Muito antes de Buda, Dharmakara fizera o voto de atingir a iluminação e construir um país búdico. Trabalhou em seu aperfeiçoamento durante milênios e, depois de alcançar seu objetivo, tornou-se o Buda *Amithabha* (Amida Buda). O "país búdico" que construiu foi a já mencionada Terra Pura da Bem-Aventurança ("Jodo"). No budismo Jodo Shu, religião de Usui Sensei, Dharmakara é muitas vezes chamado de *"o nyorai"*. Amida Nyorai governa, portanto, a Terra Pura ocidental, e aqui na Terra é responsável pelo oeste. Em cidades grandes, como por exemplo Kyoto, os templos dedicados ao Buda Amida são construídos na parte Oeste da cidade, para servirem de proteção espiritual a partir desse ponto cardeal. É o caso do templo Amida Ji.

Amida Nyorai também tem um local específico no corpo humano: ele reside no chakra da coroa. Você deve se lembrar do meu relato de caso sobre a monja Myoyu-san, cujo couro cabeludo se mexia de forma tão esquisita, pois ela sentia ali com mais força a presença de Amida Nyorai durante o ritual de sintonização.

Conta a lenda que um dia o Amida Buda contemplou o sofrimento dos homens e chorou uma lágrima de amor e compaixão. Essa lágrima deu então origem ao símbolo *brih* do sânscrito (ou *"kiriku"* em japonês) e ao Bodhisattva Avalokiteshvara (em japonês, "Kanzeon" ou "Kannon Bosatsu"). Por esse motivo, no budismo esotérico o símbolo costuma ser representado no interior de uma lágrima. Pelo fato de ter nascido de Amithabha, o Bodhisattva Avalokiteshvara é considerado um "clone" do mestre. Encarna suas qualidades de amor e compaixão e não se distingue dele. Mas tem uma característica importante: pode ajudar as pessoas e acompanhá-las na vida cotidiana.

E agora, alguns dados sobre a segunda "família" de Budas, tão querida no budismo.

Os Bodhisattvas (*"bosatsu"* em japonês)

A natureza divina dos *tathagata* levou à existência dos Bodhisattvas. Com eles, as pessoas podem se relacionar no mesmo plano, usando seus ensinamentos para atingir a iluminação e o fim do sofrimento.

Um Bodhisattva é um ser humano que já alcançou a iluminação, mas por compaixão e para o bem da humanidade não deu o último passo em direção à Terra Pura. Ele tem um pé em nosso mundo e outro na Terra Pura. Já percorreu toda a evolução humana, e por isso conhece todas as nossas fraquezas. Pode encarnar como dona de casa ou funcionário de banco, esportista ou morador de rua. Portanto, mantenha os olhos abertos e trate todas as pessoas que você encontra como se fossem Bodhisattvas capazes de levar você à salvação.

O Bodhisattva faz o juramento de só entrar na Terra Pura quando todas as outras pessoas já tiverem entrado antes dele. É claro que isso nunca vai acontecer e ele estará sempre no limiar entre os dois mundos... Uma história bonita que nos ensina esse princípio é a lenda de Kwan Yin. Kwan Yin foi discípula de um mestre budista da escola antiga. Como Usui Sensei, estava próxima da iluminação e perguntou ao mestre quando isso iria acontecer. O mestre confirmou seus progressos no caminho espiritual e profetizou: "Quando você encarnar da próxima vez em corpo de homem (muitas escolas orientais acreditam que as encarnações masculinas e femininas se alternam), chegará à iluminação." Kwan Yin não ficou nada satisfeita com a profecia. Para ela, a iluminação não teria sentido se dependesse só daquela pequena diferença física. Assim, ela jurou que sempre encarnaria como mulher e nunca entraria na Terra Pura, para o bem dos seres humanos.

Um dos princípios éticos do budismo Mahayana é não buscar a iluminação para si mesmo, e sim para o bem da Criação. Um monge ou monja Mahayana tem de fazer esse juramento em sua ordenação. Trata-se do "juramento Bodhisattva".

Juramento Bodhisattva

Juro ajudar todos os seres vivos a atingir a iluminação e juro ser a última pessoa neste caminho, depois que todos os seres vivos tenham alcançado a iluminação, assim como fez o Bodhisattva Avalokiteshvara.

Há muitos Bodhisattvas no budismo Mahayana, mas o único que tem importância para os reikianos é Senju Kanzeon Bosatsu. Mesmo assim, apresento aqui uma lista de Bodhisattvas com seus nomes em sânscrito e em japonês.

Sânscrito	Japonês
Bodhisattva Dharanipala	Soji Bosatsu
Bodhisattva Ratnapala	Ho o Bosatsu
Bodhisattva Bhaisajyaraja	Yakuo Bosatsu
Bodhisattva Parabhaisajya	Yakujo Bosatsu
Bodhisattva Avalokiteshvara	Kanzeon Bosatsu
Bodhisattva Mahasthamaprapta	Daiseishi Bosatsu
Bodhisattva Avatamsaka	Kegon Bosatsu
Bodhisattva Sutralamkara	Dai Shogon Bosatsu
Bodhisattva Dharmakaya	Hozo Bosatsu
Bodhisattva Silakaya	Tokuzo Bosatsu
Bodhisattva Vjrakaya	Kongozo Bosatsu
Bodhisattva Akashagarbha	Kokuzo Bosatsu
Bodhisattva Maitreya	Miroku Bosatsu
Bodhisattva Samantabhadra	Fugen Bosatsu
Bodhisattva Manjushri	Monjushiri Bosatsu

82 e 83. Símbolo *hrih* em tabuinhas de madeira e entalhado em pedra

As duas características essenciais do Bodhisattva, independentemente de sua forma encarnada, são a compaixão (*"karuna"* em sânscrito) e a sabedoria (*"prajna"* em sânscrito). A compaixão é encarada como semente da iluminação. Lembre-se da quinta regra de conduta do Reiki: *"hito ni shinsetsu ni"*.

Kanzeon Bosatsu

千手観音 Agora, eu gostaria que você me acompanhasse em algumas explicações sobre Kanzeon Bosatsu. Tente fazê-lo também em seu coração. Kanzeon ou Kannon Bosatsu é a figura mais querida do budismo japonês – mas também está presente em outros países. Pode assumir os seguintes nomes:

Avalokiteshvara ("aquele que olhou para baixo em compaixão", na Índia)
Chenrezig (no Tibete)
Kwan Yin (na China)
Kannon (no Japão)
Kwan-Um (na Coreia)
Quan Am (no Vietnã)

Kanzeon Bosatsu pode se mostrar sob muitas formas, mas a mais interessante para os reikianos é a de Senju Kannon Bosatsu (千手観音), patrono do Templo Kurama. Senju Kannon também tem relação com um ponto cardeal: ele é responsável pelo norte. O Templo Kurama foi construído para servir de proteção espiritual a Kyoto a partir do norte. Você também pode invocar a proteção de Senju Kannon em sua casa, colocando uma estátua dele ao norte (olhando para o sul) ou pendurando um símbolo *brih/kiriku* na posição norte (ver fotos 82 e 83).

A palavra *"senju"* (千手) consiste em dois *kanji*. *"Sen"* significa "1.000", ou seja, "incontável". *"Ju"* significa "braço". Trata-se do "Bodhisattva de mil braços". O motivo da grande quantidade de braços é óbvio. Conforme a época, Senju Kannon é representado com 40 ou 25 braços (seria difícil inserir mil braços num desenho ou numa estátua). Às vezes, em cada mão há um olho que significa: "não minta para mim, eu enxergo tudo, já vivi todos os sofrimentos ao longo da cadeia evolutiva e os conheço por experiência própria".

Um dos templos mais impressionantes que abrigam estátuas de Senju Kannon é o templo Sanju San Gendo, com um salão que abriga 1.001 estátuas do Bodhisattva em tamanho natural. É um espetáculo e tanto.

Muitas vezes, Kannon traz na mão uma ferramenta que ajuda o fiel a encontrar a luz. Pode também trazer um rolo de pergaminho que ajuda os intelectuais a estudarem a doutrina budista... ou uma espada para retalhar a mentira ou afastar os maus espíritos.

Em geral, seu rosto tem traços femininos, mas também pode ser representado como homem ou como hermafrodita. Isso alude ao fato de que o Bodhisattva não tem sexo. Nossa essência é... um momento de silêncio no ato da escrita... (ver fotos 84 e 85).

No Templo Kurama afirma-se que o tigre (ver foto 86) e a centopeia são ajudantes de Senju Kannon. Assim como o Buda Amida, ele também é representado pelo símbolo *brih/kiriku*. Quer você saiba ou não, se desenhar esse símbolo estará invocando o Bodhisattva. Assim, faça-o de agora em diante de maneira consciente e com o coração puro.

84. Kannon de fisionomia aprazível

Sei Heki Chiryo

Usui Sensei nos ensina (ver entrevista às pp. 71ss.) que todas as doenças e todo sofrimento têm origem na mente. Para curar a mente, ele ensinava a seus discípulos dois recursos com os quais podiam curar-se a si mesmos ou seus pacientes. Quando a mente é sã, o ser humano é são. É necessário rever o conceito de "doença". Doença nada tem a ver com o corpo físico.

Esses dois recursos (já mencionados antes) são o *Gokai* (as regras de conduta do Reiki) e o chamado *"Sei Heki Chiryo"*. O conceito japonês *"Sei Heki"* (性癖) consiste em dois *kanji* que significam "hábito". Para os pesquisadores do assunto, é importante lembrar que o conceito só pode ser dividido em duas palavras. Caso contrário, o sentido seria outro. Não se trata de um conceito secreto: pode ser encontrado em qualquer dicionário japonês. Na época de Usui Sensei, significava todo o espectro dos (maus) hábitos, sejam eles físicos, mentais, emocionais ou kármicos. Num plano mais abrangente, não há realmente diferença. O homem é uma unidade indivisível.

Para curar esses maus hábitos, usa-se o *hrih/kiriku Shirushi* (símbolo) juntamente com um *Kotodama* (mantra). O *Kotodama* é ensinado no *Okuden* (segundo grau de ensino do Reiki). Por meio dele, o praticante se dirige diretamente a Senju Kannon e à alma do doente. Ela "transmite" a cura a ambos e observa, na condição de testemunha e canal, o pro-

85. Ryozen Kannon em Kyoto

86. Tigre do Templo Kurama

gresso do efeito curativo. Quando se trata da cura espiritual de outras pessoas, os japoneses hesitam e "transmitem" uma cura que vem do alto. Não seria proveitoso uma pessoa pretender curar a alma de outra. Pensar assim seria uma forma de arrogância. A mesma coisa vale nas tradições ocidentais de ensalmar ou benzer doentes ("ensalmo" é uma reza extraída do Livro dos Salmos).

No *Enkaku Chiryo* (tratamento a distância), usa-se um *Jumon* (mantra) que permite ao terapeuta "assimilar" a maneira de pensar do paciente e "curar" assim seu pensamento. Takata Sensei também ensinava o tratamento a distância dessa maneira, e não como se uma pessoa "A" "enviasse" o Reiki a uma pessoa "B". Portanto, a expressão "tratamento a distância" não é totalmente correta, pois o paciente (ou seu pensamento) está presente no ato da cura, e não num local distante. Além disso, o terapeuta não precisa saber o endereço do paciente. Koyama Sensei conta que às vezes Usui Sensei mandava seus pacientes para outro aposento a fim de tratá-los. Koyama Sensei também afirma ter sido a primeira a tratar pacientes em outros países. Na época de Usui Sensei, viagens ao exterior eram muito raras, a não ser para políticos ou pessoas envolvidas em missões religiosas oficiais. Era preciso requerer uma permissão de viagem junto às autoridades, que só era concedida sob condições muito rígidas.

Não existem indicações claras sobre a duração do *Sei Heki Chiryo*, mas segundo Chiyoko Sensei ele deve durar no mínimo 30 minutos, ou mais se possível.

Ainda bem que você persistiu na leitura até aqui. Quero abordar agora o budismo Jodo Shu, religião de Usui Sensei na primeira infância e mais tarde na escola primária budista (*Terakoya*) do templo Zendo-Ji.

Jodo Shu

Jodo Shu é o budismo Terra Pura, seita religiosa do clã Usui.

As raízes do budismo Terra Pura estão na China do século V. No Japão, ele só surgiu mais tarde graças ao reformador religioso Honen Shonin (1133–1212), considerado polêmico na época, mas hoje reverenciado. Foi monge na juventude, tendo vivido no monte Hiei, baluarte do budismo Tendai. Baseava sua vida e seus ensinamentos no mestre chinês Shan Tao (ou "Zendo Daishi" em japonês). Trata-se do santo Zendo Daishi (538–597), que apareceu em sonhos a Kanemaki Usui e a Chitsu Bosatsu, fundador do templo Zendo-Ji (ver capítulo sobre a vida de Usui Sensei).

O budismo Jodo Shu tem sua origem num sutra budista no qual o Amida Buda diz que todo crente que invocar seu nome dez vezes ao longo da vida irá renascer automaticamente no Jodo, ou Terra Pura. Ali, ele será conduzido diretamente à iluminação e à libertação. Uma vez na Terra Pura, a pessoa iluminada não precisa mais se expor ao ciclo da encarnação.

O budismo Jodo Shu surgiu numa época em que muitos japoneses não tinham condições de praticar o budismo, pois para isso era preciso ser membro de um templo, viver por algum tempo como monge ou monja ou fazer doações generosas para a construção do templo. As pessoas procuravam uma religião que fosse acessível a todos, como é o caso do xintoísmo, praticado até hoje no país. Honen Shonin, portanto, surgiu no momento certo. Ensinava que bastava recitar o nome do Buda Amida, inclusive durante as atividades cotidianas. Esse ritual é chamado *"nembutsu"* (*"Namu amida butsu"*, ou "Salva-me, ó Amida Buda"). Quem o pratica de todo o coração é chamado *"shinjin"* ("devoto ou seguidor de Amida").

Hoje em dia, Jodo Shu e seus vários subgrupos formam a maior corrente budista do Japão, com cerca de 20 milhões de seguidores.

Zendo Daishi ensinava que todo aquele que invocasse o Amida Buda seria conduzido por ele e por seu séquito, após a morte, até a Terra Pura. Ele chamava essa "condução automática" de *"ojo"* (nascimento celestial na Terra Pura após o processo de morte; segundo Honen, esse nascimento é quase tão rápido quanto arrancar um fio de cabelo). Aqui fica claro por que Usui Sensei se isolou no monte Kurama para seu retiro espiritual.

O seguidor tem de se entregar ao Amida Buda de todo o coração. Um texto de Tada Kanai do ano 1907, por exemplo, afirma que o céu e a terra se enchem de luz cintilante e sob essa luz o devoto se liberta de todo o sofrimento.

Grupos relacionados com o Reiki na época de Usui Sensei

Como já expliquei no capítulo sobre a história do Reiki, na época de Usui Sensei existiam muitos grupos espiritualistas que em parte também praticavam atividades terapêuticas. Era quase uma tendência comum em seitas religiosas.

A maioria desses grupos tinha orientação xintoísta, budista ou confucionista. Alguns se separaram mais tarde de sua doutrina ou religião originais.

Um número pequeno desses grupos como, por exemplo, o Reiki, não tinha orientação religiosa. A filosofia de todos eles girava ao redor do eixo *kokoro* (coração-mente, coração, eu), *tamashi* (alma, espírito, como no símbolo *"rei"* de Reiki) e *ki* (energia), além de reforma social e compromisso com o bem comum.

A religião original do Japão é o xintoísmo que, como já expliquei, é encarada pelos japoneses mais como filosofia de vida do que como religião institucionalizada. Baseia-se em elementos animistas e xamanistas e na crença de que o universo é regido por deuses da natureza que vivem na Terra em objetos naturais, como rochas, lagos, cascatas, árvores etc.

O budismo só foi introduzido no Japão no ano 552. No século VIII, disseminou-se definitivamente em todo o país. A expansão se deveu a um monge budista chamado Gyoki, que anunciou que Amateratsu (deusa xintoísta do sol e divindade suprema do xintoísmo) era idêntica ao Buda nascido na Índia. Já falei um pouco sobre isso mais acima.

Ao longo dos séculos, budismo e xintoísmo se fundiram numa mescla tipicamente japonesa de elementos budistas, adoração da natureza e de divindades locais e culto dos antepassados. Um budista ortodoxo de outro país poderia até hesitar em aceitar o budismo japonês como tal. Mas o Japão é um substrato perfeito para uma síntese religiosa que se adaptou nos mínimos detalhes ao país e seus habitantes.

Muitos desses agrupamentos religiosos trabalhavam com cura espiritual, coisa que até então era especialidade do budismo Nichiren e do Shugendo ("caminho da austeridade nas montanhas"). Chamavam suas técnicas terapêuticas de *"seiki"* ("energia vital"), *"kiai jutsu"* ("cura pela pressão da mente"), *"reiki"* ("cura espiritual", "cura mental" – conceito que levou Usui Sensei a chamar seu método de Usui Reiki Ryoho), *"reiho"* ("técnica espiritualista") e finalmente *"reishi"* ("átomo espiritual").

Outros grupos espiritualistas punham ênfase nas práticas esotéricas e místicas. São designados no Japão pelos nomes *"shin shukyo"* ou *"shinko shukyo"* ("novas religiões" em japonês). Calcula-se que hoje em dia 25% da população seja adepta de uma dessas seitas.

Ao todo, existem centenas de grupos *"shin shukyo"*. Sua fundação ocorreu em três momentos históricos: de 1800 a 1860, por volta de 1920 e de novo depois da Segunda Guerra Mundial. Na época de Usui Sensei, os mais importantes eram os seguintes:

Grupos xintoístas

Omoto Kyo

Fundadora: Nao Deguchi (1837–1918), sede: Ayabe

A Omoto Kyo é uma associação ou seita xintoísta fundada em 1897 sob a direção de Nao Deguchi (1837–1918) e seu genro Onisaburo Deguchi (1871–1948), que assumiu seu sobrenome.[9]

87. Nao Deguchi

88. Onisaburo Deguchi

A Omoto Kyo pode ser comparada à sociedade teosófica. Um de seus fundamentos era a espera por Miroku Bosatsu, o "Buda do Futuro", do qual o Buda histórico teria dito que voltaria como "amigo" num prazo de 2.500 anos. Na Índia, esse Buda futuro é chamado "Maitreya". É um último Messias capaz de anunciar a nova Idade do Ouro. A Omoto Kyo tinha traços fortemente nacionalistas, trabalhando por um mundo melhor e esperando que o Japão e ela mesma desempenhassem um papel central no novo mundo.

A fundadora Nao Deguchi teve uma vivência espiritual no dia 30 de janeiro de 1892, na qual uma divindade xintoísta (Ushitora no Konjin, ou "Senhor do Universo") encarnou em seu corpo e a partir desse dia passou a falar com ela e por meio dela. Esse fenômeno era conhecido nos séculos XIX e XX como *"kamigakari"* ("possuído por Deus").

Nao começou sua carreira espiritualista como curandeira. Tanto Nao quanto Onisaburo eram videntes notáveis. No outono de 1900, Onisaburo teve uma visão na qual recebeu a seguinte mensagem (em linguagem poética):

Yo no naka no
hito no kokoro no
Kurama yama
Kami no Hibari ni
hiraku kono michi

Ou, em tradução literal:

---

9. A sociedade japonesa se baseia na prevalência da linha familiar masculina. Isso permite a conservação do sobrenome e garante que o túmulo familiar, sempre transmitido ao filho (mais velho), seja mantido pelo chefe de família. No Japão, os antepassados são reverenciados todos os anos na festa dos antepassados (*"obon"* em japonês), em agosto.

No meio da noite (ou "da sociedade", em sentido figurado)
Neste caminho
O coração dos homens
Sob a luz do deus
Do monte Kurama se abre.

Nao, sua filha Sumi e o marido dela Onisaburo se dirigiram com um discípulo ao monte Kurama (cerca de 15 quilômetros ao norte de Kyoto, uma penosa caminhada naquela época) e fizeram vigília durante uma noite inteira, ocupados com rituais religiosos, diante do santuário Mao Den, o mais importante do Kurama. Ali, num encontro misterioso, eles conheceram Gohomaoson (o rei dos demônios), divindade já mencionada neste livro, que há 6,5 milhões de anos teria vindo do planeta Vênus para o monte Kurama, e desde então governa o mundo a partir dali (ver capítulo "O Kurama Dera").

Não se sabe se esse acontecimento motivou o retiro espiritual de Usui Sensei no monte Kurama. É pouco provável que ele tenha sido membro da Omoto Kyo, mas com certeza conhecia suas práticas.

Não existem provas concretas disso, mas no livro de Fran Brown sobre Takata Sensei (*Reiki leben* [*Vivendo o Reiki*], Editora Synthesis), assim como no livro de Helen Haberly *Reiki, Hawayo Takata's story* [*Reiki, A história de Hawayo Takata*], conta-se que Usui Sensei teria viajado pelo Japão e caminhado pelas cidades em pleno dia com uma tocha acesa. Quando lhe perguntaram por que fazia isso, ele teria respondido que procurava pessoas felizes e saudáveis. Essa história alude à Omoto Kyo, cujos missionários faziam exatamente a mesma coisa por volta de 1900: percorriam as cidades durante o dia, portado tochas e pregando que o mundo teria afundado nas trevas e precisava de renovação e luz. Ambas as autoras (Fran Brown e Helen Haberly) afirmam também que Usui teria sido um missionário cristão. Em países predominantemente cristãos, a palavra "missionário" sempre é associada ao adjetivo "cristão". Em 1994, Koyama Sensei me disse ao telefone que Usui Sensei teria sido um missionário xintoísta.

Outros indícios que apontam para a filiação de Usui Sensei à Omoto Kyo – que evidentemente também podem ser frutos do acaso – são o prenome "Naohi" (palavra que também designa um dos símbolos do Reiki nas correntes de Reiki tradicionais do Japão) assim como o nome da filha de Onisaburo e Sumi Deguchi e o nome de uma seita fundada em 1908 por Onisaburo, "Choku Rei Gun", que se refere também a um nome que para nós é familiar.

Por volta de 1917, a Omoto Kyo recrutou muitos oficiais de alta patente da Marinha, que passaram a apoiar a sociedade com empenho e também financeiramente. Formações navais inteiras doaram grandes somas de dinheiro à Omoto Kyo. Anos mais tarde, uma situação parecida voltou a ocorrer no mundo do Reiki. A Omoto Kyo tinha 100 mil membros em 1919. No mesmo ano, alguns membros que pertenciam à Marinha foram afastados de seus cargos pelo governo Taisho.

Como eu já disse, a Omoto Kyo era então o principal grupo espiritualista do país. Em 1920, já contava com cerca de 300 mil membros. Quinze anos mais tarde, por volta de 1935, esse número cresceu para 800 mil. Hoje em dia, existem supostamente cerca de 150 mil adeptos. Outros membros conhecidos do grupo foram Morihei Ueshiba (1883–1969), criador do Aikidô (arte marcial cujo nome significa "arte da paz"), Mokichi Okada (1882–1955), futuro fundador da seita Johrei, e Masaharu Taniguchi (1893–1985), mestre espiritual conhecido mundialmente.

Segundo relatos, Onisaburo conseguia sentir as doenças de seus pacientes em seu próprio corpo. Isso lembra o trabalho de Reiki com o *Byosen* (ver capítulo *"Byosen*: A etapa mais importante da cura pelo Reiki"). Onisaburo também dizia que a cultura é uma tradição oral (coisa que Takata Sensei e seus discípulos também afirmavam a respeito do Reiki). Ele designava palavras pelo termo *"Kotodama"* ("palavra com espírito" ou "frase com espírito"). O mesmo termo é encontrado na prática reikiana e tem grande significado no que diz respeito às regras de vida do Reiki (*Gokai*), ao tratamento psicológico (chamado *"Sei Heki Chiryo"*, ou literalmente "cura de hábitos") e ao símbolo da cura a distância.

A Omoto Kyo teve participação ativa no movimento pela paz e na divulgação do esperanto no Japão.

Kurozumi Kyo
Fundador: Munetada Kurozumi (1780–1850), sede: Okayama City

Esta seita foi uma das primeiras "novas religiões" do Japão. Teve muitos adeptos durante o Período Meiji. Hoje em dia, restam supostamente cerca de 200 mil seguidores. O fundador Munetada Kurozumi sofria de tuberculose "incurável" e jurou que, depois de sua morte, iria ajudar os sofredores na Terra na condição de *"reijin"* ("espírito que cura") no reino celeste. Antes de sua doença, ele já tinha decidido aos 19 anos tornar-se um *"kami"* (deus, divindade natural, espírito da natureza, não no sentido de deus todo-poderoso), para assim poder curar a humanidade.

Kurozumi estava convencido de que a origem de todos os males são as doenças do *"kokoro"* (coração, espírito, intelecto). Se essas doenças fossem curadas, o espírito se tornaria semelhante a Deus ou a Buda. O mesmo pensamento é encontrado literalmente (mas sem referência a Munetada Kurozumi) no manual de Usui (ver pp. 71ss.). Kurozumi entusiasmava seus discípulos (mas também os advertia) com as seguintes palavras: "Se o coração de vocês for divino, serão Deus. Se o coração de vocês for semelhante a Buda, serão Buda. Mas se o coração de vocês for cheio de veneno..."

Kurozumi se curou ao invocar o sol em pensamento por duas vezes, num ritual que deveria ser o último (por causa de sua doença grave). Na segunda vez ele se curou completamente, e o terceiro ritual foi uma vivência espiritual que mudou inteiramente sua vida. Em seu 35º aniversário, ele sentou-se voltado para o leste durante o nascer do sol e aspirou com enlevo os raios de sol. Fez isso com tanto fervor que teve a sensação de que o sol o penetrava a partir do céu, purificando-o por dentro por meio dessa união. Esse ritual pode inspirar você em suas meditações. No xintoísmo, o sol é a divindade suprema, chamada Amaterasu Omikami.

Tal como Usui Sensei, Kurozumi ensinava a seus discípulos várias regras de vida. A mais importante era: "Tenha gratidão"... O objetivo principal da doutrina era a purificação do *kokoro* (*"kokoro naoshi"*, ou "cura do espírito-coração").

O método terapêutico da Kurozumi Kyo lembra muito o Reiki. O terapeuta se purifica mediante um ritual solar no qual ele aspira a energia Yang do sol e a mantém em seu interior. Essa energia se chama *"yoki"*. A parte doente do corpo do paciente é então "assoprada" com essa energia, enquanto o terapeuta também fricciona suavemente a parte afetada. O procedimento se chama *"majinai"* ("ensalmar" – referência às rezas extraídas do Livro dos Salmos – ou "benzer"). O ritual vale para doenças físicas, emocionais e mentais – mas tem de ser praticado por um sacerdote da seita.

A Kurozumi Kyo não fazia qualquer tipo de oposição política (como muitos dos grupos dos anos 1920) e mais tarde foi reconhecida oficialmente como religião independente.

Konkokyo
Fundador: Bunjiro Kawate (1814–1883), conhecido mais tarde como Konko Daijin, sede: Konko, Japão

Bunjiro Kawate cresceu a poucos quilômetros de distância da cidade natal de Munetada Kurozumi. Aos 12 anos de idade, foi adotado por uma família abastada. Em sua homenagem, sua aldeia natal, Otani, teve mais tarde seu nome alterado para Konko. Só depois de sua morte seus discípulos fundaram a religião Konkokyo.

Depois de uma vivência espiritual na qual foi transformado por uma divindade xintoísta, Bunjiro mudou seu nome para Ikigami Konko Daijin ("o deus vivo, o grande mestre Konko"). A divindade que ele incorporou era Ushitora no Konjin, já mencionado na descrição da Omoto Kyo. Ushitora no Konjin, "deus do metal do nordeste e guardião do portal dos demônios", era então um deus temido que todas as pessoas tentavam abrandar por meio de rituais.

A história de vida de Bunjiro Kawate é a de um homem cuja fé religiosa deixava em segundo plano todas as outras aspirações. Ele sempre dizia que a salvação do homem está na fé inabalável em Deus e nos Budas. Em seus ensinamentos, podemos reconhecer duas das regras de conduta de Usui Sensei. A primeira: "Tenha gratidão", e a segunda: "Não se zangue." Além disso, ele dizia em suas pregações que o ser humano deve viver no momento presente (*Kyo dake wa...*). Se esta manhã for a primeira do ano e se esta noite for a última, você sempre viverá no presente. Kawate afirmava que a ascese não é necessária quando a pessoa enfrenta todos os desafios da vida cotidiana (e isso lembra a quarta regra de vida do Reiki, *gyo o hage me*). Com relação às técnicas de cura, ele dizia que Deus era o único capaz de curar, mas que bastava uma pessoa reconhecer sua essência divina para conseguir uma cura espontânea. Suas últimas palavras foram: "Estou em paz."

Tenri Kyo

Fundador: Miki Nakayama, sede: Tenri City, Japão

Miki Nakayama, proprietária rural abastada, foi possuída em outubro de 1838 por uma divindade xintoísta (Tenri o no Mikoto). A seita tem vários milhões de seguidores no mundo todo e construiu sua própria cidade, Tenri City, nos arredores de Nara.

Outros grupos

Sekai Kyuusei Kyo
Fundador: Mokichi Okada (1882–1955), sede: Atami

89. Mokichi Okada

Mokichi Okada aderiu à Omoto Kyo depois do terremoto de 1923. Em 1926, ele teve uma vivência espiritual na qual foi possuído por Kannon, deusa do amor e da compaixão. Permaneceu mais algum tempo na Omoto Kyo até fundar sua própria seita em 1928 ou 1934/35 – segundo fontes divergentes, que chamou de Dai Nihon Kannon Kyo ("grande comunidade ou congregação japonesa de Kannon"). Depois de várias mudanças de nome, até sua morte a seita passou a se chamar Sekai Kyuusei Kyo ("religião para a salvação do mundo"). O Sr. Okada ensinava uma técnica terapêutica chamada *johrei* ("purificação do espírito") que até hoje é muito difundida. Numa sessão de *johrei*, as mãos não são colocadas sobre o corpo do paciente, e sim mantidas a uma distância de cerca de 30 centímetros do corpo. O Sr. Okada dizia que a alma é o cerne do ser humano e que ela governa o corpo e a mente. Dizia também que as causas dos três grandes males humanos – doença, pobreza e conflitos – são de natureza espiritual. Ele as chamava de "nuvens". Essas "nuvens" podem ser dissipadas pelo *johrei*. Numa sessão de *johrei*, a luz divina emana do alto sem a intervenção do terapeuta, afastando as "nuvens" – seja de tipo físico ou espiritual.

No plano físico, Okada ensinava que o corpo acumula substâncias tóxicas em locais estratégicos (ver também o capítulo *"Byosen*: A etapa mais importante da cura pelo Reiki"). Quando uma determinada parte do corpo chega a um ponto de saturação, a pessoa adoece. Por isso, Okada enfatizava a purificação nos planos físico e espiritual. Muitas substâncias químicas como adubos artificiais, preservativos de plantas, pesticidas e medicamentos, dizia Okada, não podem ser digeridas ou eliminadas pelo corpo humano. Ele foi o primeiro defensor japonês da agricultura biológica, e seus discípulos mantêm em todo o país empórios alternativos sob o nome MOA – ou Mokichi Okada Association, entidade presente inclusive no Brasil.

Koyama Sensei afirma que a Sra. Okada (provavelmente a segunda esposa de Okada, pois a primeira faleceu em 1919) teria sido discípula de Usui Sensei. Chiyoko Yamaguchi também foi discípula de Mokichi Okada, mas se afastou da seita depois da morte dele. Okada usava o chamado "símbolo do mestre de Reiki" para fins de meditação e escrevia-o pessoalmente em rolos de papel para dá-lo a seus discípulos. Certa vez, vi um original magnífico na casa de Chiyoko Sensei. Ray Toba, presidente da Johrei Fellowship nos Estados Unidos, escreveu numa carta que Iris Ishikuro, sobrinha de Takata Sensei, foi membro da seita no começo dos anos 1970. Foi talvez dessa maneira que o chamado "símbolo do mestre de Reiki", que não existia nas correntes japonesas de Reiki, se introduziu na prática reikiana. Tanto Ogawa Sensei quanto Chiyoko Sensei me disseram que ele não fazia parte da doutrina original do Reiki.

Mokichi Okada defendia a fraternidade de todas as pessoas, nações e religiões. No mundo inteiro, a sociedade tem muitos adeptos de várias confissões religiosas.

Seicho-No-Ie

Fundador: Masaharu Taniguchi (1893–1985), sede principal: Tóquio, com cerca de 3 milhões de membros

Masaharu Taniguchi também foi seguidor da Omoto Kyo e em 1923 teve uma vivência espiritual ao praticar o *chinkonkishin*, um ritual da Omoto. Ele conta: "Certo dia, uma luz clara desceu em meu coração. Foi como se pétalas de flores caíssem sobre minha cabeça, minhas mãos e meus pés. Fiquei coberto por essa luz e aspirei-a até quase sufocar. Então, percebi que era a luz da vida..."

Em 1930, ele fundou sua própria seita chamada Seicho-No-Ie, ou "casa do crescimento (interior)". Ensinava que o ser humano é filho de Deus e, portanto, é um ser livre. A verdadeira essência da realidade, dizia Taniguchi, é Deus. Segundo ele, três "escuridões" atormentam o coração do ser humano: pecado, doença e morte. A Luz da Vida que Taniguchi experimentou pode iluminar e dissipar a escuridão. A seita Seicho-No-Ie trabalha com cura espiritual, visando despertar o espírito para que ele reconheça seu verdadeiro caráter divino.

Taniguchi menciona brevemente Usui Sensei e o Reiki num de seus livros, publicado em 1963 sob o título *Recovery from All Diseases* [*A Cura de Todas as Doenças*] (Tóquio, Seicho-No-Ie Foundation, Divine Publication Department). Esse fato mostra que Usui Sensei era uma personalidade conhecida em círculos restritos, e que seu trabalho continuou repercutindo no Japão depois de sua morte, embora de maneira discreta. Assim como Usui Sensei e outros de seus contemporâneos, Taniguchi também falava no "espírito de Buda" ou espírito iluminado. Quando nos unimos ao espírito de Buda, a graça divina flui sem nos ofuscar.

Outra semelhança com o Reiki pode ser constatada no livro de Taniguchi de 1964, *The Truth of Life* [*A Verdade da Vida*], em que ele reproduz com relação ao mundo espiritual uma analogia usada por Hayashi Sensei sobre o tema do *Byosen*. Hayashi Sensei criou o conceito de "fluxo assoreado" (no sentido de "enlodado" ou "obstruído pelo lodo" – ver capítulo *"Byosen*: a etapa mais importante da cura pelo Reiki"). Eu gostaria de reproduzir aqui um resumo da descrição de Taniguchi: quando um doente lê os textos sagrados, pode ocorrer que ele sinta de repente uma piora aguda de seu estado físico. Os falsos pensamentos que norteavam sua vida são desenraizados e abalados pela verdade, como um vaso com água suja é revolvido no momento em que se despeja ali água limpa. Tem-se a impressão de que o vaso só contém água suja, mas depois de algum tempo a água limpa começa a predominar.

Taniguchi mantinha relações com Joseph Murphy, um dos mais famosos escritores do movimento do Novo Pensamento.

Taireidou
Fundador: Morihei Tanaka (1884–1928)

Não se sabe muito sobre essa seita, supostamente muito difundida na época de Usui Sensei. Ogawa Sensei disse que Morihei Tanaka foi mestre de Usui Sensei e que seu método terapêutico se chamava Reishi Jutsu.

Noguchi Seitai
Fundador: Haruchika Noguchi (1911–1976)

Haruchika Noguchi já chamava a atenção aos 5 anos de idade, pois encontrava prazer em curar os sócios de seu pai. Aos 12 anos, tornou-se conhecido por seus poderes terapêuticos depois do Grande Sismo de Kanto. Dizem que ele enfiava um dedo no ouvido de pessoas gravemente feridas; quando o corpo reagia, o ferido era levado a um hospital. Alguns afirmam que Noguchi teria sido discípulo de Usui. Acho isso improvável, pois Noguchi nasceu em 1911 e Usui Sensei faleceu em 1926. O grupo fundado por Noguchi atua no mundo inteiro, e a Usui Reiki Ryoho Gakkai, quando era presidida por Koyama Sensei, incor-

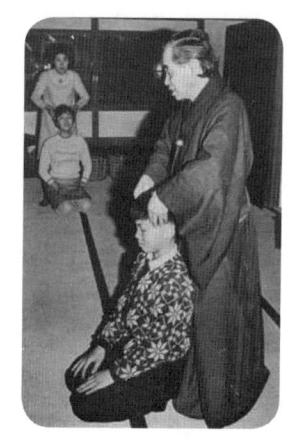

90. Haruchika Noguchi

porou por algum tempo uma técnica criada por Noguchi Sensei chamada *"katsugen undo"* – uma das técnicas terapêuticas mais eficazes que conheço. Na prática do Reiki, essa técnica passou a se chamar *"Reiki Undo"* (ver capítulo "Técnicas japonesas de Reiki").

O método terapêutico criado por Noguchi Sensei se chama *"yuki"*.

Vale a pena ler três livros publicados por ele: *Cold and Their Benefits* [*O Frio e seus Benefícios*], *Order, Spontaneity and the Body* [*Ordem, Espontaneidade e o Corpo Humano*] e *Scolding and Praising* [*Repreender e Elogiar*].

Grupos budistas

Reiyukai (Sociedade dos Amigos do Espírito)
Este grupo teve três fundadores: Katukaro Kubo (1892–1944), Yasukichi Kotani (1895–1927) e sua esposa Kimi Kotani (1901–1971).

Dizem que Usui Sensei foi membro da seita, mas não existem provas a esse respeito. O grupo foi fundado entre 1919 e 1930, um longo processo em tempos politicamente difíceis. A Reiyukai é uma organização budista leiga cuja filosofia se baseia no sutra de lótus. Técnicas de cura (psíquica) são parte importante de seu trabalho. A seita tem vários milhões de seguidores e é um ramo do budismo Nichiren.

Soka Gakkai
Fundador: Tsunesaburo Makiguchi (1871–1944). Originalmente uma versão leiga do budismo Nichiren, a Soka Gakkai tem atualmente 20 milhões de seguidores e foi fundada em 1930, pouco depois da morte de Usui Sensei. Nos anos 1960 e 1970, o grupo atuou no partido Komeito, cujos filiados ocupam um terço do Parlamento japonês. Seu órgão de imprensa partidária era então o *Asahi Shinbun* (até hoje um dos maiores jornais do Japão, parcialmente controlado pela Soka Gakkai).

Espero que esse capítulo sobre a espiritualidade na época de Usui Sensei e na tradição japonesa tenha ajudado você a entender o contexto histórico e cultural, para que possamos nos dedicar agora ao uso prático do Reiki.

Quarta parte

Uso prático do Reiki

*"Usui Sensei se retirou no monte Kurama para morrer.
Pratique o Reiki com a mesma abnegação."*
— Koyama Sensei —

A cura pelo Reiki

Corpo e espírito formam uma unidade. Quando separamos essa unidade, fragmentamos nossa essência. Reunir os fragmentos mais tarde torna-se algo muito trabalhoso. Imagine uma imagem recortada em mil pedacinhos com uma tesoura.

A concepção japonesa dessa unidade se baseia na teoria de que todo ser humano recebe uma porção da alma de Deus ou do plano divino. Usui Sensei invocou essa teoria quando lhe perguntaram se qualquer pessoa podia praticar o Reiki, ou se para isso era preciso um grau avançado de evolução espiritual. Segundo Usui Sensei, basta ter uma alma para aprender o Reiki.

Segundo se afirma, a porção espiritual divina se situa na cabeça do ser humano, ali onde se juntam o chakra da coroa e o "terceiro olho", se traçássemos uma linha reta entre ambos até o centro da cabeça. Do ponto de vista anatômico, essa porção espiritual corresponde à glândula pineal, mas dificilmente poderia ser localizada por métodos científicos. Alguns mestres espirituais indianos também trabalham com esse ponto num ritual chamado *"shaktipah"*.

A porção espiritual divina é imortal e passa por sucessivas reencarnações até que todas as tarefas colocadas ao ser humano sejam resolvidas na Terra e ele chegue à Terra Pura ("Jodo" em japonês). Vivências e recordações de todas as vidas passadas, tanto as boas quanto as desagradáveis, ficam gravadas no cerne espiritual. As duas coisas dão origem a hábitos – e isso nos remete à técnica já mencionada do *Sei Heki Chiryo*, usada no Reiki japonês tradicional. O conceito *"Sei Heki"* não é secreto nem místico. Na época de Usui Sensei, significava simplesmente "hábito". Mas os hábitos têm muitas facetas: podem ser de natureza física, mental, emocional ou talvez até kármica. O objetivo de Usui Sensei era nos libertar de todos esses hábitos inerentes ao ser humano, para podermos emergir de novo em nossa luz primitiva.

Na entrevista concedida por ele (ver pp. 71ss.), Usui explica que o Reiki não é um método psíquico de cura, nem uma terapia corporal. A afirmação pode ficar mais clara nesse contexto.

Quando você toca a cabeça de uma pessoa com suas mãos de Reiki, não está tocando apenas o corpo, mas também a essência imortal. Você trabalha ao mesmo tempo com o presente, o passado e o futuro. Assim, o mais importante – algo que infelizmente costuma ser relegado ao esquecimento – é o tratamento físico do ser humano. Por meio do Reiki, a alma se purifica dos maus hábitos, voltando a conectar-se com o céu e a terra, como uma *miko* – na tradição japonesa, xamã feminina capaz de se comunicar com os deuses.

Corpo e alma estão ligados entre si como através de uma porta vaivém de cozinha num restaurante antiquado. Pode-se passar do corpo para a alma ou da alma para o corpo, pois um condiciona o outro.

A concepção terapêutica ocidental

Caso até agora você só conheça as técnicas terapêuticas criadas por Takata Sensei, deve ler com especial atenção o capítulo mais adiante sobre o trabalho com o *Byosen*.

A terapia integral com posições sistemáticas das mãos também é útil para um principiante ou alguém que tenha pouco contato com outros praticantes ou com seu professor. Ela abastece o corpo inteiro de energia, remediando sobretudo as "doenças da civilização" mais comuns, como estresse, distúrbios do sono e mal-estar psíquico generalizado.

A metáfora que me ocorre a esse respeito é a de uma casa em chamas: você pode inundar a casa de água para apagar o fogo (terapia integral) ou apagar somente o vaso em chamas sobre a borda da lareira (*Byosen*).

No trabalho com a terapia integral, porém, é aconselhável levar em conta algumas posições adicionais. Os canais linfáticos na virilha e abaixo dos joelhos, as articulações dos joelhos e dos pés e as plantas dos pés (sobretudo no centro da planta, onde começa o meridiano dos rins).

Autoterapia

A autoterapia também é importante. No sistema ocidental, deve-se seguir o procedimento terapêutico descrito em muitos livros. O hábito de tratar sistematicamente as mesmas partes do corpo durante certo período de tempo é uma ótima oportunidade de treinar a capacidade de percepção. Por meio da autoterapia, o praticante aprende muito sobre si mesmo e seu nível de energia (ou sobre como seu estado físico naquele momento afeta a sensitividade das mãos), além de explorar em si mesmo os vários graus do *Byosen*. Por isso, meu conselho é: mãos à obra sempre que possível!

Eu mesmo ponho as mãos sobre meu corpo sempre que tenho tempo para isso. Logo depois do despertar, ponho-as sobre a barriga e o *tanden* (centro do corpo), onde elas se encontram novamente inclusive depois de um dia cheio de alegria de viver. Vendo televisão, ouvindo música, viajando de trem ou de avião ou ensinando Reiki, sempre deixo as mãos onde elas são mais úteis – colocadas sobre o corpo.

O *Byosen*

No Japão não existem tratamentos com uma sequência sempre idêntica de posições das mãos. Em seus seminários, Usui Sensei e Hayashi Sensei distribuíam a seus alunos materiais didáticos nos quais sugeriam diversas posições das mãos para doenças específicas, mas tratava-se apenas de indicações genéricas para principiantes.

Praticantes experientes do Reiki japonês usavam um método avançado que infelizmente os praticantes de Reiki ocidental não conhecem até hoje, ou só conhecem superficialmente.

Segundo Koyama Sensei, Ogawa Sensei e Chiyoko Sensei, tanto Usui Sensei quanto Hayashi Sensei seguiam um procedimento chamado *"Byosen"* em japonês. A palavra *"Byosen"* (病腺) é japonesa, mas seu uso é específico do Reiki. Consiste em dois ideogramas chineses. O primeiro é *"byo"* (病), que significa "doente" ou "doença", e o segundo é *"sen"* (腺), que significa "reunião", "ajuntamento" "acúmulo" ou "corrente" (no sentido de corrente linfática ou corrente sanguínea). Juntos, eles significam, portanto, acúmulo de doenças ou substâncias tóxicas nas correntes do sangue ou de outros líquidos corporais. O trabalho com o *Byosen* será descrito mais adiante em detalhes.

Efeito do Reiki no organismo

Segundo Chiyoko Sensei, o Dr. Hayashi costumava explicar como funciona o Reiki. Ele dizia que o Reiki desintoxica o organismo. Usava para isso uma bela analogia, que chamava de "fluxo assoreado" (isto é, obstruído pelo lodo ou pela lama). Quando se observa um rio, suas águas parecem claras e bonitas. Mas quando as águas são agitadas ou remexidas por algum motivo (isto é, quando recebem o Reiki), o lodo do fundo do rio vem à superfície e a água fica turva. Com relação ao corpo humano, o mesmo ocorre quando substâncias tóxicas chegam aos líquidos corporais. Se estiverem desprendidas, elas correm "rio abaixo" para serem eliminadas através do trato digestivo, da linfa, do sangue e do suor.

Quando a água é "desassoreada" de suas impurezas desprendidas (isto é, quando recebe mais Reiki), ela fica cada vez mais limpa, até o rio como um todo clarear e renovar-se. As partículas de lodo que não correm rio abaixo são filtradas. O paciente recupera seu equilíbrio natural, e se vestígios do lodo acumulado no fundo voltarem mais tarde à superfície, serão eliminados por sessões adicionais de Reiki. Quando o fluxo volta a seu estado de clareza e transparência naturais, o paciente recupera a saúde.

Toxicidade do organismo

O acúmulo de substâncias tóxicas no organismo é um processo natural chamado *"shizen joka sayo"* em japonês (自然浄化作用). A palavra *"shizen"* significa "natural", *"joka"* significa "limpeza" e *"sayo"* significa "processo". Se o corpo humano não separasse e eliminasse as substâncias tóxicas em determinadas partes do corpo, ficaria totalmente saturado delas. A metáfora da coleta de lixo pode esclarecer esse princípio. Você vai jogando no cesto de lixo todos os materiais que não têm mais utilidade em sua casa. Quando o cesto de lixo está cheio, você o leva até a rua. Todas as noites, os lixeiros chegam para recolher o lixo. Se um lixeiro faltar ao serviço, não será possível recolher todos os detritos. O lixeiro ausente é uma metáfora da falta de energia. Se por algum motivo o corpo não tiver energia suficiente para fazer sua autolimpeza, as substâncias tóxicas se acumularão cada vez mais. Não é difícil imaginar o que acontece numa cidade sem coleta de lixo.

Heikin joka, a limpeza equilibrada

O acúmulo de substâncias tóxicas no organismo não ocorre aleatoriamente, e sim com base num sistema natural. Esse sistema se baseia no equilíbrio e é chamado *"heikin joka"* em japonês (平均浄化). Isso significa que o organismo sempre deposita as substâncias tóxicas em proporções mais ou menos iguais em partes duplas ou "espelhadas" do corpo. Ou seja, quando seu ombro dói por causa de um desgaste excessivo ou errado, significa que as substâncias tóxicas se depositaram no outro ombro sem que você notasse. Você já deve ter percebido isso em seu próprio corpo, ou pelo menos ouviu falar nesse fenômeno. Por exemplo, uma pessoa faz uma cirurgia de prótese de quadril (chamada "artroplastia", ou substituição da articulação coxofemoral no quadril). A operação corre bem, mas de repente o paciente começa a sentir dores na outra coxa. Pela expressão popular, dizemos então que "a dor mudou de lugar". Mas não foi isso o que aconteceu. Quando um lado do corpo é aliviado pela cirurgia, o *Byosen* do outro lado, que o paciente ainda não sentia, começa a se manifestar. Se você sentir dor no dedo mínimo e morder o polegar, por alguns instantes não sentirá mais dor no dedo mínimo!

Para nós, reikianos, isso significa que temos de tratar os dois lados do corpo do paciente, ajudando-o a eliminar as substâncias tóxicas nos dois lados. Isso também vale para regiões do corpo que não têm correspondente no lado oposto.

Perda de energia

O corpo perde energia por causa de movimentos errados ou insuficientes, uso de medicamentos (fortes), alimentação errada, maus hábitos físicos, emocionais ou mentais, e poluição ambiental. Esses fatores tóxicos se alojam em determinados locais do organismo, sobretudo nas grandes articulações, nos nós linfáticos, nos órgãos internos e também na cabeça, além de outras zonas problemáticas (caso existam). São, portanto, as partes do corpo que mais se movimentam, ou que se movimentam como os órgãos internos. Os órgãos internos "oscilam" para poderem funcionar adequadamente. Quando seu movimento é restringido pelos depósitos tóxicos, eles começam a se atrofiar, e então a pessoa adoece.

Quando o corpo, a mente e o ambiente ao redor funcionam bem em conjunto, o corpo consegue eliminar as substâncias tóxicas acumuladas. Os caminhos internos da eliminação são o trato digestivo, o fígado, os rins, a bexiga e os líquidos corporais. Alguns tóxicos são eliminados pelas glândulas sudoríparas, e quando de modo geral alguma coisa vai mal no organismo, o corpo elimina também através da pele.

Se por algum motivo as substâncias tóxicas não puderem ser eliminadas, o grau de toxicidade aumenta até comprometer o equilíbrio corporal, transformando a saúde em doença. O primeiro passo que leva à doença pode ser a tensão. Se o corpo não for bem cuidado em fases de estresse, substâncias tóxicas se acumularão nos órgãos internos, possivelmente levando à doença.

Um praticante de Reiki que tenha aprendido a arte de encontrar o *Byosen* e observar seus movimentos pode inspecionar o processo que acabei de descrever. Segundo Koyama Sensei, vários anos podem ser necessários para aperfeiçoar essa habilidade. Quando li pela primeira vez a descrição do *Byosen* no livro dela, que recebi há dez anos, fiquei desconfiado. Achei que poderia aprender num fim de semana aquilo que encarei então como uma simples técnica. Mas ao longo dos anos percebi que precisava ter mais modéstia. A arte do *Byosen* é extremamente complexa e multifacetada.

Chiyoko Sensei costumava dizer que ninguém pode tratar um paciente com sucesso sem seguir o *Byosen*.

Segundo Ogawa Sensei, a Usui Reiki Ryoho Gakkai exigia que o aluno soubesse localizar exatamente o *Byosen* como condição para a obtenção do segundo grau do Reiki.

Anamnese e anotações de tratamento

Antes de você poder praticar o Reiki profissionalmente, deve ser capaz de entender o paciente e sua situação como um todo. Para esse fim, é útil traçar uma anamnese meticulosa. Muitas vezes, a doença é um sinal de desequilíbrio, stress psicoemocional ou físico, ou estilo de vida nocivo em todos os níveis.

O diagnóstico médico

Evidentemente, deve-se perguntar primeiro quais as queixas do paciente. Por que você veio me procurar? Quando o paciente se sente mal sem que um diagnóstico médico tenha sido feito, você deve mandá-lo primeiro para um médico. Não digo isso somente por razões legais, mas porque você poderá trabalhar mais à vontade e com mais eficácia se os problemas do paciente forem identificados. Mesmo que você seja experiente na arte do *Byosen*, o diagnóstico médico ajuda terapeuta e paciente no trabalho. O paciente saberá em que situação se encontra e poderá então se familiarizar com ela. E pelo diagnóstico você saberá quais devem ser as prioridades do tratamento.

O prognóstico de cura

Pergunte também sobre o prognóstico feito pelo médico. Se ele for muito negativo, talvez você precise "reconstituir" a situação psíquica do paciente. Em várias ocasiões, conseguimos tratar mulheres teoricamente estéreis por meio do Reiki e de imagens positivas. O resto foi feito depois em casa, pelos namorados ou maridos... Quando se diz a essas mulheres que elas não podem engravidar, em muitos casos isso funciona como uma profecia que se cumpre sozinha. Por amor ao médico e à medicina que ele pratica, elas reagem como estava previsto. Não precisam de métodos anticoncepcionais, já que a gravidez não é possível... até que o nó seja rompido. Falo aqui por experiência própria. Portanto, tome cuidado com o que você diz ao paciente, pois isso pode ter consequências fatais. Aos olhos do paciente, o praticante de Reiki é muitas vezes um "semideus" que sabe tudo. Use essa situação com compaixão e sensatez.

Avaliação do ser humano como um todo

Depois de saber o diagnóstico, reflita sobre o que o organismo está tentando resolver com essa "doença". O corpo humano não é estúpido – ele tenta por todos os meios manter seu dono vivo. Se o corpo não reagisse a uma situação errada por meio de uma doença, o paciente provavelmente já estaria morto, pois as substâncias tóxicas acumuladas no organismo não se depositariam num único órgão, e certamente já teriam infestado o corpo inteiro.

Portanto, pense nisso com cuidado. Caso você não entenda a dinâmica da doença, um manual de patologia pode ser útil. O que o corpo está tentando fazer aqui, e o que ele deveria fazer? Quais processos vitais e importantes não estão funcionando? Qual a profissão do paciente? Quando os sintomas surgiram? Como eles se manifestam? Outros familiares sofrem de sintomas iguais ou parecidos? Aconteceu alguma coisa decisiva ou traumática na vida do paciente antes do surgimento da doença? Examine também a situação familiar: o paciente é casado, tem um companheiro, tem filhos ou vive sozinho? Como é sua constituição física? Qual a coloração da pele, a respiração, a expressão do rosto? Que impressão você tem dele? O que você sente quando aperta sua mão e quando está em sua presença? O paciente ri, está sério ou triste? Observe-o atentamente, como se contemplasse uma paisagem – sem fazer julgamento, mas de olhos bem abertos.

Digamos que o paciente sofra de asma (uma de minhas doenças "prediletas", pois nos últimos 16 anos todos os meus pacientes conseguiram se livrar dela). Nos casos de asma, o corpo tenta eliminar muco através dos pulmões. Mas os pulmões não foram feitos para isso, e assim a pessoa adoece, com sintomas como tosse e dificuldade para respirar.

A asma é essencialmente um distúrbio digestivo. O muco não é eliminado pelo trato digestivo e dirige-se para cima. Por isso, você deve ajudar o paciente a pôr sua digestão em ordem. Pergunte-lhe o que ele faz profissionalmente. Trabalha com produtos químicos ou com pintura de automóveis? Mora perto de uma indústria ou é fumante? Se for uma criança – seus pais fumam? Talvez o problema esteja no ambiente familiar? Atendi certa vez uma jovem israelense que sofria de graves acessos de asma e tinha um histórico familiar específico. Toda a família dela morrera nas câmaras de gás nazistas – não admira, portanto, que ela tivesse asma. Como é o clima da região onde mora o paciente?

Depois que você reunir todas as informações necessárias, o tratamento pode começar. Num caso de asma, entre outras coisas é preciso modificar a alimentação. O paciente não deve ingerir derivados de leite ao menos por alguns meses (até que os sintomas desapareçam totalmente), pois eles formam muco no organismo. Leite de soja e seus derivados também são nocivos, pois têm o mesmo efeito. Tudo o que gera muco vem, portanto, em primeiro lugar (mas não necessariamente para sempre) na "lista negra".

Dê ao paciente 3 colheres (sopa) da seguinte mistura, diariamente antes ou depois das refeições: 500 gramas de mel, de preferência biológico ou fabricado na região onde vive o paciente, 50 gramas de raiz-forte ralada na hora e o suco de 3 limões grandes. Misture tudo muito bem e conserve na geladeira. Então, use a técnica de desintoxicação (*gedoku-ho*, ver p. 245) no paciente até que ele consiga respirar de novo livre e profundamente sem *sprays* de inalação. Se não conseguir resultados, mande o paciente para mim.

Depois de traçar a anamnese (de preferência por escrito), comece o trabalho com o *Byosen*.

Aspectos psicológicos e neuropsicológicos

Conquiste o paciente do ponto de vista psicológico

Embora Usui Sensei, em sua entrevista às pp. 71ss., diga que o paciente não precisa acreditar no Reiki para que o tratamento surta efeito, a fé na cura e a vontade de curar-se são elementos importantes do processo terapêutico.

Recomendo que você trabalhe ativamente para "conquistar" o paciente do ponto de vista psicológico, transmitindo-lhe uma imagem positiva. Quando alguém me pergunta se o Reiki pode ajudá-lo, sempre respondo com um "sim" categórico. O fato de essa ajuda acontecer no plano da saúde física ou no plano espiritual não depende de nossa decisão. Tanto Chiyoko Sensei quanto Koyama Sensei costumavam insistir em que o Reiki é basicamente algo bom e positivo. Assim, você não precisa se preocupar com a possibilidade de desencadear algo negativo.

Mas não trabalhe somente com o Reiki. Sua mente, seu coração e sua experiência de vida podem ajudá-lo e ajudar o paciente em seu caminho de cura. Às vezes, por exemplo, uma intervenção terapêutica pode ser útil. O subconsciente lida com imagens e reage a informações claras. Use esse saber com amor e criatividade. O corpo e a mente do paciente se curam com a ajuda da energia (positiva) do Reiki. Para fortalecer esse processo, uma imagem ou uma palavra de cura podem fazer maravilhas.

Ter saúde e ser capaz de curar são coisas diferentes.

Seja positivo

O Reiki é uma rua de mão única. Como praticante do Reiki, você está conectado ao circuito da energia cósmica. A energia que você usa não lhe pertence. Você é apenas um canal para as forças cósmicas que fluem através de você e o preenchem. Quando seu ser se preenche com o néctar cósmico, não resta lugar para mais nada. Negatividade e um eventual refluxo de energia ruim não são mais possíveis – tudo está preenchido.

Portanto, você nunca precisa temer que algo negativo flua do paciente para dentro de você. Aqui valem duas regras: a primeira é que a energia mais alta transforma a mais baixa, e a segunda é que a energia espiritual torna impossível tudo o que é inanimado ou sem vida.

Geralmente, os seguidores do Reiki têm medo das coisas negativas. É um receio infundado, pois a negatividade só é realmente destrutiva quando age dentro do coração de cada um. Portanto, comece em sua casa e purifique seu próprio coração. Quando fizer isso, você nunca mais sentirá medo da negatividade dos outros. Então, tudo se dissolverá em compaixão...

Para excluir a negatividade, é preciso que corpo e mente se encham cada vez mais de energia espiritual. Como explicou Koyama Sensei, ao recebermos o *Reiju* devemos nos orientar pelo movimento da energia espiritual. Isso dissolve o ego e nos transmite paz.

O *Dhammapada*, uma das obras mais importantes do budismo, começa com a seguinte frase: "Somos aquilo que pensamos, e tudo o que somos surge a partir (da força) de nossos pensamentos. Com nossos pensamentos construímos o mundo." E, mais adiante: "Fale e aja com pureza de alma, e a felicidade seguirá você como uma sombra, imperturbável e inquebrantável."

Se você assimilar isso interiormente, sua vida começará de novo. Esse recomeço e a decisão de seguir na direção certa são possíveis graças ao Reiki. Livrar-se de todas as coisas negativas exige um trabalho interior. Esse trabalho interior é uma tarefa grata, pois purificará radicalmente você e sua vida, despertando a criatividade e a alegria de viver.

A negatividade é um mau hábito acionado por processos externos e internos. Ela cresce e se expande pela repetição constante de pensamentos e sentimentos negativos. Você precisa se conscientizar do fato de que abriga e alimenta esses pensamentos e sentimentos – mesmo que eles tenham sido incutidos por um fator externo. A única pessoa do mundo que pode ajudá-lo a se livrar desses pensamentos e sentimentos é você mesmo. Ninguém pode continuar sendo criança para sempre.

Sempre que você é visitado por um pensamento ou sentimento negativo, tem a opção de alimentar esse pensamento ou sentimento com sua atenção e sua energia – ou desviar-se dele. Comece assumindo a responsabilidade por seu mundo interior. É fácil transferir a responsabilidade daquilo que acontece dentro de você para as outras pessoas ou o mundo exterior. Ser responsável é o primeiro passo em direção à felicidade e à alegria de viver. Lembre-se da quarta regra de vida do Reiki: *gyo o bage me* ("cumpra seu dever"). Quando o recipiente do néctar divino (ver o *kanji* do Reiki) é desvirtuado a ponto de se tornar um balde de lixo, cabe àquele que o usa purificá-lo de novo e prepará-lo para o néctar divino.

Livre-se dos padrões negativos pelo esforço consciente

A escolha é sua. Quando você se conscientizar de sua negatividade, faça a escolha certa e afaste-se dela. A esse respeito, costumo usar a esse respeito a seguinte metáfora: seus pensamentos e sentimentos são como a fiação elétrica de sua casa. Ela determina se em seu interior haverá calor ou frio, clareza ou escuridão. A partir de agora, escolha sempre o calor e a luz, e escolha-os sempre neste exato momento: *kyo dake wa...*

Faço isso em minha mente quando percebo que os padrões negativos se sucedem por si mesmos. Então, tento "voltar para trás" o filme dos pensamentos e sentimentos até chegar ao instante de sua origem. Examino essa origem e digo interiormente: hoje não! Repita isso sempre e o padrão negativo se exaurirá sozinho. Ele pode ainda visitá-lo de vez em quando, mas será como se você parasse de pedalar uma bicicleta: ela continua rolando algum tempo antes de parar totalmente.

Neuroplasticidade

Os pensamentos e sentimentos – ou seja, a consciência – transformam o corpo e a alma. A própria ciência moderna reconheceu esse fato recentemente. O cérebro humano se modifica realmente com base naquilo que pensa e sente. Por meio da disciplina do pensar e do sentir, os circuitos neuronais são estimulados e modificados. É um processo conhecido como "neuroplasticidade" – criação ou recriação e remapeamento das células nervosas –, que ao longo dos próximos anos certamente será aprofundado e compreendido no contexto do organismo como um todo.[10] Num tratamento de Reiki, a estrutura do corpo inteiro é inundada de luz e transformada positivamente. Isso acontece em qualquer tratamento, mas com mais força ainda no tratamento de crianças. Além disso, o paciente reassume o controle de sua saúde, as imagens positivas substituem as negativas e a vida volta a ser prazerosa.

Para sobreviverem, o cérebro humano e o organismo como um todo têm de se adaptar constantemente às atuais e às novas situações de vida. Essas situações de vida se modificam com o Reiki, e isso resulta numa reestruturação do corpo inteiro. No cérebro humano, isso acontece pela criação de novos pontos de conexão entre os neurônios (sinapses) ou pelo reforço de outros já existentes. As células nervosas se ligam umas às outras por meio de pequenos "cílios" – chamados dendritos –, e assim se comunicam entre si. Dendritos eliminados em células nervosas danificadas podem ou não voltar a crescer, em maior ou menor número, e aparentemente isso depende da estimulação (no nosso caso, por meio do Reiki ou do toque das mãos) do centro cerebral correspondente. Existem suspeitas de que um único dendrito pode estabelecer a ligação com outras partes do cérebro.

Essa conexão e o crescimento dos dendritos podem ser observados nos paciente num período mais longo de tratamento (e a palavra "longo" é importante nesse contexto). Há pouco tempo, atendi na Argentina uma criança doente cujo corpo estava totalmente paralisado numa espécie de "coma desperto". Depois de duas semanas de sessões diárias, o corpo começou a se movimentar, os membros se descontraíram, cabeça e olhos começaram a se mexer com base em percepções sensoriais. A metade esquerda do rosto passou a acusar movimentos, e três dias depois isso aconteceu também na metade direita. Até esse momento, a lesão cerebral já perdurava no corpo da menina havia mais de um ano. Ela começou a respirar mais facilmente, começou a comer – coisa que antes só era possível através de uma sonda – e, em comparação com o início do tratamento, tornou-se mais consciente e ganhou um aspecto melhor a cada dia.

A interconexão dos neurônios foi estimulada pelo tratamento diário na cabeça. E, quando o cérebro se modifica por meio de percepções positivas, nós também nos modificamos. Nossos pensamentos e sentimentos encontram novas formas de expressão numa direção positiva e vital.

---

10. Mais informações sobre neuroplasticidade podem ser encontradas no excelente livro *Train Your Mind, Change Your Brain* [*Treine a Mente, Mude o Cérebro*], de Sharon Begley, Goldmann Arkana.

Mas não é só o cérebro infantil que tem condições de se transformar. Inúmeros tratamentos de pacientes de AVC mostraram que o cérebro, inclusive anos depois de um derrame, pode se reorganizar e se reconectar. Minha experiência concreta nesse sentido se deu no tratamento de um mês de uma paciente vítima de AVC que no primeiro dia só conseguia subir dois degraus de uma escada, com dificuldade e a ajuda de outra pessoa. Depois de um mês, ela subia 60 degraus com menos esforço do que os dois no início do tratamento. No último dia, ela mesma amarrou os cordões de seus sapatos pela primeira vez em cinco anos...

Nos últimos anos, a lenda de que as células nervosas não podem se multiplicar na idade adulta também foi refutada pela ciência. Aparentemente, isso depende entre outras coisas da estimulação positiva dos pensamentos e sentimentos, do movimento físico e do ambiente em que o homem (ou animal) está vivendo. O crescimento neuronal parece não ocorrer sempre na mesma proporção, mas, para se conquistar uma vida realizada e feliz, o componente mais importante da neuroplasticidade é o estado de alerta (isto é, de vigilância) espiritual.

Portanto, os novos caminhos emocionais e mentais têm de ser trilhados conscientemente. E, também desse ponto de vista, é vantajoso viver de maneira boa, saudável e positiva em todos os sentidos.

Por esse motivo, todas as correntes espiritualistas – e o Reiki inclui-se entre elas – valorizam o treinamento espiritual. No budismo tibetano, isso é chamado às vezes de "subjugar a mente". O animal é disciplinado para que pensamento e sentimento não sejam mais donos da casa, e sim servidores. O dono é o espírito puro, a consciência, o vazio e a amplidão interiores. Nessa amplidão cabe tudo o que existe.

Byosen: a etapa mais importante da cura pelo Reiki

O *Byosen* é a frequência emitida por uma parte do corpo tensionada, ferida ou doente quando o acúmulo de toxicidade prejudica de alguma forma os canais sanguíneos e linfáticos. Mas isso não é tudo. O *Byosen* também é a reação curativa do corpo quando o Reiki flui para dentro dele. Pela avaliação desses dois aspectos do *Byosen*, um praticante de Reiki experiente pode determinar quanto tempo um tratamento deve durar e de quanto tempo o paciente necessita para a cura. O *Byosen* é um sinal de vida. Nosso corpo está em constante movimento a fim de encontrar seu equilíbrio natural. Esse equilíbrio não é estático – ele se modifica a cada momento, assim como nós mudamos também.

Para avaliar o *Byosen*, é preciso levar em conta cinco aspectos que passo a explicar agora.

Os diferentes processos corporais

O primeiro passo para entender o *Byosen* é atentar para os diferentes processos que ocorrem no interior do corpo humano. Esses processos internos não são o *Byosen*; por isso, é preciso aprender a não confundi-los.

– Sempre que você põe sua mão sobre uma parte do corpo do paciente ou de você mesmo, sente o Reiki fluindo de sua mão para dentro do corpo que você toca. Mais adiante explicarei como se pode sentir esse fluxo enérgico com mais intensidade.

– Talvez você sinta a pulsação sanguínea de seu paciente. Ela é mais perceptível nas artérias do pescoço, no coração e nas veias do pulso. Se você não souber com certeza se sente o *Byosen*, sua própria pulsação ou a do paciente, pode medi-la com uma das mãos por meio de um relógio e comparar isso à percepção na outra mão.

– É possível que você perceba uma pulsação energética no corpo que você toca. Faça um teste: ponha o dedo médio de uma das mãos no orifício de seu próprio umbigo e preste atenção no que sente. Mais cedo ou mais tarde, você sentirá ali uma pulsação energética muito rápida. Mas essa pulsação tampouco é o *Byosen*.

– Você pode sentir também o movimento dos órgãos internos, chamado "peristaltismo". Isso já deve ter lhe acontecido na região do estômago e dos intestinos. Assim que você põe as mãos sobre a barriga do paciente, ela começa a rumorejar. O trato digestivo reage à energia que flui para dentro. E o peristaltismo dos rins também é perceptível – você pode sentir a entrada ou saída da urina nos rins.

– Você sente a temperatura, a constituição e a densidade do corpo do paciente, ao mesmo tempo que sente sua própria temperatura (nas mãos).

Devido à diversidade dessas impressões, é mais fácil sentir o *Byosen* no corpo de outra pessoa do que em seu próprio corpo. Por isso, no início é mais simples treinar com outra pessoa, ao invés de treinar em si mesmo. O mais simples é treinar num paciente doente, pois o *Byosen* será fortemente perceptível nesse caso. Mas isso não significa que o praticante não deva tratar a si mesmo; com prática suficiente, é possível reconhecer o *Byosen* em seu próprio corpo. Isso me acontece facilmente quando estou manipulando meus membros. Em outras partes do corpo, o *Byosen* é percebido como uma espécie de entorpecimento ou inércia.

Locais em que o *Byosen* é perceptível

O *Byosen* se manifesta em determinadas partes do corpo humano:

- nas grandes articulações
- nos órgãos internos
- na linfa
- na cabeça
- em zonas problemáticas, caso existam

Se você estudar a "terapia integral" recomendada por Takata Sensei, que ela chamava de *"foundation treatment"* ("tratamento básico"), encontrará exatamente esses pontos.

Os cinco graus do *Byosen*

O *Byosen* tem cinco graus, todos os quais você provavelmente já sentiu no trabalho com o Reiki. Mas talvez você não soubesse que existe uma lógica por trás do que você sentia. De modo geral, a gradação explicada abaixo tem valor universal. Os cinco graus são:

1. Calor. Esse calor é denominado *"on-netsu"* em japonês, termo que significa "temperatura" ou "febre". O terapeuta percebe essa temperatura como sendo mais alta do que a temperatura corporal normal. Esse grau do *Byosen* significa que substâncias prejudiciais se acumularam e agora têm de ser eliminadas. A energia que flui para dentro favorece o processo de desintoxicação.

2. Calor forte. Esse grau se chama *"atsui-on-netsu"*, ou "calor quente". O calor provoca suor ou ardência nas palmas das mãos do terapeuta. Muitas vezes, as palmas das mãos são fortemente irrigadas de sangue e ficam bem vermelhas. Você tem a sensação de que poderia queimar uma parte da roupa do paciente. Aqui, o acúmulo de substâncias prejudiciais é mais elevado, mas ainda num limite tolerável.

3. Comichão, formigamento. Esse grau se chama *"piri-piri kan"*. A palavra *"piri-piri"* descreve o movimento nas mãos como se formigas corressem por cima delas. A comichão pode ser pouco perceptível ou aumentar para uma sensação de picadas de agulha, de atração ou repulsão magnéticas ou ainda para uma sensação de entorpecimento. Talvez você sinta que suas mãos estão dormentes. Se não tiver certeza do que está sentindo, troque de mão e verifique se a percepção continua a mesma. O terceiro grau do *Byosen* é o ponto onde saúde e doença se separam. Se você sentir um *Byosen* desse tipo, saberá que o trabalho aqui é necessário para que o corpo possa reencontrar seu equilíbrio.

4. Pulsação, palpitação e frio. Esse grau se chama *"hibiki"*. A pulsação pode ser forte ou fraca, rápida ou lenta. Pode dar a sensação de acontecer diretamente sob a superfície da pele, ou de subir das profundezas do corpo para cima. Se o local que você está tocando lhe parecer frio, isso não se deve ao frio de suas mãos – é sinal preocupante do quarto grau do *Byosen*. O corpo precisa aqui de cuidados intensivos. Nesse estágio, você pode sentir claramente a atividade interior do organismo. Os vasos sanguíneos se contraem e se expandem, e isso leva à sensação de pulsação ou palpitação.

5. Dores nas mãos do terapeuta. Esse grau se chama *"itami"*. As dores podem se manifestar na mão, nos dedos ou no dorso das mãos. Podem passar da mão para o antebraço e continuar daí até o ombro. Se isso acontecer, não se preocupe. Koyama Sensei dizia que essa dor acontece quando o Reiki de carga positiva flui para uma região do corpo de carga fortemente negativa. Nesse caso, deixe as mãos sobre aquela região do corpo até que a dor desapareça. Se preciso, troque de mão quando a sensação for muito desagradável, ou afaste-as por algum tempo. Depois, volte a colocá-las no mesmo lugar. Não tenha medo de ser contaminado com energia "ruim". O Reiki é uma rua de

mão única. Com o passar dos anos, percebi que o quinto grau do *Byosen* sempre se manifesta em meu "meridiano do triplo aquecedor" (na medicina tradicional chinesa, o "triplo aquecedor" é considerado um órgão *yang* do corpo humano) e repuxa o braço para cima, em direção ao ombro. Mas isso pode ser diferente para outros terapeutas de Reiki. Chiyoko Sensei costumava dizer que não devemos nos preocupar quando sentimos um *Byosen* forte. Antes de mais nada, o *Byosen* é um sinal de vida: o corpo reage à energia que entra nele e as forças autocurativas do organismo são acionadas. Se você sentir o quinto grau do *Byosen*, dizia ela, deve fazer um *yosh* interiormente — grito de guerra japonês de alguém que deseja pôr alguma coisa em movimento. Agora, trate de dar tudo do que for capaz.

Pela minha experiência, esses cinco graus do *Byosen* são percebidos da maneira descrita acima por todos os que se iniciam no Reiki. Mas cada um dos graus não se distingue tão claramente dos outros. Portanto, você pode sentir uma mistura dos graus dois e três, calor forte e formigamento, ou dos graus quatro e cinco, palpitação e dor. Além disso, é possível que você sinta algo distinto de tudo o que foi descrito acima. Nesse caso, descreva a sensação por escrito e descubra em qual dos cinco graus do *Byosen* ela pode ser classificada. Suponhamos que você sinta um forte repuxo ou estiramento, uma repulsão ou atração magnéticas, ou sinta que suas mãos se confundem com o corpo do paciente. Como classificaria essas percepções?

Também é possível enxergar o *Byosen*, senti-lo, conhecê-lo, cheirá-lo. Pode parecer estranho, mas é verdade. Se você perceber algo diferente, não reprima a sensação imediatamente e ponha primeiro suas mãos sobre o local suspeito.

O *Byosen* não deve ser entendido como algo ruim. Por meio dos vários *feedbacks* descritos acima, o corpo do paciente lhe diz que locais devem ser tratados e por quanto tempo, para que ele recupere a saúde. Interiorize esses cinco graus para saber o que está ocorrendo no corpo de seu paciente. Dois exemplos a esse respeito: uma mulher me pediu que examinasse um nó em seu peito. Eu lhe garanti que aquilo não era motivo de preocupação, mas mesmo assim mandei-a a um ginecologista, que confirmou o que eu disse. O resultado era claro para mim, pois só senti o segundo grau do *Byosen*. Com outra paciente, a situação foi diferente. Apalpei seu nó, ela me pediu um conselho e eu recomendei que ela procurasse um médico com urgência. Seis meses depois, ela faleceu. Isso tampouco me surpreendeu, pois um *Byosen* de quinto grau no peito não pode ser um bom augúrio.

O movimento ondular do *Byosen*

Na maioria dos casos, o *Byosen* não se manifesta de maneira constante. Ele se move em ciclos. Normalmente, esses ciclos vão e vêm em intervalos de 10 a 15 minutos. Isso significa que às vezes você precisa se demorar num local do corpo do paciente até conseguir sentir e observar o *Byosen*. Os primeiros três graus do *Byosen* mostram tensionamento ou leve toxicidade. Não é nada que cause sérias preocupações, mas já é tempo de trabalhar com o Reiki, se possível diariamente, até se atingir um *Byosen* de grau um ou dois. Um tratamento básico do sistema de Reiki ocidental é indicado para problemas genéricos de saúde ou de stress que apresentem *Byosen* baixo. Com isso, o corpo inteiro se abastece de energia e volta a ser capaz de curar-se a si mesmo.

No entanto, quando seu paciente estiver seriamente doente, recomendo que você trabalhe com o *Byosen*. Ponha as mãos sobre a parte doente do corpo para sentir o *Byosen* delas.

Ele pode ser imediatamente perceptível, ou pode levar algum tempo para se desenvolver. Um terapeuta de Reiki experiente sente o *Byosen* imediatamente. Suponhamos que você sinta um *Byosen* de quinto grau assim que põe as mãos sobre o paciente. O *Byosen* se intensifica e você sente dores na mão, transitando para o braço. Quando a dor chega ao auge, saiba que ela logo diminuirá. Depois de um "pico", segue-se uma queda. Às vezes, o *Byosen* despenca completamente e você não sente mais nada, ou só sente o fluxo de energia costumeiro. Permaneça nessa região do corpo e não ponha suas mãos em outra posição. Talvez você não sinta nada nos 10 minutos seguintes. Depois, chegará uma nova onda que se intensificará e diminuirá após atingir o ponto máximo.

Chiyoko Sensei recomenda observar quatro ou cinco "picos" do *Byosen* a cada sessão de tratamento. Isso significa tratar o paciente num período de 60 a 90 minutos. A cada "pico" deve-se usar o símbolo do *Byosen* – caso você o conheça. Senão, prossiga normalmente.

Enquanto isso, o terapeuta deve se mexer o mínimo possível para poder acompanhar o *Byosen*. Quando os "picos" se tornarem menos intensos, o paciente estará no caminho da cura. Mas, se eles permanecerem constantes, será necessário mais Reiki nos dois dias seguintes até os "picos" se aplainarem e o tratamento chegar ao primeiro ou segundo graus do *Byosen*. Então, você e seu paciente voltarão a ser felizes.

Com relação ao *Byosen*, Koyama Sensei afirma que, sobretudo na primeira sessão, deve-se tratar com especial intensidade uma única parte do corpo.

Não é bom mudar de posição. Dessa forma, a doença é curada de maneira profunda. Trate o paciente pelo maior tempo possível, mas não demais, para não se esgotar devido ao longo tempo em posição sentada ou de pé. Se possível, só pare quando o *Byosen* tiver desaparecido.

Quando você não consegue sentir o *Byosen* claramente, sempre comece pela cabeça. Depois de algum tempo, a parte do corpo afetada pela doença se move interiormente. Interrogue o paciente sobre isso e em seguida ponha as mãos sobre essa parte do corpo. Deixe as mãos ali até que o *Byosen* tenha desaparecido. O *Byosen* não é necessariamente consequência de uma doença, pois pode também surgir antes dela.

Nesse caso, o Reiki funciona como uma "vacina" que ajuda a evitar a doença. Antes da sessão, sempre pergunte ao paciente o que o incomoda. Suponhamos que ele se queixe de dores nos ombros. Então, ponha a mão nos ombros. Mas se sua mão "transitar" por si mesma em direção ao estômago, isso significa que a origem da doença está no estômago. Trate então o estômago até que o *Byosen* tenha desaparecido.

Mesmo quando a medicina tradicional já não pode fazer nada, muitas vezes é possível atenuar dores por meio do Reiki, ou até livrar-se delas definitivamente.

Às vezes, o *Byosen* se manifesta de forma atípica: o movimento ondular pode levar só um terço do tempo normal. Se for este o caso, adapte o ritmo do tratamento, pois é o próprio corpo do paciente que determina sua cura.

Em doenças agudas, como no caso de intoxicação alimentar, o *Byosen* se manifesta em "picos" rápidos e vigorosos. Isso não é motivo de preocupação. O que vem depressa também se vai depressa.

Tanto Usui Sensei quanto Hayashi Sensei ensinavam um símbolo empregado quase exclusivamente no trabalho com o *Byosen*. Esse símbolo deve ser usado unicamente quando o *Byosen* atinge um ponto alto. Na maioria dos casos, isso acontece cerca de quatro vezes por hora. A ideia por trás desse tipo de tratamento é semelhante à homeopatia. Primeiro se constrói energia, já que a energia é sempre pré-requisito da cura. Sem energia suficiente, o corpo não consegue se regenerar. Por isso, deve-se esperar a formação de um potencial energético, e só então a energia liberada é usada para a cura.

O símbolo em questão é ensinado aos alunos no primeiro grau (*Shoden*) do Jikiden Reiki. Takata Sensei também ensinava esse símbolo, e alguns de seus discípulos o aprendiam com ela. Mas não quero me estender aqui sobre os símbolos do Reiki – isso é matéria para um seminário de Reiki, e não para um livro.

91. Cinco exemplos de percepção do *Byosen* numa sessão de uma hora, de cima para baixo: 1. *Byosen* indolente com poucas alterações: doença crônica; 2. "picos" rápidos e fortes que logo se acalmam: doença aguda, p. ex. infecção; 3. *Byosen* que se intensifica lentamente: início de um tensionamento ou moléstia; 4. *Byosen* intenso que só aos poucos fica mais fraco: uma moléstia grave; 5. *Byosen* permanente de quinto grau: p. ex., câncer.

O corpo humano enquanto unidade

Quando recomendamos que você trate uma região problemática de maneira intensiva, não queremos dizer que se deva tratar um órgão em separado. Gosto de explicar isso pelo exemplo de uma paciente que sofria de neurodermite crônica nas palmas das mãos e nas plantas dos pés. Desde a infância, essa paciente tinha uma neurodermite nas mãos e nos pés que só pelo aspecto já causaria dor em qualquer pessoa. Eu a atendi diariamente num período de 15 dias. Primeiramente, pedi a ela que não usasse detergente ou sabonete enquanto durasse o tratamento. Convidei-a para uma sessão diária de cerca de uma hora e recomendei que, depois de cada visita, esfregasse as mãos no toalete com sua própria urina. Já que uma sessão diária não é possível financeiramente para a maioria das pessoas, sugeri que ela se deixasse tratar por meus alunos como parte de meus cursos de Reiki, sob minha supervisão. Nós nos encontramos diariamente, e ao longo de toda a primeira semana tratei sobretudo seu fígado (30 a 45 minutos), mas também a cabeça (15 a 30 minutos). Quando o corpo se desintoxica através da pele, pode-se supor que o fígado não funcione bem. Outro aluno trabalhava nos rins, um segundo nas mãos e um terceiro nos pés e nas plantas dos pés. Nos dias em que havia muitos participantes no curso, manipulávamos também outras partes do corpo.

Depois de alguns dias, as mãos da paciente começaram a formigar. Isso a deixou bem preocupada, mas eu achei que era bom sinal. Sabia que o tratamento estava surtindo efeito – lembre-se da metáfora de Hayashi Sensei sobre o "rio assoreado" (no sentido de "enlodado" ou "obstruído pelo lodo").

Nessa altura, as mãos e os pés da paciente tinham cor rubra intensa e a pele já não apresentava rachaduras. O *Byosen* do fígado caíra do grau cinco para o grau três ou menos, e agora eu podia incluir outras partes do corpo no tratamento. No nono dia, ela teve de repente uma menstruação de intensidade fora do comum, e nos dias seguintes trabalhei em seu abdome, sobretudo em seus ovários. O *Byosen* havia passado do fígado para os rins e daí para o abdome. Depois de o *Byosen* cair também ali para um grau aceitável, o tratamento foi encerrado com sucesso.

Byosen, um diagnóstico energético

Preciso dizer aqui claramente que o diagnóstico baseado na arte do *Byosen* é um diagnóstico de tipo energético. Isso tem várias implicações interessantes. A primeira é o aspecto legal: se você não for um médico ou terapeuta diplomado, não pode estabelecer um diagnóstico médico. A segunda implicação tem a ver com o trabalho terapêutico: nós diagnosticamos algo que eventualmente pode não ser detectável pelo diagnóstico da medicina tradicional. Isso é importante sobretudo na prevenção e nos cuidados posteriores ao tratamento de doenças graves como o câncer. Quando o paciente é considerado curado e recebe alta do hospital, mas mesmo assim você sente um *Byosen* de quarto ou quinto grau nas zonas problemáticas, é porque o problema de saúde ainda não foi resolvido. Então, é importante continuar o trabalho até o fim.

Pode acontecer de o *Byosen* se intensificar durante o trabalho, digamos depois de duas semanas de tratamento. Isso não implica necessariamente uma piora no estado de saúde do paciente. Pode significar que finalmente o verdadeiro estado físico do paciente pode ser avaliado de maneira correta.

Quando, por exemplo, o paciente teve de tomar medicamentos fortes por longos períodos de tempo, como no caso de uma quimioterapia, e o sistema imunológico está muito debilitado por esse motivo, o corpo não consegue reagir à energia que flui para dentro e o *Byosen* se "esconde" nas camadas de tecido mais profundas. No entanto, assim que o corpo é abastecido de energia, o *Byosen* antes imperceptível pode voltar à superfície.

Se um paciente, por exemplo, depois de uma quimioterapia, for considerado curado, mas se você ainda sentir um *Byosen* forte, é de extrema importância continuar o trabalho até que o *Byosen* caia pelo menos para o segundo grau.

A mesma coisa vale para um paciente cuja energia de corpo e mente foi tão exaurida por excessos ou abusos, a ponto de o *Byosen* tornar-se imperceptível. Na maioria dos casos, isso pode ser resolvido facilmente. Hayashi Sensei dizia que se deve começar tratando um paciente de energia baixa ou exaurida ao menos por 30 minutos na cabeça. Só então o *Byosen* pode subir à superfície.

Quero explicar a outra variante pelo exemplo de uma doença grave. Há alguns anos, fiz parte de um grupo que atendeu um homem em Caracas que sofria de diabetes gravíssimo. Alguns de seus artelhos já tinham sido amputados, ele não enxergava mais e sentia dores violentas. Nos primeiros dois dias, nenhum de nós sentiu o *Byosen* durante o tratamento. Eu punha minhas mãos acima e abaixo do pâncreas e não sentia nada. Era como se eu tivesse um pedaço de plástico nas mãos. Já estávamos prestes a dizer à mulher do paciente que não podíamos mais ajudá-lo, quando na terceira manhã ela contou que o marido, pela primeira vez em meses, não precisara de anestésicos. No terceiro dia, seu corpo "despertou" lentamente e o *Byosen* tornou-se perceptível. Infelizmente, não pude continuar o tratamento desse senhor até o fim, pois dali a alguns dias tive de voltar para casa.

O trabalho com o *Byosen* em doentes graves

Mesmo em situações aparentemente sem saída, o trabalho com o *Byosen* é benéfico e eficaz. Chiyoko Sensei recomendava tratar um doente grave ao menos por um mês, se possível diariamente. Depois de quatro semanas, pode-se avaliar os resultados terapêuticos e traçar um plano de trabalho eficiente para o segundo e o terceiro meses. Depois de três meses, dizia ela, na maioria dos casos o problema já estaria resolvido.

Depois de uma palestra minha no Rio de Janeiro, uma senhora me abordou para pedir um conselho. O marido dela, disse, sofria de falência total dos rins e tinha de fazer diálise três vezes por semana. Recebia aplicação de insulina cinco vezes ao dia e tinha uma deficiência cardíaca que em breve seria operada. Como eu podia ajudá-la? Propus que ela trouxesse o marido até mim todos os dias. Ela realmente conseguiu trazer o marido diariamente durante duas semanas, e eu o tratei com meus alunos. Depois de uma semana, o marido contou que não tinha dormido bem porque precisou ir ao banheiro constantemente durante a noite. "Você sabe o que isso significa", observei, pois o paciente era médico de profissão. Hoje, ele é um iniciado em Reiki, e todos os seus auxiliares no consultório também praticam o Reiki... Os rins voltaram a funcionar normalmente e a taxa de açúcar no sangue caiu em mais de 50%.

Um conselho para a terapia de pacientes de câncer: comece tratando a região da parte do corpo afetada e, ao longo das semanas de tratamento, aproxime-se cada vez mais da verdadeira zona problemática. Desse modo, você fortalece as células saudáveis e contribui para evitar que o câncer se espalhe no organismo.

Do ponto de vista do *Byosen*, saúde e doença não existem. Existe somente um acúmulo maior ou menor de substâncias tóxicas no organismo. Quando o corpo consegue isolar essas substâncias tóxicas, já está a meio caminho da cura. Por isso, temos de encarar a doença com amor e gratidão. Se o paciente não estivesse doente, poderia muito bem já estar morto! A doença não é algo ruim – é no pior dos casos um recurso primitivo do corpo para conservar a vida.

Aguce sua percepção

A arte de trabalhar com o *Byosen* não deve ser confundida com as habilidades psíquicas ou com a intuição. A abordagem japonesa não é intuitiva. Ela se baseia numa percepção aguçada que já descrevemos acima. A capacidade de percepção pode ser aprendida, e a maneira mais fácil de fazê-lo é na presença de um professor experiente.

Ao longo dos anos, observei que o conhecimento técnico do mestre é transmitido naturalmente para os alunos quando eles se encontram em sua presença. Trata-se de uma lei natural da espiritualidade. A vibração mais alta transforma a mais baixa.

Para aguçar sua capacidade de percepção, de um lado você tem de elevar sua consciência, e de outro tem de aprender a esvaziar a mente. Comece registrando com muita atenção todas as informações que seus sentidos lhe transmitem. Observe o corpo do paciente com o máximo de atenção e consciência. Registre cada detalhe. O cliente pode não saber do que necessita, mas seu corpo sabe e exige isso. O corpo dele lhe enviará um sinal sob a forma dos cinco graus do *Byosen*. O *Byosen* atrairá sua atenção, atrairá suas mãos. O *Byosen* também lhe dirá quais as etapas da cura e o que fazer a seguir.

O vazio interior

A consciência humana se torna incrivelmente forte quando a mente se esvazia e se liberta de todos os pensamentos. Imagine que você esteja comendo, bebendo, patinando sobre gelo, telefonando e fazendo cálculos matemáticos altamente complexos, tudo ao mesmo tempo. É claro que não pode dar certo. A mesma coisa acontece no trabalho com o Reiki. Quanto mais você estiver voltado exclusivamente para o Reiki, mais eficaz será o resultado.

Você não precisa fazer nada especial – o Reiki flui através de você. Assim, você obtém vantagens em vários níveis. Primeiro, o fluxo de energia é maior. Depois, você não se cansa, e em terceiro lugar não se perde em pensamentos egoístas. Em quarto, pode usar o trabalho com o Reiki ao mesmo tempo para sua disciplina pessoal ou para a meditação.

Afaste os obstáculos

1. Você não sente nada

Se você não sentir absolutamente nenhum *Byosen* no organismo de uma pessoa diagnosticada com doença grave, é porque o corpo do paciente está intoxicado demais para poder reagir. Isso ocorre, por exemplo, depois de um tratamento prolongado com medicamentos fortes, depois de uma quimioterapia ou em casos graves de abuso de drogas, diabetes etc. Normalmente, depois de duas ou três sessões de Reiki o corpo recupera energia suficiente para reagir. Se o *Byosen* continuar no grau cinco depois de três sessões, recomende ao paciente que procure um médico. Faça isso naturalmente, sem alarmar o paciente.

Para conhecer o *Byosen*, é preciso investir paciência e muitas horas de treino. Mas o investimento vale a pena, pois pode melhorar enormemente os resultados de um tratamento de Reiki. Tenho certeza de que você achará essa arte útil, tanto em sua vida pessoal como no trabalho com os pacientes.

A técnica do *Joshin Kokyu-Ho* (ver capítulo "Técnicas japonesas de Reiki") também ajuda a aprimorar a percepção. Além disso, reflita sobre o sistema de percepção que você usa prioritariamente. Você é uma pessoa cinestésica (percepção do movimento), auditiva ou visual? Certa vez, conversei com uma conhecida minha que é musicista. Ela me contou que tinha o segundo grau do Reiki, mas não sentia a energia. Refleti que era impossível ser um músico e não ser capaz de sentir. Portanto, aconselhei-a a ouvir o corpo de seu próximo paciente como se ele fosse uma canção. Ela me telefonou depois para contar que havia escutado o corpo e agora conseguia ouvir e sentir.

Se você for do tipo auditivo, escute. Se for cinestésico, sinta. Se for visual, observe (as imagens exteriores e interiores, mas também as imagens etéreas).

2. Uma das mãos está mais sensível do que a outra

Treine a mão que está menos sensível. Escolha um local com *Byosen* forte e coloque ali a mão mais sensível. Espere um pouco e deixe que o *Byosen* se desenvolva. Quando você receber um sinal forte, troque de mão e deixe o *Byosen* se desenvolver novamente. Se o sinal enfraquecer, mude para a mão mais sensível. Com um pouco de prática, as duas mãos logo estarão sentindo a energia com a mesma intensidade.

3. Você sente um *Byosen* diferente em cada mão

As substâncias prejudiciais se acumulam em muitos locais do organismo, e assim pode acontecer de você sentir um *Byosen* diferente em cada uma das mãos. Isso nada tem a ver com a sensibilidade das mãos, pois é exatamente o que se passa no corpo do paciente. O local onde uma das mãos está colocada pode ter mais toxicidade do que o local onde repousa a outra mão. Além disso, os movimentos ondulares são distintos e não estão em sincronia.

4. Você sente o *Byosen* do paciente em seu próprio corpo

O *Byosen* "atrai" o Reiki. Portanto, não se preocupe se você sentir o *Byosen* do paciente em seu próprio corpo. Seja grato. Esse é um recurso maravilhoso para descobrir o que se passa no corpo do paciente. Tenho certeza de que você já sentiu isso muitas vezes, mas talvez tenha interpretado mal a sensação. Por exemplo, você pode sentir uma pontada no rim esquerdo ou dor súbita num dente durante a sessão de tratamento.

Use então seu corpo como "instrumento de medição". Assim que você perceber algo incomum em seu próprio corpo, toque o local correspondente no corpo do paciente, e a dor em seu próprio corpo desaparecerá. Agora, você sentirá o *Byosen* somente no local que está tocando no corpo do paciente.

5. Você sente o *Byosen* somente num dos dedos ou no dorso da mão
Isso pode ocorrer quando o local atingido é muito pequeno. Um exemplo: quando os dentes de leite começaram a nascer na boca de minha filha, muitas vezes as dores a acordavam durante a noite. Comecei então a mandar-lhe o "Reiki a distância", e sempre sabia imediatamente que dentinho estava nascendo através da gengiva.

6. Você não sente o *Byosen* nas mãos, e sim em outro local do corpo
Um amigo meu sente o *Byosen* nos pés, em vez de nas mãos. Seja receptivo a tudo o que você assimila, confie em sua sabedoria interior. Se tiver dúvidas, peça o conselho e o apoio de seu professor.

Palavras encorajadoras

Os caminhos do *Byosen* até agora não foram descritos de maneira sistemática. Trabalhe como um "pioneiro" da espiritualidade. Cada paciente, cada doença, cada destino são únicos. Tenha a certeza de que a única coisa exigida de você é um coração cheio de amor. O resto acontece naturalmente... Quanto mais você se afastar de seu próprio ego, mais o Reiki assumirá o trabalho.

Tenho confiança de que uma combinação desses exercícios e a recepção do *Reiju* terão efeito maravilhoso sobre suas mãos e sobre o corpo e a alma de seus pacientes. Os pacientes – pessoas para quem você pratica o Reiki – serão abençoados, e o último desejo de Usui Sensei se cumprirá: o de que o Reiki cure o planeta e seus habitantes.

Três técnicas tradicionais do *Byosen*

1. Tratamento na região problemática

Temos três técnicas à disposição para trabalhar eficazmente com o *Byosen*. A primeira técnica não é realmente uma "técnica" – é uma resposta à informação que você recebe de seu paciente. Um paciente vem à clínica e descreve seu problema físico, diagnosticado por um médico. Talvez sinta dores ou incômodo numa determinada região do corpo. Coloque suas mãos naquela região e sinta o *Byosen*. Se perceber um *Byosen* forte, de quarto ou quinto grau, saberá que algo grave se passa naquela região e requer, portanto, um tratamento especial e talvez também prolongado. Enquanto mantém as mãos sobre a região do corpo, observe os pontos altos e baixos do *Byosen*. Ele vem e vai em movimentos ondulares. Continue com o tratamento até que os pontos altos caiam para o grau um ou dois.

A eficácia dessa técnica se mostrou de maneira impressionante num de meus seminários. Uma participante deveria ser operada da vesícula biliar alguns dias depois do *workshop*. Ela tinha cálculos biliares muito dolorosos e os médicos não vislumbravam outra saída senão a operação. Todos os dias, num total de cinco, o grupo inteiro trabalhou para lhe administrar o Reiki. No primeiro dia, senti um *Byosen* forte de quinto grau. Durante o tratamento, uma pessoa segurava a cabeça; outra, os pés; duas ou três mais ficavam em outras posições, enquanto eu mantinha minhas mãos o tempo todo sobre a região da vesícula – com uma das mãos na barriga e outra nas costas. Depois de dois "picos", o *Byosen* mudou e caiu para um forte grau quatro. Senti frio naquela região – um sinal do quarto grau. Imaginei como as pedras na vesícula se transformam em pó. No dia seguinte, começamos de novo com um leve *Byosen* de quinto grau, e a partir daí o *Byosen* caiu dramaticamente. No terceiro dia, senti apenas uma forte comichão – terceiro grau. No final do *workshop*, depois de cinco dias, eu só sentia calor. Aconselhei a participante a fazer mais um exame antes da cirurgia, pois sabia que o corpo dela já estava em condições de cuidar de si mesmo. Seus poderes curativos tinham sido reativados, e eu tinha certeza de que o corpo poderia se curar sozinho. Os outros participantes também sentiam isso. O médico ficou surpreso com os resultados do exame e cancelou a operação.

2. Reiji-Ho

A segunda técnica é chamada em japonês "*Reiji-Ho*". Ela provém diretamente de Usui Sensei, tal como ele a ensinava a seus discípulos. A Usui Reiki Ryoho Gakkai descreve o *Reiji-Ho* como um dos pilares do Reiki. A técnica foi aperfeiçoada com o passar do tempo. Isso pode causar estranheza, pois ela aparentemente é bem simples. Mas garanto a você que funciona. O *Reiji-Ho* pode ser traduzido literalmente como "indicação do espírito ou da alma" ou, no nosso caso, como "indicação do Reiki". É uma técnica tão importante que voltarei a ela no capítulo "Técnicas japonesas de Reiki".

Instruções para o *Reiji-Ho*

1. Junte as mãos na posição *Gassho* e incline-se ligeiramente para a frente. Observe agora como o Reiki flui dentro de você. (A maioria das pessoas sente uma pulsação ou ondas de energia entre as palmas das mãos. Um iniciado em Reiki consegue sentir isso imediatamente.)

2. Peça pela cura e pelo bem-estar do paciente em todos os sentidos (sem fazer juízo de valor).

3. Leve as mãos em posição *Gassho* até a testa. Peça ao Reiki que conduza suas mãos até o local em que elas são mais necessárias nesse momento.

Você receberá uma inspiração que lhe dirá onde deve pôr as mãos. Isso pode acontecer de várias maneiras. Pode ocorrer como pensamento ou sensação. Você pode enxergar uma imagem interior ou etérea. Você pode simplesmente saber onde colocar as mãos. Você pode sentir o que está acontecendo com o paciente. Ou pode ter uma sensação sutil num local específico de seu próprio corpo que lhe mostra o caminho certo. (Para descobrir se é esse o caso, ponha as mãos no local correspondente do corpo do paciente e verifique se a sensação em seu próprio corpo desapareceu.)

Depois de captar a informação por qualquer dessas formas, ponha as mãos no corpo do paciente e observe o *Byosen*. Dependendo da intensidade do sinal, continue ali até que o *Byosen* caia para o grau um ou dois. A primeira parte dessa técnica tem relação com a intuição, mas a segunda depende de percepção. E é isto o que me agrada especialmente no trabalho com o *Byosen*. Você sempre pode verificar o que aprendeu intuitivamente colocando as mãos no corpo do paciente.

Há alguns anos, mostrei essa técnica a um velho amigo que é um médico internacionalmente conhecido. Fiquei alguns segundos de pé por trás dele e então lhe contei que regiões de seu corpo precisavam de cuidados. Ele mal acreditou em seus ouvidos e me convidou imediatamente a demonstrar a técnica numa conferência médica. Essa técnica contribui muito para a eficácia do Reiki como método terapêutico e deve ser aprendida por todo praticante de Reiki.

Depois de trabalhar algum tempo com ela, você não precisará mais seguir os passos prescritos e encontrará seu próprio caminho para que ela surta efeito. Talvez você precise apenas olhar para uma pessoa para dizer o que acontece no corpo dela. Pessoalmente, não tenho muita habilidade com essas coisas, mas consegui aprender a técnica – portanto, tenho certeza de que você também vai conseguir!

A técnica do *Reiji-Ho* inclui mais uma arte avançada de trabalho clarividente, além das já descritas anteriormente. Não posso explicá-la aqui por bons motivos, mas ela é ensinada exclusivamente em meus seminários. Koyama Sensei dizia que são precisos muitos anos de trabalho para entendê-la. Portanto, comece por aqui – a técnica do *Reiji-Ho* trará muita alegria a você e seus pacientes e abrirá de par em par os portais de sua intuição.

3. "Escanear" o corpo interiormente ou exteriormente

A terceira técnica consiste em investigar ou examinar o corpo do paciente (método do *"scanning"*). Comece pela cabeça e mantenha as mãos alguns centímetros acima do corpo. Devagar e de maneira constante, continue "percorrendo" a aura do paciente. Enquanto você a examina, preste atenção nas mudanças sutis da sensibilidade de suas mãos. Investigue o corpo inteiro e memorize os locais que chamaram sua atenção (ou anote-os por escrito). Dirija-se então ao local cujo impulso era mais forte, ponha as mãos ali e espere até o *Byosen* se manifestar. Tanto na segunda como na terceira técnica, o *Byosen* "atrai" suas mãos para o local que está precisando de cuidados.

Você também pode examinar o corpo interiormente. Ponha as mãos sobre o corpo do paciente e sinta com cuidado o que acontece lá dentro. Faça isso com amor e numa atitude de entrega. Você ouvirá a "melodia" do corpo que está tocando. O corpo e a mente revelarão seus segredos.

Talvez suas mãos já sejam perceptivas e você não encontre dificuldades no método do *"scanning"*. Se não for o caso, suas mãos podem precisar de um pouco mais de treino de percepção. Uma das mãos pode ser mais perceptiva do que a outra, mas com a prática as duas conseguem sentir a energia com a mesma eficácia. É possível que você sinta o *Byosen* com uma das mãos ou com as duas, dependendo do tamanho da região afetada. É possível também que você o sinta só num dedo ou no dorso da mão. Você pode se surpreender com a exatidão da percepção do *Byosen*.

O *Byosen* é um recurso poderoso para aumentar a eficácia do Reiki e otimizar os resultados do tratamento. Quero encorajar você a experimentar com as técnicas descritas acima e descobrir com excitação a utilidade prática do *Byosen*. O trabalho com o *Byosen* exige treino e paciência, mas tenho certeza de que você vai descobrir que o investimento é válido em função dos resultados.

Exercícios de percepção

Nas próximas páginas, gostaria de explicar como você pode sensibilizar suas mãos para sentir melhor o *Byosen* e assim tratar seus pacientes com mais eficácia. Para entender melhor as explicações a seguir, leia com atenção o capítulo sobre o *Byosen*.

É importante entender que sentir o *Byosen* não é uma habilidade psíquica, e sim um tipo de percepção. Essa percepção pode ser aperfeiçoada pela prática de exercícios simples. Se você quiser desenvolver suas habilidades psíquicas, use a técnica do *Reiji-Ho*, descrita acima.

Sensibilidade e percepção

Caso você já tenha recebido uma harmonização ou "sintonização" do Reiki, com certeza suas mãos já são perceptivas, mas talvez você precise de um treino extra de percepção para sentir o *Byosen* com clareza. O caminho tradicional de fortalecimento da percepção no Reiki se divide em duas etapas. Uma delas depende do professor, e a outra depende de sua prática pessoal. Hayashi Sensei exigia às vezes que seus discípulos treinassem primeiro sozinhos por algum tempo antes de ele fazer a "sintonização" com eles.

Exercícios com o professor

Reiju

O presente mais valioso que um mestre de Reiki pode dar a você é o *Reiju*, um ritual que significa algo como "sintonia", "combinação" ou "harmonização". A palavra *"rei"* significa "alma" ou "espírito", e a palavra *"ju"* significa "dar" ou "conceder". Quando as forças espirituais ocultas dentro de você são ativadas pelo professor, a energia desperta e suas mãos se tornam altamente sensíveis. Meu ritual de *Reiju* predileto é um que aprendi com Chiyoko Sensei no verão de 2002. No entanto, qualquer ritual comprovado de ativação do Reiki que esteja próximo do original surtirá efeito. No Japão, o *Reiju* é celebrado para pessoas, certificados de Reiki, cristais de quartzo e, segundo Koyama Sensei, até para o sal usado depois em lares japoneses.

Como mencionado anteriormente, o Reiki é uma energia espiritual dentro de você. Mas essa energia que tudo anima e tudo inspira tem de ser despertada para que você possa usá-la para si mesmo ou para outras pessoas. Imagine que sua avó tenha enterrado um tesouro sob sua casa há muitos anos. Enquanto ninguém souber da existência do tesouro, ou não souber onde está enterrado, ele não terá utilidade nenhuma. Portanto, é necessário haver uma pessoa que saiba onde a preciosidade se esconde. Essa pessoa é o professor de Reiki – supondo que ele mesmo tenha aprendido a capacidade de despertar o Reiki dentro de você.

É uma capacidade que lhe foi revelada pessoalmente por seu mestre no curso de formação de professores de Reiki. Com base nessa experiência, o professor tem condições de conduzir o ritual do despertar (*Reiju*) diante de você. Portanto, ele precisa de uma formação reikiana junto a um mestre, que por sua vez também aprendeu com outro mestre, cada um no tempo devido.

"Ignição" inicial

Geralmente, o crescimento espiritual se dá a partir de uma "ignição" inicial que parte de um professor ou mestre espiritual. Quando a chama já está ardendo, o aluno de Reiki pode continuar trabalhando por conta própria, mas volta e meia precisará do exemplo do professor e talvez também do apoio de colegas que já estão alguns passos à frente no caminho do Reiki. Só assim ele saberá para onde conduzir a prática reikiana. Quando apresento palestras, tudo o que faço é mostrar a meus ouvintes – por meio de minhas palavras, meus gestos, a sinceridade e o amor que nos últimos anos encontraram um lar em meu coração – como se desenvolve uma pessoa que escolheu o caminho do Reiki. E, por saber que sou exatamente igual a você, mostro a você, por alguns minutos ou horas, seu próprio futuro. Isso transmite coragem e confiança aos iniciantes.

O professor de Reiki deve ser um exemplo para seus alunos. Deve mostrar-lhes como integrou as regras de vida em seu dia a dia. À sua própria maneira, deve seguir o "juramento Bodhisattva" (já apresentado à p. 163) e cultivar amor e compaixão em seu coração. Uma parte da iniciação consiste justamente em transmitir essas virtudes aos alunos.

Graças a seu trabalho interior, o professor elevou seu nível de energia e iluminou seu coração. A frequência mais alta de sua irradiação se transfere aos alunos em sua presença. Portanto, escolha seu professor com cuidado. Se ele mesmo não for feliz, não poderá tirar você do lamaçal.

Uma sintonização bem-sucedida

Um aspecto técnico também é importante na sintonização: o professor aprendeu a reconhecer quando a energia espiritual é ativada no aluno. Mas esse é apenas o primeiro passo. O próximo são a prática e os exercícios de Reiki em conjunto, assim como a elaboração da filosofia, da história e das técnicas terapêuticas do Reiki. Só então o professor pode enviar seu aluno à humanidade com a consciência em paz e um sorriso nos lábios.

Mais tarde, depois de praticar o suficiente, o aluno pode desenvolver sua própria visão do Reiki. Takata Sensei escreveu em seu diário: "Junte as mãos, volte sua atenção para o *tanden* (ver p. 31) e espere pelo sinal." Ela não explica que "sinal" é esse, mas tenho fortes indicações de que ela tinha em mente uma sensação que você também deve conhecer. As mãos postas começam a esquentar e pulsam numa frequência bem diferente, que nada tem a ver com os batimentos cardíacos. Chamo essa pulsação de "pulso do Reiki". Para fortalecer a percepção desse pulso, pratique as técnicas *Hatsurei-Ho* apresentadas no capítulo "Técnicas japonesas de Reiki".

A responsabilidade do professor

O professor é responsável tanto pelos alunos quanto pela qualidade de seu trabalho. Aqui não existe meio-termo. Ou eu me dedico ao trabalho de professor com o coração e a alma, ou devo fazer outra coisa até algum dia (talvez) essa disposição surgir dentro de mim.

A iniciação ao Reiki sempre traz consequências positivas. O iniciante se lembra de sua essência, e isso modifica seu estado físico, emocional e espiritual. Ele se enxerga sob uma luz mais clara e experimenta mudanças em todos os níveis. Talvez, por meio do Reiki, ele encontre energia para substituir por algo mais significativo um emprego que o desagrada ou um relacionamento no qual é infeliz. Ou ele encontra em seu coração uma alegria perdida há muito tempo e modifica "somente" sua atitude perante a vida. É possível que ele comece a se alimentar melhor, tanto no plano físico como no espiritual, e em todas essas mudanças ele é apoiado e aconselhado por seu professor. O professor ajuda o aluno a se livrar de suas dependências e mostra, pelo seu próprio exemplo, como agir de forma independente e com alegria de viver.

A responsabilidade do aluno

Cada pessoa é responsável por si mesma, mas só aos poucos ela assume essa responsabilidade na vida. Chamo a isso de "processo de tornar-se um ser humano". Viemos ao mundo com um potencial que temos condições de realizar plenamente ao longo da vida. É um processo ao mesmo tempo alegre e triste, que atravessa montanhas e vales, doença e saúde, prazer e sofrimento – em outras palavras, vida e morte.

Sessões de tratamento junto com o professor

Quando estudei com Chiyoko Sensei, os colegas de seminário treinavam diariamente dando Reiki um ao outro. Era fácil aprender sob a orientação de Chiyoko Sensei: com 65 anos de experiência e um coração cheio de amor, ela era especialista em tratamentos de Reiki. Eu me sentia como um "bebê do Reiki" em sua presença...

Nós, os alunos, percebemos que era mais fácil sentir o *Byosen* quando trabalhávamos junto com ela. Na presença física do mestre, a vibração do aluno se eleva momentaneamente ao mesmo nível. Quando o professor é capaz, suas capacidades se tornam (por algum tempo) as mesmas do aluno, e assim este aprende mais depressa. Repetindo essa experiência tantas vezes quanto possível, o aluno consegue trabalhar mais tarde da mesma maneira.

O melhor caminho para trabalhar sozinho é dar o Reiki a um doente grave, pois nesse caso o *Byosen* é fortemente perceptível. Quando o paciente se sente "só um pouco mal", o *Byosen* geralmente tem intensidade mínima e dificilmente pode ser percebido por um principiante.

Suas próprias sessões de tratamento

Se você já teve uma boa formação junto ao professor, pode agora descobrir por si mesmo o mundo maravilhoso do *Byosen*. Pode praticar as técnicas descritas acima, e sobretudo pode tratar outras pessoas.

Sugiro que, pelo menos no início, você mantenha um registro de cada sessão. Anote nos mínimos detalhes o que você sentiu durante a sessão. Deixe papel e caneta ao alcance da mão e um relógio que você possa consultar. Assim que o *Byosen* for perceptível, olhe para o relógio e anote o horário. Quando o *Byosen* atingir um ponto alto, anote de novo. Quando baixar, anote também. Depois da sessão, você poderá então analisar as características individuais do *Byosen* e lidar com elas com mais eficácia da próxima vez.

De certa forma, o *Byosen* tem sua própria personalidade. É útil saber isso, sobretudo quando se faz "tratamento a distância" com outra pessoa. Você também sente o *Byosen* nesse caso, e se numa emergência você não souber se o paciente está vivo, mas conhecer bem seu *Byosen*, poderá sentir o que se passa com ele naquele momento...

Depois de cada sessão

Segundo Hayashi Sensei, depois de cada sessão de tratamento deve-se usar a técnica do *Ketsueki Kokan* no paciente. *"Ketsueki"* significa "sangue" ou "movimento do sangue", e *"Kokan"* significa "troca" ou "renovação". Em outro livro, eu a descrevi como "técnica da circulação do sangue", que não é uma tradução errada, embora a tradução literal seja mais exata. Com efeito, a intenção aqui é substituir por líquidos purificados e limpos os líquidos corporais acrescidos de substâncias prejudiciais depois de uma sessão de Reiki. Lembre-se mais uma vez da analogia de Hayashi Sensei do "rio poluído". A água turva é transportada para fora, e em muitos casos (mas não sempre) ocorre uma crise terapêutica. A técnica do *Ketsueki Kokan* é usada para evitar ou ao menos aliviar essa crise.

Se você alguma vez não tiver tempo para uma sessão inteira ou está tratando um paciente com problemas de metabolismo, pode usar a técnica isoladamente, ou se necessário várias vezes em seguida. Ela dura cerca de 4 minutos (ver capítulo "Técnicas japonesas de Reiki").

Ficha terapêutica

Na próxima página apresento um modelo de ficha para você registrar o andamento de suas sessões de Reiki. Se quiser, pode copiá-lo. Com as experiências e observações sucessivas, você poderá entender o *Byosen* cada vez melhor e trabalhar de maneira cada vez mais eficaz. Muitas felicidades nesse percurso!

Técnicas japonesas de Reiki

Nas próximas páginas eu gostaria de apresentar as técnicas tradicionais de Reiki que Usui Sensei ensinava a seus discípulos. Na Usui Reiki Ryoho Gakkai, é dessa maneira que até hoje elas são ensinadas, treinadas em grupo e integradas no trabalho prático com o Reiki. Muitas das técnicas também foram ensinadas por Chiyoko Sensei, mas outras ela não considerava essenciais. Para termos uma visão de conjunto, todas serão incluídas aqui.

Eu as pratico há cerca de 10 anos e por meio delas tive muitas vivências bonitas, surpreendentes e inspiradoras. Tenho certeza de que elas também trarão alegria a você.

No entanto, desde já é preciso esclarecer que o Reiki não é uma técnica, e assim não precisa de técnicas. A energia simplesmente existe... Mas talvez você precise, pelo menos por algum tempo, de uma técnica ou um ritual que lhe permita "contornar" a compreensão racional. Então, o Reiki poderá desabrochar livremente e mostrar seus efeitos. Quanto menor for o eu, maior será o Reiki...

Ficha terapêutica de Reiki para determinar o *Byosen*

Nome do paciente:		
Idade:	Data de nascimento:	Sexo:
Endereço e telefone:		
Local e data da sessão:		
História clínica conhecida:		
Sintomas:		
Comentário:		
Byosen:		
Comentário do paciente:		

Ficha terapêutica (em alemão, espanhol e inglês)
disponível para download em www.reikidharma.com

A melhor técnica

A melhor técnica é aquela da qual você não precisa mais. Não porque ela seja ruim, ou porque não sirva para mais nada, e sim porque, depois de algum tempo, você não precisa mais dela para chegar ao objetivo desejado. Na Índia se diz que "o professor de música quebra seu instrumento". Mas é claro que isso exige anos de dedicação e prática.

Assim como na meditação, os resultados dessas técnicas não aparecem necessariamente de imediato. Elas são ao mesmo tempo um desafio para sua vontade de aprender e uma possibilidade poderosa de disciplinar sua mente. É possível que uma ou outra técnica mostre um resultado imediato, mas que depois parece desvanecer-se. Isso poderia sugerir que a técnica deixou de ser útil. Mas não é verdade, pois no começo você simplesmente não está acostumado à quantidade crescente de energia que flui através de seu corpo, e por isso reage fortemente, percebendo essa energia de maneira exagerada. Porém, depois de algum tempo ela não lhe parece mais tão intensa, ou talvez você nem a sinta mais. Pela prática, você se acostumou a um nível alto de energia. Se isso acontecer, simplesmente continue praticando cada técnica muitas vezes, sempre que houver uma oportunidade numa sessão de tratamento.

Algumas dessas técnicas servem para aumentar sua capacidade de percepção, para que você possa sentir o *Byosen* com mais clareza. São as que Usui Sensei chamava de *Hatsurei-Ho*, e que devem ser praticadas diariamente. Mais abaixo você encontrará a explicação de cada uma delas.

Comece portanto com as técnicas *Hatsurei-Ho*, com o *Reiji-Ho* e com a percepção do *Byosen*, pois as três coisas juntas constituem a essência do ensinamento de Reiki.

Concentre-se nessas técnicas focalizando toda a sua energia, e você será fartamente recompensado por seus esforços.

Caso ainda não tenha aprendido essas técnicas pela leitura deste livro, é aconselhável procurar alguém que as ensine perto de onde você mora. Afinal, os melhores professores não são os livros, e sim pessoas em carne e osso que você possa tocar e que possam tocar e orientar você.

A razão disso é evidente. O Reiki significa transformação e recuperação de um estado original. Quando o professor faz esse trabalho interior, consegue transmiti-lo também a seus alunos.

Se você não achar de imediato um professor apropriado, comece por conta própria, mas mantenha os olhos abertos, pois a vida lhe revelará um professor capaz assim que você precisar dele. Confie nisso...

As técnicas abaixo já foram descritas em meu livro *Das Reiki-Kompendium* [*Compêndio de Reiki*, Editora Windpferd], mas eu gostaria de explicá-las sob uma luz mais clara, quase 10 anos depois, com base em minha experiência e numa compreensão mais profunda. Eu ensino essas técnicas no mundo inteiro e outras pessoas as descreveram em cursos, em livros e na Internet. Às vezes elas são descritas como ferramentas, deixando de lado a relação com a prática terapêutica. É um erro que eu gostaria de corrigir aqui.

Segue-se uma explicação detalhada das técnicas, inclusive de seus pressupostos energéticos e/ou esotéricos, assim como juízos práticos empíricos que se mostraram ao longo dos últimos anos. Algumas técnicas têm o sufixo *"-ho"*, que significa "técnica", e outras têm o sufixo *"chiryo"*, que significa "tratamento".

合掌瞑想

1. Primeira técnica *Hatsurei-Ho*: *Gassho Meiso* (meditação *Gassho*)

Preparação

A primeira técnica para fortalecer a percepção é a meditação *Gassho*. Sente-se de olhos semicerrados num aposento tranquilo, de preferência à meia-luz. Pode ser útil colocar a língua tocando os dentes da frente e respirar pelo nariz e expirar pela boca. Quando você expira, a língua cai automaticamente para baixo. Se quiser, imagine que você está contemplando uma coisa bonita através das pálpebras fechadas, cerca de 10 cm adiante de você. Isso ajuda a focalizar a energia no "terceiro olho" e facilita a atitude de voltar-se para dentro.

Tome providências para não ser incomodado ou interrompido por algum assunto pendente. Desligue o telefone e diga "adeus" por meia hora a todas as atividades mundanas.

Se você conseguir ficar sentado na maior tranquilidade possível e sem movimentar o corpo e a mente, os resultados serão os melhores. Caso você sinta dores nas costas ou pruridos nos joelhos, continue o exercício. Não se incomode também com pensamentos isolados... tudo passa, inclusive a dor.

Tome cuidado para que a região acima e abaixo do umbigo esteja relaxada, e não contraída. Use calças confortáveis e, se necessário, abra o botão de cima para poder respirar facilmente no *tanden* (dois dedos abaixo do umbigo). Se preciso, você pode apoiar suas costas. Pode também sentar-se contra uma parede.

No começo, pode ser útil fazer o exercício de manhã ou durante o dia, quando você não estiver exausto pelo trabalho diário.

Junte as mãos diante do coração. A palavra "*Gassho*" significa "mãos postas".

A posição tradicional do *Gassho* é a seguinte: mãos postas, com as palmas se tocando. Cada dedo toca o dedo correspondente da outra mão. As mãos devem ser mantidas com as pontas dos dedos logo abaixo da altura do nariz. Os cotovelos não devem tocar o corpo, e entre a parte superior do braço e o corpo deve haver espaço para um ovo. As costas devem estar eretas e a cabeça elevada, como se fosse sustentada por um balão de gás.

Ogawa Sensei sugeriu manter as mãos de tal forma que o ar expirado pelo nariz acaricie suavemente as pontas dos dedos. Isso dá uma ideia da altura ideal das mãos. A meditação deve levar você a um "estado livre do ego", um estado de paz e contentamento interiores.

Pressupostos esotéricos da meditação *Gassho*

No Japão costuma-se dizer que o dedo médio tem a maior potência energética. Por isso, esse dedo é usado em trabalhos pontuais, por exemplo na técnica *Hesso Chiryo* descrita a seguir ou no tratamento dos canais auditivos (enfiar suavemente o dedo médio no canal auditivo, com o anular e o indicador colocados ao lado da orelha). Além disso, você pode usar esse dedo para tratar os dentes ou os globos oculares.

No budismo esotérico, a mão esquerda representa a lua, e a mão direita representa o sol.

Cada dedo simboliza um dos cinco elementos:

Os polegares representam o vazio.
Os indicadores representam o ar.
Os dedos médios representam o fogo.
Os anulares representam a água.
Os dedos mínimos representam a terra.

Quanto às pontas dos dedos, o budismo esotérico diz o seguinte:

Os polegares representam atividade.
Os indicadores representam percepção.
Os dedos médios representam receptividade.
Os anulares representam forma.
Os dedos mínimos representam inteligência.

Do ponto de vista da ciência da meditação, o sol, a lua e todos os elementos se reúnem quando você junta as mãos. O círculo se fecha e a corrente energética flui de maneira regular. Se você concentrar sua atenção no dedo médio, irá acentuar o aspecto "fogo" da meditação; a consciência consome então os elementos inconscientes, e o que resta é o estado de alerta.

Além disso, as pontas dos dedos abrigam muitas terminações nervosas e meridianos. O meridiano que termina no dedo médio é o meridiano do pericárdio da mão, *jueyin*. Ele corre do tórax para o lado interno do braço, passando pelo pulso e pela palma da mão e terminando na ponta do dedo médio. Se suas mãos ficarem cansadas durante a meditação, abaixe-as suavemente e descanse-as em seu colo. No entanto, continue voltando a atenção para o local em que os dois dedos médios se tocam.

Indicações gerais de meditação

No mundo inteiro, pessoas que meditam constataram que a meditação é mais fácil quando a coluna fica ereta, ou seja, num ângulo de 90° em relação à bacia. Isso não significa que não se possa meditar sentado numa cadeira ou deitado. Assim que você aprende o truque, consegue meditar em qualquer lugar e a qualquer momento, com os olhos fechados ou abertos. O estado de meditação perpassa então todos os afazeres e preenche a vida com descontração, encanto e sossego restaurador. Tudo pode ser como é; nada tem de ser modificado, alcançado ou excluído de nossas vivências.

Se possível, deixe os olhos fechados o tempo todo para conservar a energia em seu interior, ou mantenha-os semiabertos num ângulo de 45° sem fixar a visão em nada. Estamos acostumados a olhar para todos os lados e deixar que os impulsos visuais nos atraiam. Esses impulsos levam a sequências de pensamentos que você segue automaticamente e que levam você à floresta do inconsciente. Geralmente, os impulsos que nos conduzem são percepções sensoriais.

Meditação de olhos abertos

Caso você não se sinta bem de olhos fechados, deixe-os abertos, mas sem se concentrar num ponto específico e sem piscar. Depois de alguns minutos, seus olhos se encherão de fluido lacrimal, mas continue o exercício. Depois de treinar isso algumas vezes, você terá condições de não piscar nenhuma vez durante toda a meditação. Não é bom piscar porque o movimento de piscar os olhos e a emergência de pensamentos geralmente acontecem juntos. Quem não pisca, não pensa. Você também pode usar uma venda nos olhos para mantê-los fechados sem grande esforço.

Deixe a respiração ir e vir livremente

Deixe o ar entrar livremente em seu corpo. Não há motivo para controlar ou regular a respiração. A única coisa que você deve fazer é respirar profundamente no abdome (é a chamada "respiração abdominal"). Caso você não saiba como fazê-lo, peça a alguém que lhe mostre o procedimento ou ponha a mão sobre o abdome e respire em direção à região que você está tocando. Em pouco tempo você aprenderá a técnica. Acostume-se a treinar todos os dias, e logo sua respiração chegará cada vez mais profundamente ao abdome. Um exercício que ajuda a aprender rapidamente a respiração abdominal é a técnica do *Joshin Kokyu-Ho*, descrita mais adiante.

Sintonize seu estado de espírito

O objetivo da meditação *Gassho* é elevar seu nível de energia e colocar você num estado de espírito meditativo. Pratique-a todos os dias, de manhã ou à noite (ou de manhã e à noite), sozinho ou em grupo, ao menos por 25 minutos.

Nosso estado de espírito normal equivale a uma espécie de "loucura caótica". O truque consiste em conscientizar-se dessa "loucura" e transformar o veneno em néctar, sem tentar reprimir os pensamentos caóticos.

Osho contou certa vez uma narrativa maravilhosa do mulá Nasrudin, personagem de histórias de humor da mística islâmica, cujas histórias esclarecem a natureza humana.

O mulá tinha em seu jardim uma linda macieira que dava frutos deliciosos. Essa circunstância era conhecida na vizinhança, e muitas crianças entravam furtivamente no jardim do mulá para surrupiar suas maçãs assim que elas amadureciam. Sempre que o mulá via uma criança subindo na macieira, saía correndo e berrando de casa para perseguir o delinquente. Certo dia, um vizinho que observara o drama diário do mulá puxou-o de lado pelo braço e disse: "Mulá, você é um homem pacífico e a árvore em seu jardim dá muito mais frutos do que você é capaz de comer – por que então persegue essas crianças?"

"As crianças são como pensamentos", retrucou o mulá. "Quando você as afugenta, pode ter certeza de que elas voltarão."

Lembre-se dessa história quando você meditar. Não afugente os pensamentos que encobrem seu olho interior. Observe-os, aceite-os e então volte a concentrar sua atenção no ponto em que os dois dedos médios se tocam.

Já observamos em centenas de participantes de seminários que esse tipo de meditação vai ao encontro tanto da mente oriental quanto da ocidental.

Velhos e jovens a apreciam, independentemente de sua origem. Um comentário que costumamos ouvir depois desse exercício é que ele parece facilitar a muitos de nós a observação de nosso diálogo interior e um estado de espírito menos inquieto do que antes.

A técnica

Junte suas mãos na posição *Gassho* descrita acima. Volte sua atenção para o local em que os dedos médios se tocam. Observe agora o que se passa nas palmas de suas mãos e em seus dedos. É provável que você sinta calor, uma pulsação ou comichão em alguns lugares, ou em toda a mão e nos dedos. Isto é Reiki! Concentre sua atenção ao menos 25 minutos nesse processo. Repare sobretudo nos dedos médios, pois eles têm o maior potencial energético (ver foto 92). Quando acabar o tempo reservado para a meditação, deixe cair as mãos e continue sentado mais alguns minutos antes de voltar às atividades normais.

92. Posição *Gassho* com os dedos médios.

Se você tiver mais tempo, continue da seguinte maneira:

Exercício adicional

Este exercício pode ser feito de olhos abertos ou fechados, preferivelmente num local à meia-luz, pois assim talvez você consiga enxergar a energia produzida. Koyama Sensei dizia que é possível enxergar a energia quando ela aflora dos dedos em raios violeta. Você pode vê-la de olhos abertos ou fechados. Se à meia-luz não for possível, você pode praticar o exercício à luz do dia ou num belo local ao ar livre. Pessoalmente, sinto o Reiki como uma bola de energia de cor violeta escura que cresce e diminui diante do olho interior, como a lua no céu de uma noite clara.

A técnica

Junte as mãos na posição *Gassho*. Afaste um pouco as palmas até criar um espaço de 2 a 3 cm entre elas. Sinta a energia entre as mãos. Quando a sentir, "pressione" o ar/energia entre as mãos, afastando-as devagar e trazendo-as de novo uma ao encontro da outra. Você também pode movê-las lentamente como se estivesse "moldando" uma bola de energia.

Afaste as mãos devagar uma da outra. Use o tempo necessário para continuar sentindo a energia presente entre as palmas.

Quando você deixar de sentir a energia, aproxime as mãos. Afaste-as de novo quando o campo energético se formar novamente. Continue assim até chegar a uma distância entre as mãos mais ou menos da largura entre os ombros.

Por fim, leve as mãos, no ritmo que achar mais conveniente, devagar e conscientemente de volta para a posição *Gassho*. Fique alguns minutos nessa posição e então ponha as mãos lentamente sobre o colo. Espere um pouco até voltar às atividades normais.

Esse exercício pode ser feito num trem, na natureza, em casa ou no escritório, quando você tiver alguns minutos. Quando você visitar um local de grande poder energético (por exemplo, o monte Kurama), poderá sentir a energia imediatamente só ao afastar as mãos uma da outra. Não existe limite de tempo para esse exercício. Você mesmo deve determinar a duração adequada para cada situação.

Exercícios em dupla para fortalecer a percepção

Exercício 1: Faça o exercício descrito logo acima com um parceiro e encoste uma de suas mãos na palma da mão do parceiro. Continue então como foi descrito.

Exercício 2: Coloque uma das mãos (direita ou esquerda, não importa) sobre o corpo do parceiro e a outra sobre sua própria coxa. Caso seu parceiro tenha algum problema físico, ponha sua mão sobre o local em questão. Se ele não tiver um problema ou não tiver consciência dele, ponha a mão sobre seu ombro. Talvez você se lembre, conforme já expliquei, de que as substâncias tóxicas se acumulam nas grandes articulações, nos órgãos internos, na cabeça, no sistema linfático e nas regiões doentes do corpo. Nos ombros ou entre as escápulas, o *Byosen* pode ser percebido rapidamente.

Agora, preste atenção no que você sente em cada uma das mãos. Conhecer o "pulso do Reiki" pode ajudar a distinguir a sensação em cada uma.

Sempre que você toca um corpo humano – o seu próprio ou o de outra pessoa –, a energia começa a fluir imediatamente. Isso sempre acontecerá se você estiver sintonizado com a energia do Reiki, Não importa o que você esteja fazendo, se está desperto ou dormindo, consciente ou inconsciente, de bom humor ou no meio de um dia ruim.

Você terá sensações diferentes em cada mão. A mão sobre sua coxa sentirá provavelmente um leve "pulso do Reiki". Será uma sensação quente, relaxada, agradável e neutra (a não ser que você tenha acabado de sair da Corrida de São Silvestre). A outra mão sentirá algo bem diferente: você sentirá o *Byosen* no ombro de seu parceiro. Talvez você sinta prurido ou pulsação forte ou até dores na mão.

Exercício 3: Um parceiro senta-se calmamente enquanto o outro se prepara para o exercício.

Comece com a Técnica 1 e deixe a energia se formar entre as palmas de suas mãos. Aumente devagar a distância entre elas. Quando essa distância chegar a cerca de 15 cm, estenda as mãos até a cabeça do parceiro, deixando a cabeça entre elas. Movimente as mãos devagar, afastando-as e aproximando-as da cabeça, e sinta as mudanças sutis no fluxo de energia. Esse exercício não é um exame: é uma espécie de sessão de tratamento e um treino da percepção do fluxo energético. Ele também pode ser praticado a distância. Para isso, siga o mesmo procedimento de um tratamento a distância.

Depois de 10 a 15 minutos, os parceiros devem trocar as posições após comentar suas experiências. Relaxe, e agora o parceiro cuidará de você.

Esses exercícios são executados sem a posição *Gassho* descrita anteriormente. No entanto, antes de começá-los, sempre junte as mãos na posição *Gassho*, esperando até sentir o "pulso do Reiki". Só então inicie o tratamento.

Lembre-se da compaixão

Enquanto estiver praticando as técnicas descritas acima, nunca se esqueça de que você faz isso para o bem de seu paciente. Se você se exercitar com essa atitude, não se envolverá demasiado nos acontecimentos ao redor. O objetivo último do Reiki não é um criar um "fogo de artifício" de energia, e sim transmitir compaixão. Lembre-se da quinta regra de vida do Reiki: seja carinhoso, compassivo e gentil com as outras pessoas (*hito ni shinsetsu ni*).

浄身呼吸法

1. Segunda técnica *Hatsurei-Ho*: exercício de respiração *Joshin Kokyu-Ho* para purificar a mente

Preparação

Este segundo exercício serve ao mesmo tempo para fortalecer a percepção de energia e o fluxo de Reiki. Lembre-se da lei suprema da energia: aquilo em que você concentrar sua atenção crescerá... Concentre sua atenção na sensibilidade e na energia, e você receberá mais de ambas.

A expressão japonesa *"joshin kokyu-ho"* (também grafada *"joshin kokyuu-ho"*) significa "exercício de respiração para limpar a mente". É uma técnica de respiração que fortalece a energia. Ela ensina a extrair conscientemente energia do cosmos e reuni-la em seu *tanden*. Depois disso, você pode deixar que ela irradie através de suas mãos.

Essa técnica aumenta seu Reiki e ajuda você a se sentir como um bastão oco de bambu – puro canal de energia. Praticando-a, você verá claramente que a energia não lhe pertence. Ela é uma força que permeia tudo e faz pulsar todas as formas de vida. Com um pouco de treino, você perceberá que as forças que você manteve para sua energia pessoal se fundem com a energia cósmica em seu corpo-mente. Então, torna-se muito difícil traçar um limite: onde termina o universo e onde começa o "eu"?

É um grande prazer ensinar essa técnica, sobretudo para iniciantes no Reiki, pois muitas vezes eles estão convencidos de que todos os outros conseguem perceber, ver ou sentir a energia, mas eles não o conseguem por serem especialmente insensíveis. Com base em minha experiência pessoal, posso dizer que ninguém resiste a essa técnica!

Sente-se em posição confortável, num aposento de preferência na penumbra, de olhos abertos ou fechados. Para descobrir o que é mais fácil, experimente os dois jeitos. Algumas pessoas sentem mais pensamentos passando pela cabeça de olhos abertos, outras se ocupam mais mentalmente de olhos fechados. E, para complicar, o efeito pode mudar dependendo do estado de espírito. Portanto, tudo depende de sua situação no momento. Experimente as duas coisas por 1 ou 2 minutos.

Tome providências para não ser incomodado ou interrompido por assuntos urgentes. Desligue o telefone e esqueça os afazeres mundanos por 15 minutos.

Se você conseguir ficar sentado na maior tranquilidade possível e sem movimentar o corpo e a mente, os resultados serão os melhores. Caso você sinta dores nas costas ou pruridos nos joelhos, continue o exercício. Depois de algum tempo, a dor desaparecerá se você não lhe der atenção.

Tome cuidado para que a região acima e abaixo do umbigo esteja relaxada, e não contraída. Use calças confortáveis e, se necessário, abra o botão de cima para poder respirar facilmente no *tanden* (dois dedos abaixo do umbigo).

O *tanden*

O *tanden* é um ponto situado dois a três dedos abaixo do umbigo. Não deve ser confundido com o segundo chakra, pois é um ponto distinto e independente.

Caso você não consiga sentir esse ponto em seu próprio corpo, experimente um dos exercícios abaixo. Se você já conhece o *tanden*, pode pular esta seção e os exercícios que se seguem.

Exercício 1 – centrar-se no *tanden*: Talvez você conheça esse exercício pelo Tai-Chi Chuan. Fique confortavelmente de pé, as pernas afastadas na distância da largura dos ombros, e incline a bacia cerca de 2 cm para trás. Respire profundamente algumas vezes. Livre-se de toda a tensão corporal e pense em algo agradável. Abra ligeiramente a boca e leve a língua ao céu da boca ao inspirar. Inspire através do nariz. Expire pela boca, e então deixe a língua baixar naturalmente até a base da boca.

Então, dobre os joelhos em "câmera lenta", concentrando sua atenção no hipogástrio (parte inferior do abdome). Faça isso bem devagar. De repente, você perceberá um ponto no hipogástrio, dois a três dedos abaixo do umbigo. Nesse lugar reside sua energia vital – é o centro de seu ser. Comece agora com a técnica de respiração. Pode ser útil pôr uma das mãos ou as duas sobre o hipogástrio e respirar em direção à região que você está tocando.

Não respiramos somente através dos pulmões, e o que ingerimos ao respirar não é só a mistura de gases que se costuma chamar de "ar". A moderna pesquisa médica demonstrou que toda célula tem condições de respirar. Isso também significa que temos de morrer quando essa capacidade é interrompida por algum tempo, como no caso de queimaduras graves. Todas as disciplinas esotéricas sabem que nós "respiramos" energia – Ki, Chi, Prana ou como você quiser chamá-la – através dos pulmões e da pele, nosso maior órgão.

Como mencionei num livro anterior, alguns faquires do passado conseguiam manter suas funções corporais sem qualquer tipo de alimentação, coisa que também fazem hoje em dia alguns "artistas da respiração". É bem conhecido o fato de que pessoas em boa forma física podem jejuar até seis semanas sem sofrerem complicações (mas nunca tente isso por conta própria – o jejum sempre deve ser praticado sob a supervisão de um terapeuta!). Para manter o corpo vivo, precisamos somente de uma pequena quantidade de alimentos. O que fazemos determina a quantidade de "combustível" que nosso corpo tem de consumir necessariamente.

Eu, pessoalmente, não vejo grande utilidade em deixar de comer ou respirar. Somos aquilo que somos, absolutamente perfeitos, mesmo quando nossos pulmões estão cheios de ar e nossos estômagos, cheios de comida! Acima de tudo, é importante podermos usar melhor as energias de matéria fina que nos circundam. Quanto mais crescermos em nosso caminho espiritual, maiores serão as quantidades de "combustível sutil" necessárias para mantermos a mente clara e o coração puro.

Para atingir esse objetivo, você tem de aprender a respirar em direção ao abdome, até chegar ao *tanden*.

Exercício 2 – balançar-se no *tanden*: Fique confortavelmente de pé, as pernas afastadas na distância da largura dos ombros. Incline a bacia cerca de 2 cm para trás. Respire profundamente algumas vezes. Livre-se de toda a tensão corporal e pense em algo agradável. Abra ligeiramente a boca e leve a língua ao céu da boca ao inspirar. Inspire através do nariz. Expire pela boca, e então deixe a língua baixar naturalmente até a base da boca.

Então, dobre os joelhos em "câmera lenta", concentrando sua atenção no hipogástrio (parte inferior do abdome). Faça isso devagar e conscientemente. Agora, balance o corpo a partir do abdome de um lado para o outro. Tanto faz balançar da esquerda para a direita ou da direita para a esquerda. Durante o balanço, estenda os dois braços em ângulo reto ou dobre os cotovelos em ângulo reto para impulsionar o corpo. Preste atenção no hipogástrio, e você perceberá que está balançando ao redor de um eixo. Esse eixo é o *tanden*.

Exercício 3 – respirar com força em direção ao *tanden*: O terceiro exercício é praticado em algumas escolas de artes marciais. Fique confortavelmente de pé, as pernas afastadas na distância da largura dos ombros. Flexione um pouco os joelhos, devagar e conscientemente, e leve então os dois braços para diante do *tanden*, formando um "triângulo" com os polegares e indicadores. Inspire através do nariz e através do abdome. Ao inspirar, leve as mãos até diante do plexo solar. Ao expirar, coloque-as de novo diante do *tanden*. Respire com força e fazendo ruído, imaginando que está "empurrando" ar e energia no *tanden*, com a ajuda das mãos. Ao expirar, imagine que você está "expirando" ar para o fundo da terra através dos pés. Depois de dois ou três minutos, você estará profundamente "enraizado" na terra e nada poderá tirar você do equilíbrio, no sentido físico ou espiritual.

Esse exercício é um belo exemplo da força do *tanden*. Se você aprender a respirar assim, nem mesmo dois ou três homens fortes conseguirão levantar você!

Exercício 4 – caminhar a partir do *tanden*: Quando você tiver achado o *tanden*, pratique a seguinte "meditação ao andar". Você pode praticá-la em casa, talvez descalço (se não estiver muito frio) sobre um piso de madeira ou de pedra, ou ao ar livre, na natureza. Reserve para isso alguns minutos e dê primeiro alguns passos em "câmera lenta".

Ao caminhar, preste atenção no *tanden*. Imagine que você está caminhando a partir do *tanden*, ou que o *tanden* conduz você. Pode ser útil imaginar que o *tanden* e a ponta do nariz estão alinhados entre si.

Pressupostos esotéricos do *Joshin Kokyu-Ho*

A respiração é o portal da consciência. Se você respirar profundamente no baixo-ventre, seu coração espiritual se alargará e você se fortalecerá no sentido espiritual e físico. O significado do *tanden* é algo típico da cultura japonesa. Sobre esse tema, recomendo o livro de Karlfried von Dürckheim intitulado *Hara* (publicado pela Editora Otto Wilhelm Barth).

O períneo (*"hui yin"* em chinês), situado entre os órgãos sexuais e o ânus, é encarado tanto na China quanto no Japão como um dos mais importantes portais de energia. Nesse local, a energia vital pode irradiar facilmente a partir do corpo. Por isso, na cultura taoísta, o *hui yin* é contraído em associação com determinados exercícios de respiração.

O objetivo dessa contração é manter a energia vital no corpo e fazê-la subir pela espinha dorsal até os centros energéticos superiores.

Esse exercício previne problemas de próstata e ejaculação precoce na relação sexual. Em algumas correntes do Reiki, essa técnica é praticada durante o *Reiju*, coisa que, aliás, não tem utilidade a mais, pois o Reiki está dormente no interior do aluno e só precisa ser despertado.

A técnica

De início, essa técnica não deve ser praticada por mais de 3 a 5 minutos. Se você se sentir tonto ou confuso, é porque já passou do limite. Nesse caso, pare o exercício imediatamente, respire em seu ritmo natural e retome suas atividades normais.

Respire através do nariz e imagine que você está inspirando uma mistura de ar e energia do Reiki através da parte superior da cabeça (o chakra da coroa). Leve a respiração até o baixo-ventre, em direção ao *tanden*.

Prenda a respiração e a energia ali por alguns instantes. Enquanto isso, imagine a energia se espalhando em seu corpo e no corpo energético, preenchendo todos os locais e enriquecendo-os. Deixe o néctar fluir... e expire em seguida devagar e conscientemente. Prenda a respiração apenas por alguns segundos – você não precisa estabelecer um novo recorde mundial! Encontre seu próprio ritmo.

Expire pela boca e, ao fazer isso, imagine que você também está "expirando" a energia acumulada em seus dedos, pontas dos dedos, pés e artelhos.

Você pode fazer esse exercício sozinho, para aumentar "sua" energia, ou praticá-lo durante uma sessão de tratamento. Se você respirar assim durante uma sessão, imagine que está expirando sobretudo através da boca e das mãos (colocadas sobre o corpo do paciente). Você ficará surpreso com o "efeito turbo" do Reiki. Vá aumentando lentamente o ritmo de sua respiração, até que ela volte ao normal.

Efeito secundário: tome cuidado, uma respiração correta pode mudar sua vida!

Medida de precaução

Durante a gravidez ou em caso de hipertensão, você deve fazer esse exercício com cuidado, pois ao ser, praticado de repente ou por tempo demais, pode aumentar a pressão arterial. Recomendo que você respire duas ou três vezes do jeito normal e então tome um fôlego como foi descrito acima. Se estiver em dúvida, meça sua pressão durante o exercício. Aumente devagar o tempo de respiração. Comece com dois minutos, até a pressão arterial cair sozinha.

3. Terceira técnica *Hatsurei-Ho*: Kenyoku, ou "banho seco"

Ao longo dos anos, conheci três versões diferentes desta técnica maravilhosa. É difícil dizer qual delas é a correta. Experimente todas e descubra qual versão combina melhor com você. Não precisa ser sempre a mesma... Siga a sabedoria interior de seu corpo. Minha metáfora sobre isso é: no chuveiro você não precisa de um ritual para decidir que parte do corpo deve lavar primeiro. Tudo depende da situação em que você se encontra.

O *Kenyoku* é usado para fortalecer a energia e para você se separar de pessoas, situações, pensamentos e emoções; é como ficar sob uma cachoeira e deixar-se lavar da cabeça aos pés pelo néctar cristalino da montanha.

O *Kenyoku* tem três pressupostos esotéricos: o primeiro é budista, e o segundo e terceiro têm origem no xintoísmo.

A. No zen-budismo existe uma técnica muito semelhante ao *Kenyoku*. Deslize a mão direita duas vezes em diagonal do esterno (osso do tórax) esquerdo para o quadril direito. Repita isso com a mão esquerda, do lado oposto. Em seguida, desenhe com uma das mãos o *"dai shin"* ou "grande espírito" (ver foto 93) sobre sua cabeça e elabore esse símbolo nas camadas superiores de sua aura. Com isso, você volta a se reunir ao Todo e se purifica de tudo o que não é essencial.

B. No xintoísmo, antes de algumas ações de culto (por exemplo, a bênção de objetos), o sacerdote executa um ritual quase idêntico ao *Kenyoku*.

C. No xintoísmo há um ritual de purificação para o corpo, a mente e a alma chamado *"misogi"*. O praticante deve trajar um quimono branco (mulher) ou uma tanga branca (homem) sob uma cachoeira. Ali, ele purifica corpo, mente e alma de todas as impurezas para se reunir ao plano divino.

Caso você não tenha uma cachoeira por perto, pode recorrer à técnica do *Kenyoku*!

Como sabemos, Usui Sensei teve formação tanto zen-budista quanto xintoísta, e pode ter se inspirado em ambas para a criação desse ritual.

A técnica

Versão 1: Ponha sua mão direita sobre o lado esquerdo do peito, na altura do osso esterno. Então, deslize-a suavemente em diagonal pelo corpo até o quadril direito. Faça o mesmo movimento com a mão esquerda, começando pelo lado direito do peito, sobre o esterno, e deslizando-a pelo corpo até o quadril esquerdo. Repita o movimento inicial com a mão direita.

Coloque então a mão direita sobre o ombro esquerdo e deslize-a suavemente pelo lado interno do braço até chegar à palma da mão, aos dedos e às pontas dos dedos. Faça o mesmo com a mão esquerda sobre o lado interno do braço direito, e em seguida de novo com a mão direita sobre o lado interno do braço esquerdo.

Aprendi essa versão com um ex-monge budista. Em sua escola de Reiki, os praticantes fazem ao final a posição *Gassho*, para exprimir gratidão.

Versões 2 e 3: As duas outras versões começam da mesma forma, com três percursos diagonais das mãos pelo corpo. Na segunda versão, continue deslizando a mão por três vezes (direita, esquerda, direita) pelo lado exterior do braço. Na terceira versão, deslize a mão pela parte interna do pulso até as pontas dos dedos.

Se você for canhoto ou sentir-se melhor deslizando a mão esquerda, comece por mão essa.

4. Quarta técnica: *Reiji-Ho*, ou "indicação da energia do Reiki"

A palavra japonesa *"reiji"* significa "indicação ou orientação da alma ou do espírito". No diário de Takata Sensei, essa técnica é descrita como "a principal na ciência da energia".

A técnica ensina você a seguir sua intuição. Não precisamos desenvolver a intuição, pois ela já nos foi concedida no nascimento como presente divino. Precisamos apenas aprender a ouvi-la – e então segui-la. Com frequência, todos nós já vivemos situações em que não seguimos nossa intuição, que se revela muitas vezes como uma primeira impressão sobre algo ou alguém – e depois lamentamos profundamente não tê-la seguido! Eu, pessoalmente, quanto mais confio em mim mesmo e na vida, mais clara se torna minha intuição.

A suposição de que nós criamos nossa realidade e manifestamos os acontecimentos e situações de nossa vida pode ser muito satisfatória para o ego, mas minha experiência não comprova absolutamente essa teoria. Claro que precisamos ser receptivos para termos condições de receber a plenitude, mas em última análise a vida segue seu próprio caminho – apesar de nós. No entanto, podemos aprender aqui e agora a não deter o fluxo da vida, e sim fluir com ele e deixar que a vida se viva a si mesma.

93. *Dai shin* no templo zen-budista Tenryu-ji em Kyoto.

No caso do Reiki e da técnica *reiji*, isso significa sermos como um bastão oco de bambu pelo qual a energia possa fluir, independentemente de onde, quando e como isso aconteça.

As instruções dessa técnica são simples e objetivas: sente-se ou fique de pé em posição confortável e feche os olhos. Junte as mãos diante do coração e peça à energia que flua livremente através de você. Peça a cura e o bem-estar do seu "recebedor" (ou seja, seu paciente) em todos os níveis, independentemente do que isso signifique. Levante as mãos postas até o "terceiro olho" e peça ao Reiki que conduza suas mãos ali onde elas são necessárias.

Espere para ver o que acontece. Talvez você seja levado imediatamente a uma determinada região do corpo. Isso pode ocorrer de várias maneiras. Se você tiver sobretudo orientação visual, talvez veja uma parte do corpo diante do olho interior, ou a parte do corpo que precisa de tratamento "salte" visualmente diante de você.

Se você confiar mais na audição, talvez ouça a parte do corpo que precisa tratar.

Se você for do tipo cinestésico ou sensitivo, talvez simplesmente sinta o local exato do "recebedor" que deve tocar. Muitas pessoas se dão conta do local em seu próprio corpo.

Siga todas as indicações que você tiver à disposição. Use todos os seus sentidos e sua consciência corporal para se sintonizar com seu "recebedor". Você também pode pedir a seu "recebedor" que pergunte ao corpo dele onde ele gostaria de ser tocado. Muitas vezes, é bastante evidente o que acontece com o corpo de uma pessoa quando você simplesmente o vê à sua frente, na cama de massagem. Observe exatamente como sua cabeça está deitada – reta ou inclinada de lado? O corpo treme ou palpita? Os membros estão retos, ou uma perna parece maior do que a outra? A coluna vertebral está curva? Se você sentir um tremor ou palpitação, mas não souber de onde vem a tensão, reproduza essa tensão com cuidado em seu próprio corpo e tente descobrir de onde ela vem. Por exemplo, um desequilíbrio na região do ombro esquerdo poderia ter origem na parte inferior direita das costas (coluna lombar). Quando você achar a parte do corpo tensionada, trate-a com o Reiki.

Se você não receber imediatamente uma mensagem clara pela técnica do *reiji*, mantenha uma das mãos ou as duas sobre o chakra da coroa (no topo da cabeça) do seu "recebedor" e sintonize-se com ele. Peça ao paciente que preste atenção em algum movimento interior em seu corpo. Assim que ele sentir o movimento, deve avisar você. Então, ponha as mãos sobre essa parte do corpo. Depois de alguns anos de treino – ou quando for capaz de ouvir bem sua intuição –, talvez você tenha condições de "enxergar" o problema de saúde do "recebedor" apenas olhando para ele.

Quando seu "recebedor" está deitado diante de você na cama de massagem e você sente suas próprias mãos "atraídas" para a região da barriga, poderia ficar na dúvida sobre qual órgão interno está "atraindo" suas mãos. Koyama Sensei acha que a maneira mais fácil de descobrir é simplesmente perguntar a si mesmo: seria a vesícula biliar, seria o intestino grosso ou o pâncreas? etc. Procure a resposta às suas perguntas em suas mãos. Você tem de descobrir por si mesmo como receber essa resposta: pode ser uma comichão nas mãos, certa sensação de calor ou de atração magnética, ou simplesmente você já sabe a resposta...

A noção de que estamos separados do resto do mundo é uma ilusão. Devemos ter clareza de que a sabedoria é infinita e está à disposição de todos nós. Só precisamos aprender a "captar" o saber coletivo da humanidade. Na concepção do *Reiji-Ho*, você não precisa fazer mais nada a não ser pedir que isso aconteça.

Assim que você tiver dominado a arte do *Reiji-Ho* para a cura, pode empregá-la também em outros aspectos da sua vida, por exemplo, em sua criatividade, na busca de soluções ou na busca de um imóvel...

5. Quinta técnica: *Nentatsu-Ho*, ou "técnica de autodesintoxicação"

Aprendi esse exercício no meu primeiro seminário com Chiyoko Yamaguchi. É um método que se destina à autodesintoxicação. As instruções de Chiyoko Yamaguchi são as seguintes: ponha sua mão esquerda sobre o *tanden* e a direita na testa. Então, leve à testa sua energia reunida. Visualize sua testa se enchendo com essa energia. Quando a testa estiver repleta de energia, leve a energia ao *tanden*. Por fim, levante as duas mãos juntas com o dorso para cima, de tal maneira que os chakras das mãos fiquem um sobre o outro. Repita o exercício quantas vezes quiser, ou enquanto lhe der prazer.

6. Sexta técnica: *Reiki Mawashi*, "circuito ou corrente de Reiki"

A palavra japonesa *"mawashi"* significa "circuito" ou "corrente". Nesse exercício, uma corrente de energia do Reiki é conduzida através de um grupo de praticantes, de maneira semelhante à que muitos de vocês fazem em seus encontros de Reiki. Sentem-se em círculo e posicionem as mãos alguns centímetros acima ou abaixo das mãos das pessoas à direita e à esquerda de cada um. A mão esquerda tem a palma virada para cima e a mão direita tem a palma virada para baixo. O professor põe o fluxo de energia em movimento e manda a energia à pessoa à sua esquerda. Esta recebe a energia com a mão direita, deixa-a fluir através de seu corpo e passa-a adiante pela mão esquerda à próxima pessoa do círculo. A corrente de energia deve continuar por pelo menos 10 minutos. Também pode ser praticada com as mãos se tocando na mesma posição.

Na Usui Reiki Ryoho Gakkai, costuma-se dizer que essa técnica serve para deixar as mãos mais perceptivas e para conservar a saúde dos membros do grupo. O membro mais jovem da associação já tem quase 70 anos; portanto, pode-se supor que a técnica funcione. Depois do exercício, você sentirá melhor as palmas de suas mãos e o fluxo energético. Quanto maior a frequência do exercício (por exemplo, uma vez por semana por pelo menos 10 minutos), mais permeável será o praticante para a passagem de energia.

Não sei se a direção em que a energia é enviada faz alguma diferença. Existem muitas teorias sobre o magnetismo terrestre. Algumas afirmam que, acima do Equador, o exercício deveria ser praticado para a direita e, abaixo do

Equador, para a esquerda. As teorias são ótimas, mas de maneira nenhuma devem nos restringir. Experimente as duas direções e descubra por si mesmo o que dá mais prazer a você e a seus amigos reikianos. Nossas preferências provavelmente têm raízes em nossas crenças. A energia flui nas duas direções em todos os lugares do nosso planeta – e também fora dele. Depois de começarmos a trilhar o caminho e aprendermos a mandar energia, é irrelevante se a dirigimos para a esquerda, a direita, para cima ou para baixo.

Muitas vezes, a energia do grupo supera a soma da energia dos participantes, e em todos os graus de ensino do Reiki podem ocorrer curas espontâneas. Geralmente, conduzo esse exercício em meus seminários por 10 a 15 minutos. Símbolos do Reiki não são usados nesta técnica.

7. Sétima técnica: *Shu Chu-Reiki*, "tratamento em grupo"

Trata-se aqui de um exercício em grupo de "Reiki concentrado". O conceito japonês *"shu chu"* significa literalmente "concentrado". A técnica pode ser praticada num tratamento em grupo; por exemplo, num encontro de Reiki. O "recebedor" se deita numa cama de massagem ou senta-se confortavelmente enquanto os outros participantes põem as mãos sobre ele. A experiência demonstrou que é importante tratar a cabeça, as plantas dos pés, o *tanden* ou baixo-ventre, o coração, o fígado, os rins e os canais linfáticos. Tudo depende de quantas pessoas participam do exercício. Com três a oito participantes, o tratamento deve durar pelo menos de 30 a 40 minutos.

Se o grupo for muito grande, o exercício deve ser conduzido por 5 a 10 minutos. Já o realizei com mais de 100 participantes, e assim em pouco tempo pode-se fazer algo de realmente bom para um doente grave.

Para o "recebedor" do tratamento, o exercício pode ser uma experiência intensa; por isso, muitas vezes não é aconselhável tratar dessa maneira pacientes emocionalmente instáveis.

Em grupos grandes, às vezes não é possível deixar que todos os participantes toquem no paciente. Nesse caso, geralmente formamos várias "fileiras" ao redor da cama de massagem. A primeira fileira toca o "recebedor" diretamente; a segunda e a terceira tocam os ombros das pessoas à sua frente. Dessa forma, a energia flui e circula através de todos os participantes do exercício, alcançando finalmente também o paciente. É uma experiência maravilhosa para todos os envolvidos.

8. Oitava técnica: *Enkaku Chiryo (Shashin Chiryo)*, "técnica de cura a distância"

Consta que Usui Sensei sentia especial carinho pela cura a distância. Ele a usava às vezes, pedindo ao "recebedor" que esperasse no aposento ao lado. Ensinava essa técnica durante o *Okuden koki* (a última parte do *Okuden* – equivalente ao nosso segundo grau). A palavra japonesa *"enkaku"* significa "enviar", e *"chiryo"* significa "tratamento". O método também é conhecido no Japão pelo conceito *"Shashin Chiryo"*, ou "tratamento fotográfico". Ogawa Sensei observou que antigamente só pessoas ricas podiam receber Reiki a distância, pois os pobres não tinham dinheiro para tirar fotografias.

É provável que existam tantos métodos de cura a distância quantos são os praticantes de Reiki. Todos esses métodos foram criados para ajudar a concentração mental.

Se possível, use uma foto do "recebedor", a não ser que você o conheça bem. Escreva o nome e a data de nascimento dele no verso da foto. Se alguém lhe pedir que mande Reiki a distância para uma pessoa que você não conheça, procure reunir mais informações e escreva-as também no verso da foto. Isso ajudará você a focalizar sua energia. Com uma foto é mais fácil tratar partes do corpo que geralmente não são muito acessíveis. Se você não tiver uma foto do "recebedor", desenhe com a mão, num de seus dedos ou num dos joelhos, uma imagem que simbolize essa pessoa. Tanto faz o dedo ou o joelho que você escolher para isso.

Alguns professores de Reiki ocidental acham que o terapeuta não deve tocar o próprio corpo ao praticar Reiki a distância, pois corre o risco de enviar suas próprias moléstias ao "recebedor". Mas não se preocupe com isso! Quando você manda energia para outra pessoa com a ajuda de seu próprio corpo, você se serve dele apenas para focalizar sua mente.

Não é aconselhável mandar energia a uma pessoa que não pediu isso. O Reiki não prejudica ninguém, mas é importante levar em conta a esfera privada de outras pessoas e não interferir em sua liberdade pessoal, ainda que fosse para o bem delas.

Chiyoko Yamaguchi sempre praticava a cura a distância numa de suas próprias coxas. O motivo seria que assim se pode sentir o *Byosen* claramente e deixar-se guiar por ele durante o tratamento.

Koyama Sensei sugere fazer a cura a distância por meio de uma foto e pôr a mão diretamente sobre a imagem para sentir o *Byosen*. Se várias pessoas estiverem tratando o mesmo paciente e só houver uma foto do paciente à disposição, deve-se escrever o nome e a data de nascimento num papel e pôr a mão sobre ele. Nas duas correntes do Reiki (japonesa e ocidental), o símbolo da cura a distância é usado para aproximar o paciente do terapeuta. Por esse motivo, não é preciso saber o endereço do paciente.

Por meio da cura a distância (ou por meio de uma foto), podem-se tratar partes do corpo às quais geralmente não se tem acesso (porque o toque causaria dores ou porque não se deve tocá-las por motivos éticos, ou ainda por estarem em locais inacessíveis ao toque).

Caso você ainda não conheça o procedimento exato da técnica da cura a distância, deve aprendê-lo num seminário diretamente do seu professor.

9. Nona técnica: *Sei Heki Chiryo*, "tratamento de hábitos"

A palavra japonesa "*Sei Heki*" significa "hábito", e "*chiryo*" quer dizer "tratamento" (ver também pp. 156ss. quanto aos pressupostos espirituais dessa técnica). O *Sei Heki Chiryo* é usado para o tratamento de hábitos, sobretudo daqueles que costumamos chamar de "maus hábitos". Para atingir esse fim, talvez você tenha aprendido uma técnica que no Reiki ocidental é chamada de "técnica de desprogramação". Caso você queira trabalhar consigo mesmo, comece fazendo uma afirmação. Se estiver trabalhando com um "recebedor", ajude-o a formular uma afirmação para si mesmo. Lembre-se de que as afirmações têm de ser curtas, precisas e positivas. Devem ser formuladas no tempo verbal do presente e em palavras que o paciente costume usar. Lembre-se também de que uma afirmação nunca pode ser restritiva.

Para descobrir o que as pessoas realmente desejam em suas vidas, reflita bastante. Nossos desejos muitas vezes têm um significado mais profundo que não identificamos à primeira vista.

As instruções são as seguintes: ponha sua mão não dominante (por exemplo, a esquerda, se você for destro) sobre a testa do "recebedor" (ou sobre sua própria testa) e, com a mão dominante, desenhe o segundo símbolo na nuca dele. Deixe as mãos assim por dois ou três minutos, enquanto repete a afirmação interiormente em concentração total. Então, afaste a mão não dominante da testa do "recebedor" e simplesmente mande-lhe Reiki com a dominante, ainda colocada na nuca dele. Enquanto isso, não pense mais na afirmação.

Usui Sensei supostamente também incluía nessa técnica as cinco regras de conduta do Reiki e os poemas do imperador Meiji. Em vez de usar afirmações, ele repetia as regras de conduta enquanto tocava a testa e a nuca do "recebedor".

Chiyoko Yamaguchi ensinava um poderoso *Kotodama* para o tratamento de maus hábitos que, infelizmente, só pode ser revelado num seminário de Reiki.

凝視法　呼気法

10. Décima técnica: *Gyoshi-Ho* e *Koki-Ho*, "cura com os olhos e com a respiração"

Estas duas técnicas são como a mão esquerda e a direita: as duas têm de trabalhar juntas para darem resultado. Deve-se começar sempre pelo *Gyoshi-Ho*. Usui Sensei usava-a sobretudo para o tratamento de ferimentos graves, grandes ou pequenos. Ele recomendava a seus discípulos que usassem a técnica no prazo mais breve possível depois de ocorrer o ferimento, pois nesse caso o sucesso é garantido. O ferimento sara depressa e não deixa cicatrizes.

A palavra japonesa *"gyoshi"* significa "olhar fixamente". Em seu manual, Usui Sensei escreveu que a energia irradia de todas as partes do corpo, mas, sobretudo das mãos, dos olhos e da respiração do iniciado. Estamos acostumados a desperdiçar nossa energia através dos olhos, mas essa técnica nos ensina a usá-la realmente. Para curar, primeiro temos de relaxar nossos olhos e dirigi-los para o vazio. Olhar alguém fixamente é um gesto agressivo, e um olhar agressivo não pode curar, pois ele invade a outra pessoa.

Talvez seja útil treinar essa técnica primeiro num objeto, por exemplo, uma flor. Segure a flor em sua mão ou ponha-a numa mesa, na altura dos olhos, a cerca de 30 a 50 cm de distância. Relaxe os olhos e contemple a flor como se você estivesse enxergando através dela, ou como se fixasse um ponto por trás dela. Depois de alguns instantes, você perceberá que seu campo de visão se tornou "periférico". Agora você consegue enxergar quase que numa abertura de 180 graus! Então, olhe para a flor e deixe que a imagem aja sobre você, em vez de dardejar a flor com as flechas de sua atenção visual. Depois de algum tempo, talvez você perceba uma forma sutil de "respiração" através dos olhos, relacionada ao inspirar e expirar. Pratique o exercício todos os dias por 10 minutos até você achar que pode usar a técnica sem problemas numa pessoa.

E aqui estão as instruções para a cura com os olhos: focalize por alguns minutos a parte do corpo que deseja tratar. Ao olhar para a outra pessoa, deixe que a imagem dessa pessoa "penetre" em seus olhos, em vez de observá-la "ativamente". Preste atenção no círculo energético que vai se construindo entre você e a outra pessoa, enquanto a energia dessa pessoa penetra em seus olhos.

Quem sente prazer com essa técnica, e gostaria de continuar experimentando, pode tentar a seguinte técnica de meditação dos hinduístas:

Meditação *tratak*

Sente-se confortavelmente por 45 a 60 minutos e olhe para uma vela. Não pisque os olhos. Depois de alguns minutos, seus olhos começarão a lacrimejar. Continue olhando para a chama. Com um pouco de prática, logo você poderá fazer isso por uma hora. Sua consciência se tornará tão focada e concentrada quanto um raio *laser*.

Essa técnica também pode ser praticada com uma foto ou com a estátua de um iluminado. Você pode experimentá-la com um parceiro sentado diante de você, com sua própria imagem no espelho ou num aposento em escuridão total. Exercitar-se com uma chama pode "esquentar" seu estado de espírito. Se isso não lhe agradar, faça o exercício sem vela num quarto escuro.

Gyoshi-Ho: Cura com os olhos, exercício preparatório

1. Olhe para uma flor e deixe que a imagem aja sobre você.
2. Olhe para a parte do corpo que você deseja tratar por alguns minutos. Enquanto observa a outra pessoa, apreenda a imagem dela com os olhos, em vez de olhar para ela "ativamente".

Cura com a respiração, a técnica

Como eu já disse, nós respiramos uma mistura de gases e energia. Aparentemente, essa energia é restituída através da expiração. Segundo Koyama Sensei, essa técnica funciona melhor quando o paciente sente sua própria respiração "aquecida" em seu interior.

Ogawa Sensei nos ensinou os procedimentos dessa técnica da seguinte maneira: inspire fundo e leve a respiração para baixo, em direção ao *tanden*. Mantenha-a ali por alguns segundos e desenhe o primeiro símbolo com a língua no céu da boca. Agora, expire o ar e "sopre" o símbolo sobre a parte do corpo a ser tratada. Deve-se soprar através dos lábios fortemente comprimidos. Se você soprar um hálito lento e profundo pelos lábios cerrados, sua respiração será gelada. A parte do corpo a ser tratada deve estar a 15 a 20 cm de distância de sua boca, para que o paciente sinta sua respiração. Já experimentei as curas mais incríveis com essa técnica. Certa vez, atendi um menino que havia caído da escada e parecia desfigurado com um grande "galo" na cabeça. Depois de três minutos tratando-o com o olhar e o sopro, o calombo desapareceu, o menino não sentiu mais dores e a mãe ficou extremamente surpresa.

Você pode trabalhar dessa maneira com o corpo físico, com a aura e com fotografias. Medida de precaução: essa técnica serve para primeiros socorros e situações de emergência. Se você usá-la por muito tempo, ficará cansado.

11. Décima primeira técnica: *Reiki Undo*, "exercício (físico) de Reiki"

A palavra japonesa *"undo"* significa "movimento" e designa o ato de deixar o corpo se mexer livremente, sem restrições. Essa técnica é usada em muitas partes do mundo e por muitas culturas e tradições. Na China, faz parte do treinamento do Qigong (ou Chi Kung). Na Indonésia, é praticada pelo movimento religioso Subud, e na Índia é chamada *"latihan"*. Koyama Sensei introduziu esse exercício na Usui Reiki Ryoho Gakkai. No Japão, a técnica é ensinada há décadas pelo grupo Noguchi Seitai (ver capítulo "Grupos relacionados com o Reiki na época de Usui Sensei") sob a denominação *"katsugen undo"* (ver descrição a seguir).

As instruções do *Reiki Undo* são muito simples:

Procure um lugar em sua casa onde você possa rolar no chão por 20 a 30 minutos sem ser incomodado. Afaste móveis ou objetos pontiagudos que possam machucar. Comece na posição *Gassho* e diga em pensamento: *"Reiki Undo*, comece agora!" Inspire fundo e relaxe totalmente ao expirar. Se estiver praticando com um parceiro, toque nos ombros dele por trás e deixe que seu corpo se mexa como ele quiser. Se o corpo se mexer pouco ou quase nada, aceite isso. Inspire fundo e relaxe o máximo possível ao expirar. Depois de algumas respirações profundas, seu corpo provavelmente começará a se mexer. Se o movimento não ocorrer de imediato, seja paciente e não force nada. Simplesmente continue o exercício, praticando-o todos os dias ao menos por três meses. Talvez no início você tenha dificuldade para relaxar totalmente e permitir que seu corpo se movimente sozinho. Talvez você seja dominado pela ideia de que é um adulto e não deveria se comportar como criança. Esqueça essa ideia nos 20 minutos seguintes e permita-se a inteira liberdade de se comportar como uma criança. Talvez você sinta vergonha, mas lembre-se de que ninguém está vendo. Não pense em nada especial. Simplesmente desvincule-se do seu "eu" adulto.

Se sua boca emitir ruídos, não os reprima. Se pensamentos e sentimentos aflorarem à mente, aceite-os e examine-os. Não reprima nada. Talvez você sinta vontade de bocejar, arrotar ou expelir gases. Ou talvez seus olhos fiquem úmidos. (Parece gozado, não é?) Não reprima nada disso – simplesmente deixe que seu corpo se purifique sozinho. Ele sabe o que e como deve fazer. Normalmente, temos o mau hábito de cercear nossa própria cura. É claro que, na convivência diária, algumas limitações são necessárias, mas esqueça-se disso por alguns minutos.

Em nossos seminários praticamos esse exercício com o grupo inteiro, quando existe espaço suficiente para nos sentarmos juntos e em segurança numa fileira ou espécie de "trenzinho". Depois dessa experiência, uma participante observou que a sensação do *Reiki Undo* em grupo se parecia bastante com sua vivência do festival de Woodstock em 1969!

Katsugen Undo

A técnica do *Katsugen Undo* é ensinada há muitos anos pelo grupo Noguchi Seitai. Ela tem efeito maravilhoso para estimular o sistema nervoso e é apropriada como exercício preparatório do *Reiki Undo*. Pode-se dizer que ela "põe o corpo para funcionar". Feche os punhos de ambas as mãos com os polegares para dentro. Não é preciso apertar demais. Estenda os dois braços para a frente e inspire fundo pelo nariz. Então, expire fortemente pela boca, recolha os braços flexionados em direção à cabeça e contraia todos os músculos o máximo possível. Quando todo o ar for expelido dos pulmões e seus braços estiverem bem próximos do corpo (com os punhos mais ou menos na altura das orelhas), relaxe totalmente. Baixe os braços alinhados ao corpo e deixe que os pulmões se encham novamente de ar. Repita o exercício de três a cinco vezes e continue então com o *Reiki Undo*. Você sentirá seu corpo mais "energizado".

Medida de precaução

É muito importante saber que a qualquer momento você pode "desligar o interruptor" do *Reiki Undo*. Depois de deixar os movimentos acontecerem, a qualquer momento – se houver sensação desagradável ou se for necessário – você pode interrompê-los.

Se você praticar essa técnica em grupo, não tome parte nela. Fique apenas vigiando para que ninguém se machuque. Você é responsável pelos participantes. Já me aconteceu várias vezes conduzir grupos onde as pessoas se esquecem de sua segurança ou da segurança das outras. Por esse motivo, a Usui Reiki Ryoho Gakkai não adota mais esse exercício. Portanto, tenha cuidado...

12. Décima segunda técnica: *Hesso Chiryo*, "técnica de cura do umbigo"

A palavra japonesa *"hesso"* significa "umbigo". Neste exercício usa-se sobretudo o dedo médio, que tem o maior potencial energético. Você também pode usá-lo (sozinho ou junto com um ou dois outros dedos) em situações nas quais você precise tratar uma pequena parte do corpo.

O *Hesso Chiryo* é usado contra febre e contra todos os tipos de vírus, fungos nos pés, fungos e parasitas em geral e contra o câncer. Deve-se trabalhar até que o *Byosen* desapareça. Com essa técnica você pode tratar a si mesmo ou outra pessoa. Fiz inúmeras boas experiências com ela. Nossos filhos nunca precisaram tomar comprimidos contra febre ou dor quando a dentição estava nascendo. Mesmo quando a febre era alta (acima de 39 ºC), logo caía para níveis aceitáveis. O corpo se desintoxica através da febre. Em vez de interromper a febre totalmente, é melhor deixar que o corpo se purifique. Porém, se a febre passar de 39 ºC, já é tempo de usar o *Hesso Chiryo*. Ponha o dedo médio no umbigo e faça um pouco de pressão até sentir uma ligeira pulsação. Não procure o pulso da aorta abdominal, e sim o pulso energético que pode ser sentido pelo toque do umbigo com leve pressão. A pressão deve ser a mesma que você usaria para pressionar um pouco sua bochecha, por exemplo. Assim que sentir o pulso energético, comece o exercício descrito a seguir. No entanto, se você não o sentir imediatamente, já que se trata de um pulso sutil, pode também começar diretamente com o tratamento. Além disso, você pode combinar o *Hesso Chiryo* ao *Enkaku Chiryo*, ou seja, ao Reiki a distância. Dessa maneira também se pode curar febre alta bem depressa. Deixe o Reiki fluir de seu dedo médio para o umbigo, até sentir que o pulso energético e a energia do Reiki estão em harmonia. Faça isso por 5 a 10 minutos. Gosto dessa técnica simples porque seus efeitos são realmente espetaculares.

Cuidado: O umbigo é uma região sensível do corpo. Por isso, a pressão exercida deve ser mínima. Você pode colocar o dedo diretamente sobre a pele ou por cima da roupa.

Contraindicação: Muitas pessoas não gostam de tocar em seu próprio umbigo, e menos ainda de deixar que ele seja tocado por alguém. Se for assim, não insista. Pela minha experiência, a "fobia do umbigo" tem a ver com um trauma de infância. Depois que ele for resolvido, pode-se então experimentar o toque no umbigo.

邪気切り浄化法

13. Décima terceira técnica: *Jaki-Kiri Joka-Ho*, "transformação da energia negativa"

A palavra japonesa *"jaki"* significa "energia negativa", e *"kiri"* (do verbo *"kiru"*) significa "cortar" (como no termo "haraquiri", ou "corte do ventre"). A expressão *"joka-ho"* significa "técnica de purificação". Essa técnica nos ensina a "purificar" objetos, transformando sua energia negativa. Pessoalmente, não gosto da expressão "energia negativa", pois no meu mundo não há espaço para ela.

No entanto, existem energias que não são compatíveis com a nossa. Vamos supor que você tenha se separado de seu parceiro e esteja vivendo com outro. Você tem móveis do primeiro casamento que gostaria de conservar, mas eles não são adequados à nova situação. Nesse caso, você pode usar essa técnica para "adequá-los" energeticamente à nova situação.

Mas essa técnica tem uma limitação importante: nunca a use num ser vivo. Existem outras técnicas de purificação para seres vivos, como por exemplo *Kenyoku, Joshin Kokyu-Ho, Hanshin Koketsu-Ho* e *Ketsueki Kokan*.

Todos sabemos que um objeto pode assimilar energia do exterior. Alguns objetos, como cristais, pedras preciosas e metais, recolhem a energia mais facilmente do que outros. Com certeza você já teve uma sensação do tipo "Oh, mas o que é isto?" depois de comprar alguma coisa numa loja de antiguidades ou depois de herdar algo de um parente distante (ou não tão distante). Talvez você sinta a energia da pessoa que costumava usar o objeto, ou a energia do local em que o objeto estava. Se a pessoa tiver sido um santo, ou se o local for um local sagrado, pode ser que o objeto em questão se torne objeto de culto. No entanto, quando a energia associada ao objeto for "ruim" ou desagradável, a técnica descrita aqui pode ser usada. Escrevi a palavra "ruim" entre aspas, porque nenhuma energia é "ruim". No máximo, ela pode ser inadequada. Um amigo meu usa essa técnica em sua mesa de massagem, depois de toda sessão de tratamento. Uma cama de hotel, por exemplo, também pode ser indicada para praticar a técnica.

Instruções

Segure com sua mão não dominante o objeto que você gostaria de purificar. Com a mão dominante, trace no ar três linhas horizontais cerca de 10 cm acima do objeto. Depois da terceira linha, pare o movimento abruptamente. Fique centrado em seu *tanden* e prenda a respiração. Depois de purificar o objeto, mande-lhe Reiki por alguns minutos. Caso o objeto não caiba na mão, ponha-o no chão diante de você. Se ele for grande demais para ser manipulado –, por exemplo, uma casa –, pratique o exercício por meio do *Enkaku Chiryo* ou de uma fotografia.

14. Décima quarta técnica: *Genetsu-Ho*, "técnica para baixar a febre"

A palavra japonesa *"netsu"* significa "febre", e *"ge"* quer dizer "baixar". Toque a testa, as têmporas, a nuca, as costas, a garganta, o alto da cabeça, o ventre e os intestinos.

Usui Sensei criou essa técnica-padrão para tratamento de todas as doenças da cabeça. Ela atua sobre as causas da doença e baixa a febre. Ogawa Sensei sugeria deixar as mãos na cabeça por cerca de 30 minutos. Eu trato o ventre e os intestinos normalmente por 10 a 15 minutos, deixando minha intuição decidir sobre o tratamento exato acordo com cada situação.

15. Décima quinta técnica: *Byogen Chiryo*, "tratamento da(s) causa(s) de uma doença"

A palavra japonesa *"byo"* significa "doente", e *"gen"* quer dizer "origem" ou "raiz". Esse tratamento, prescrito por Usui Sensei, é idêntico à técnica *Genetsu-Ho* e ao tratamento da cabeça. O tratamento da cabeça, do ventre e dos intestinos cobre as áreas mais importantes. Com isso, é provável que você tenha um quadro exato do estado físico do "recebedor" de Reiki.

Todos sabemos que aquilo que chamamos "doença" é muitas vezes apenas os sintomas. O tratamento de um sintoma tem com frequência (mas não sempre) resultados somente superficiais ou temporários. Quando alguém se queixa de dores de cabeça, o problema real poderia estar na coluna vertebral, ou poderia ser causado por desidratação (falta de líquido). Se você empregar a técnica *Reiji-Ho*, pode eventualmente descobrir a causa da doença. Nesse caso, ouça sua intuição, e não a descrição dos sintomas feita pelo "recebedor" de Reiki!

16. Décima sexta técnica: *Hanshin Chiryo*, "tratamento de metade do corpo"

A palavra japonesa *"han"* significa "metade", e *"shin"* quer dizer "corpo". Esfregue a coluna vertebral dos dois lados, descendo da medula oblongata até as nádegas.

Essa técnica ajuda o "recebedor" a relaxar e tem efeito muito calmante. No manual de Usui Sensei, a técnica é prescrita para distúrbios dos nervos, do metabolismo ou do sangue.

17. Décima sétima técnica: *Hanshin Koketsu-Ho*, "técnica para a renovação do sangue em metade do corpo"

Como vimos anteriormente, a palavra japonesa *"hanshin"* significa "metade do corpo", e *"koketsu"* pode ser traduzido como "sangue cruzado" ou "troca, mistura de sangue". Essa técnica serve para trazer o "recebedor" "de volta à terra" depois de uma sessão de tratamento e para movimentar as substâncias prejudiciais liberadas pelo tratamento de Reiki, a fim de que elas possam ser eliminadas.

Atenção para os efeitos secundários: pacientes que se queixavam de dores nas costas relataram que os problemas nas costas sumiram totalmente depois do tratamento.

Instruções

Peça ao "recebedor" que volte as costas para você, flexionando ligeiramente os joelhos. Estabilize o "recebedor" colocando a mão esquerda sobre o ombro dele. Passe a mão suavemente sobre a coluna vertebral de 10 a 15 vezes, num movimento cruzado. Comece na sétima vértebra cervical (C7) e continue deslizando a mão para baixo até a nádega direita. Repita o movimento de C7 para baixo até a nádega esquerda. Prenda a respiração enquanto manipula a coluna vertebral. Depois de 10 a 15 traços, ponha o indicador no lado esquerdo da coluna e o dedo médio no lado direito. Deslize então os dedos para baixo, até chegar às nádegas. Quando você alcançar o ponto sob a terceira vértebra lombar, pressione levemente com os dois dedos e mantenha a pressão por 1 ou 2 segundos.

18. Décima oitava técnica: *Tanden Chiryo*, "tratamento do *tanden*"

A palavra japonesa *"tanden"* designa o ponto já mencionado acima, dois a três dedos abaixo do umbigo. O *tanden* é o centro da força vital e um ponto importante em quase todo tratamento. Ponha uma das mãos sobre o *tanden* e a outra nas costas, por trás do *tanden*. Mantenha as mãos assim até que elas se levantem do corpo por si mesmas. As funções do *tanden* se dividem em cinco aspectos. Manipule da esquerda para a direita, do ponto de vista do seu próprio corpo, os seguintes sintomas: 1. evacuação, 2. urina, 3. suor, 4. pus, 5. erupção cutânea. Conforme o local tratado, as substâncias prejudiciais correspondentes são drenadas para fora. O tratamento deve dar resultado num prazo de três dias.

Essa é uma técnica energética genérica para o tratamento de outras pessoas ou para o autotratamento. Ela fortalece sua própria força de vontade ou a do "recebedor" de Reiki. Recomendo que você use essa técnica enquanto ouve música, vê televisão, viaja de trem ou avião, ou antes de adormecer.

解毒法 **19. Décima nona técnica: *Gedoku--Ho*, "técnica de desintoxicação"**

A palavra japonesa *"doku"* significa "veneno", "substância prejudicial" ou "toxina". A palavra *"ge"* significa "baixar". Essa técnica é usada para livrar a si mesmo ou o "recebedor" de Reiki de substâncias daninhas. Ela ajuda a combater os efeitos colaterais de medicamentos. Portanto, essa é a técnica indicada para alguém que tomou remédios por muito tempo, usou drogas ou passou por uma quimioterapia, por exemplo. Também em casos de diarreia, prisão de ventre ou intoxicação alimentar, o *Gedoku-Ho* pode fazer milagres. Não vou descrever aqui minhas experiências com intoxicação alimentar e o *Gedoku-Ho*, mas acredite – essa técnica pode fazer milagres!

Instruções

Coloque uma das mãos sobre o *tanden* e a outra nas costas, por trás do *tanden*. Deixe-as ali por pelo menos 13 minutos. Enquanto isso, imagine as substâncias tóxicas deixando o corpo do "recebedor". É recomendável o "recebedor" imaginar a mesma coisa.

Pessoalmente, imagino que todas as substâncias tóxicas se desprendem e são eliminadas através do trato estomacal/intestinal e através dos líquidos corporais do paciente.

血液交換法 **20. Vigésima técnica: *Ketsueki Kokan-Ho*, "técnica de renovação do sangue"**

No final de cada tratamento, Chiyoko Sensei sempre executava essa técnica. Ninguém deixava a cama de massagem sem passar por ela. Chiyoko a aprendera de Hayashi Sensei. A expressão *"Ketsueki Kokan"* significa "troca ou renovação do sangue", e é exatamente disso que se trata. Você se lembra do capítulo sobre o *Byosen*: as substâncias prejudiciais liberadas no corpo devem ser escoadas dessa forma, amenizando ou evitando totalmente a ocorrência de uma "crise terapêutica".

Já que a expressão *"Ketsueki Kokan"* é muito longa, terapeutas japoneses geralmente chamam a técnica de *"Kekko"*. O Dr. Hayashi recomendava usar o *Kekko* no final de cada tratamento. Esse método dura cerca de 4 minutos. Execute-o com cuidado, exatamente conforme as instruções – e seus pacientes ficarão muito gratos!

Caso você não tenha tempo para uma sessão inteira de tratamento, ou de modo geral contra doenças do metabolismo, Chiyoko Sensei sugeria executar somente o *Ketsueki Kokan*.

Instruções

1. Trace o símbolo do *Byosen* (caso você o tenha aprendido; senão, use o símbolo de fortalecimento da energia) com o polegar e o indicador de sua mão dominante no pescoço do paciente, no ponto C2 (segunda vértebra cervical).
2. Verifique a localização da coluna vertebral do paciente.
3. Passe o polegar e o indicador duas ou três vezes, devagar e com cuidado, nos dois lados da coluna vertebral, descendo da primeira vértebra dorsal até a vértebra lombar.
4. Assim que você estiver familiarizado com a coluna do paciente, deslize o polegar e o indicador 20 vezes vigorosamente sobre ela.
5. Com o polegar e o indicador de sua mão dominante, trace o símbolo do *Byosen* ou o símbolo de fortalecimento da energia na região lombar, ao redor do ponto L3.
6. Divida a parte superior do corpo do paciente em cinco regiões. Na primeira região deslize as mãos por 4 a 5 vezes da coluna vertebral para os lados do corpo até os ombros.
7. Em segundo lugar, na segunda região que deve corresponder à altura do coração, deslize as mãos por 4 a 5 vezes da coluna vertebral para os lados do corpo.
8. Em terceiro lugar, na terceira região que deve corresponder à altura do plexo solar, deslize as mãos por 4 a 5 vezes da coluna vertebral para os lados do corpo, até as costelas inferiores.

9. Em quarto lugar, na região inferior das costas, deslize as mãos por 4 a 5 vezes até os lados do corpo.
10. Em quinto lugar, na região das nádegas, deslize as mãos por 4 a 5 vezes do final da coluna até os quadris.
11. Agora, friccione vigorosamente a palma de sua mão dominante por 10 vezes sobre a espinha na altura da cintura, de lado a lado (para a frente e para trás) enquanto apoia o paciente com a outra mão.
12. Parte exterior das pernas: apoie o paciente com uma das mãos e passe a outra 2 ou 3 vezes ao longo do lado externo de sua perna direita, do quadril até os tornozelos e mais além.
13. Repita o mesmo procedimento na perna esquerda do paciente.
14. Parte posterior das pernas: apoie o paciente com uma das mãos e passe a outra 2 ou 3 vezes ao longo da parte posterior de sua perna direita, do quadril até os tornozelos e mais além.
15. Repita o mesmo procedimento na perna esquerda do paciente.
16. Parte interior das pernas: separe um pouco as pernas, apoie o paciente com uma das mãos e, começando pela parte de dentro da coxa, passe a outra 2 ou 3 vezes ao longo do lado interno de sua perna direita, do quadril até os tornozelos e mais além.
17. Repita o mesmo procedimento na perna esquerda do paciente.
18. Firme a raiz da coxa com a mão esquerda aberta (sem pressionar) enquanto segura o calcanhar com a mão direita em gancho. Alongue a parte de trás do joelho, usando o peso do seu corpo.
19. Repita o mesmo procedimento com a outra perna do paciente.
20. Para terminar o tratamento, com as mãos espalmadas ou em concha, faça uma percussão (leves batidas) em movimento de ziguezague nas costas, nos ombros, abaixo das costelas, na parte inferior das costas e nádegas. Repita de 3 a 4 vezes.
21. Dê tapinhas na parte externa da perna direita do paciente, do quadril até embaixo, no lado externo dos pequenos artelhos.
22. Repita o mesmo procedimento na perna esquerda do paciente.
23. Dê tapinhas na parte posterior da perna direita do paciente, do quadril até bem embaixo, passando pelas plantas dos pés até chegar aos artelhos.
24. Repita o mesmo procedimento na perna esquerda do paciente.
25. Dê tapinhas na parte interna da perna direita do paciente do início da coxa até embaixo, no lado interno dos grandes artelhos.
26. Repita o mesmo procedimento na perna esquerda do paciente.
27. Pronto, acabou!

Depois de terminar o tratamento, deixe seu paciente repousar 15 minutos antes de voltar para a "realidade".

Observação final sobre as técnicas

Lembre-se mais uma vez do que foi dito no começo deste capítulo: a melhor técnica é aquela da qual você não precisa mais! As técnicas são recursos a serem usados, mas não devem ser confundidas com o essencial. Na verdade, é você que importa: VOCÊ é a lua, e não os dedos que apontam para ela. Você transcende pensamentos e emoções, corpo e alma, o bem e o mal, saúde e doença, o Reiki, todas as ideias, sonhos e expectativas. É de você que se trata!

Pergunte-se sempre quem está vivendo a experiência. No final do dia, resta só uma pergunta: "Quem sou eu?" Quando essa pergunta encontrar uma resposta, você pode ter certeza de que acabou de adormecer. Trate de despertar novamente!

Epílogo

Chegou a hora de me despedir de você. Espero que este livro lhe tenha trazido inspiração e que você carregue a luz do Reiki pelo mundo. Eu teria prazer em cumprimentar você num curso, diante de uma xícara de chá ou num momento de tranquilidade, pois o que expliquei acima só pode ser transmitido de coração para coração, pessoalmente. Isto é o Reiki.

Atenciosamente,

Frank Arjava Petter

Apêndice

O manual de Koyama Sensei[11]

Os cinco conteúdos da Usui Reiki Ryoho

Segundo a concepção de Koyama Sensei, os conteúdos da Reiki Ryoho são os seguintes:

1. *Tai* 体 (corpo) – *Ken* 健 (saúde)
   O corpo é o templo de Deus. Já que temos consciência disso, devemos cuidar do corpo e nele servir a Deus. Em última análise, só conseguiremos suportar a iluminação num corpo saudável. Podemos fortalecer o corpo com Reiki, meditação, alimentação saudável e... dando risadas!

2. *En* 縁 (relacionamento, ligação, destino, amor, karma) – *Bi* 美 (beleza)
   Beleza e amor andam lado a lado. Se você enxergar a beleza em todo ser – animado ou inanimado –, terá uma vida pacífica e cheia de realizações.

3. *Kokoro* 心 (unidade do coração-espírito-razão) – *Makoto* 真 (sinceridade, autenticidade)
   O *kokoro* (unidade do coração e da razão) é atingido quando a pessoa vive seu "eu" autêntico.

---

11. Em 1997, recebi de Fumio Ogawa um exemplar desse manual, publicado por Koyama Sensei em 1972 por ocasião do jubileu de 50 anos da Usui Reiki Ryoho Gakkai. Entre outras coisas, o manual continha a descrição das técnicas japonesas de Reiki ensinadas a Shizuko Akimoto por Ogawa Sensei. Para uma descrição exata das técnicas, ver o capítulo "Técnicas japonesas de Reiki". O texto foi traduzido por Akiko Sato e por mim.
Este manual foi distribuído apenas para alguns privilegiados da alta sociedade da Associação Usui.

4. *Sai* 才 (talento) – *Chikara* 力 (força)
   O talento e a força andam juntos. Se você seguir seu talento, terá uma força irresistível. Você não precisa temer suas próprias capacidades.

5. *Tsutome* 務 (dever) – *Do* 道 (trabalho)
   É seu dever aperfeiçoar-se a si mesmo. Em qualquer coisa que fizer, dê sempre o melhor de si. Não refreie nada do que você pode dar a outra pessoa – ou a si mesmo.

Sobre as regras de conduta do Reiki (*Gokai* em japonês), Koyama Sensei diz o seguinte:

"As regras de conduta propostas por Usui Sensei são a base do Reiki e eu quero sugerir que as aplique. Nelas você encontra instruções para a sua vida e indicações para desfrutar de uma boa saúde. Através da prática do Reiki você viverá as regras de conduta e vice-versa. Depois de intensa prática de Reiki por mais de sessenta anos tenho pensado muito sobre isso".

1. *Ikaru-na*. Isso não significa que você deva reprimir sua irritação. No entanto, fique frio e explique exatamente a outra pessoa o que você está pensando e sentindo.

2. *Shinpai suna*. Se você se apoiar no Reiki, suas preocupações diminuirão pela metade automaticamente.

3. *Kansha shite*. É importante sentir gratidão em seu coração e colocá-la em prática.

4. *Gyo o hage me*. Não se trata aqui de agir com stress ou violência. O ponto principal é trazer seus talentos à superfície com a ajuda do Reiki.

5. *Hito ni shinsetsu ni*. Quando você estiver fazendo o trabalho que lhe foi destinado (por Deus), tem a possibilidade de ser gentil (amigável, compassivo) com as outras pessoas.

Koyama Sensei ensinava que o Reiki se baseia em três princípios. Esses princípios são *Gassho*, *Reiji-Ho* e *Chiryo*, isto é, meditação, diagnóstico e tratamento. Eles têm de ser aperfeiçoados todos os dias. No tempo de Koyama Sensei, as pessoas se encontravam quatro vezes por mês na sede principal da Usui Reiki Ryoho Gakkai. Ela achava importante comparecer a esses encontros, praticar o Reiki e receber a "sintonização" todas as vezes. Os encontros ("*Reiju-Kai*" em japonês) transcorriam da maneira descrita a seguir.

Reiju-Kai

1. O presidente lia em voz alta um poema do imperador Meiji. Além disso, dava uma palestra e citava exemplos de casos clínicos (Hayashi Sensei recitava e comentava quatro poemas do imperador Meiji a cada vez).

2. Treinava-se a técnica *Kenyoku*, ou "banho seco". O objetivo do exercício é purificar o corpo e a mente, e isso se dá como (ou no lugar de) um banho de chuveiro! (Sobre esse e outros exercícios mencionados, ver capítulo "Técnicas japonesas de Reiki".)

3. Praticava-se o exercício de respiração *joshin kokyuu-ho*. Você deve respirar no abdome e imaginar que está recebendo o Reiki do céu e da terra através do chakra da coroa. Deixe que seu corpo se encha, e então expire através das mãos e dos pés.

4. Meditação *Gassho*. Para isso, junte as mãos diante do coração e concentre-se no ponto em que os dois dedos médios se tocam. Esqueça tudo o mais!

5. Cada participante recebe um *Reiju* (ritual de sintonização) dos *Shihan* e *Shihan-Kaku* presentes. Os professores dão Reiki aos participantes por meio do chakra da coroa para que a energia flua através dos dedos deles, tal como Usui Sensei havia ensinado. Quando a energia dos alunos fica mais forte, eles sentem um "prurido elétrico" nos dedos, logo depois de juntá-los na posição *Gassho*. Então, ao entreabrirem os olhos devagar, talvez eles vejam o Reiki vibrando entre os dedos. Pode ser também que o aluno de olhos fechados veja uma bonita bola de energia, quando o *Shihan* ou *Shihan-Kaku* que o iniciou se aproxima. Essa sensação desaparece de novo assim que o *Shihan* ou *Shihan-Kaku* se afasta.

6. Praticava-se a técnica do *Reiji-Ho*. "*Reiji-Ho*" significa que suas mãos são atraídas para o lugar do corpo do paciente onde elas são mais necessárias. O *Shihan* ajuda você nisso.

7. Explicava-se e praticava-se o *Byosen*. O *Byosen* é a eventual sensação desagradável que você experimenta quando o Reiki positivo flui para uma parte do corpo "negativa" (no sentido de tensionada ou doente). Essa sensação pode subir até chegar aos ombros. O *Byosen* abrange muitos aspectos diferentes da sensação. Quando você mantém constantemente as mãos sobre o corpo do paciente, a sensação se retrai e volta para a ponta dos dedos.
(*Observação do autor*: só então você deve mudar de posição.)

8. Perguntas da vida cotidiana dos participantes eram respondidas, e seus sucessos terapêuticos eram compartilhados com os presentes. Além disso, técnicas de Reiki (descritas anteriormente como "Técnicas japonesas de Reiki") eram apresentadas e praticadas.

9. As cinco regras de conduta do Reiki eram recitadas em conjunto por três vezes seguidas. Elas tinham sido ensinadas por Usui Sensei como filosofia de vida, e por isso têm importância.

10. Praticava-se o *Reiki Mawashi*. No *Reiki Mawashi*, todos os participantes (incluindo o *Shihan*) se dão as mãos. Cada um recebe o Reiki a partir da direita e o conduz adiante através da mão esquerda. Se isso for praticado por 10 minutos, corpo e mente se tornam e permanecem sadios. (*Observação do autor*: mais tarde, na associação Hayashi Reiki Kenkyukai de Hayashi Sensei, essa técnica foi chamada de "*Reiki Okuri*", ou "transmitir o Reiki adiante".)

"O Reiki Ryoho e meu método para conservar a saúde", por Gizo Tomabechi

Vamos apresentar agora o trecho do livro de Gizo Tomabechi intitulado *Kaiko Roku* [*Minhas Memórias*] e mencionado à p. 70 deste livro.[12]

Gizo Tomabechi foi ministro dos Transportes (1947) e presidente da Câmara dos Representantes. Em 8 de outubro de 1951, foi um dos cinco políticos japoneses que assinaram o Tratado Internacional de Paz de San Francisco.

94. Gizo Tomabechi

Quem conhece o Sr. Tomabechi apenas como político fica surpreso por ele ter sido um *Shihan* da Reiki Ryoho. E quem o conhece como inventor de um fertilizante completo no Japão sente vontade de rir, incapaz de acreditar que ele tenha praticado um método terapêutico tão pouco científico quanto o Reiki.

Pessoalmente, ele sempre sentiu grande interesse pela saúde. Chegou a escrever o livro *Teoria dos hospitais estatais* na época em que era estudante e não tinha dinheiro para os remédios caros com que tratava sua doença grave. Ao longo de anos, experimentou e pesquisou em si mesmo seus métodos gratuitos, como respiração no abdome ou reeducação alimentar. Sobretudo depois de perder seus dois filhos, dedicou-se intensamente a temas como saúde, problemas de vida e problemas religiosos. Interessava-se por assuntos esotéricos como frenologia (estudo do crânio para determinar o caráter e a capacidade mental das pessoas), astronomia japonesa, técnica do sono e numerologia dos nomes próprios. Admitia ser bom conhecedor desses tópicos.

Depois de todas as suas pesquisas (nesses tópicos), ele se ocupou com o Usui Reiki Ryoho. Quando estava começando essa ocupação, ouviu dizer que a esposa de um colega, o Sr. Amami, havia um ano não conseguia ficar de pé por causa de um problema nos quadris. Ele pediu a Usui Sensei que atendesse a doente. Usui Sensei deu Reiki por 20 a 30 minutos à mulher, e então lhe pediu que se levantasse.

Havia um ano ela não conseguia nem mesmo se virar na cama, e não aguentava ficar em pé. Apesar disso, tentou se levantar e conseguiu. Uma vez de pé, começou a chorar de alegria. Usui Sensei olhou para ela e disse-lhe que

---

12. Impresso em 20 de fevereiro de Showa 26 (1951) e publicado em 25 de fevereiro de Showa 26 (1951) pela editora: Asada Shoten. Preço: 350 ienes.

ela deveria caminhar. Então, ela começou a andar num aposento pequeno, apoiada por seu marido.

"Se realmente existem milagres neste mundo, eis aqui um milagre", pensou o Sr. Tomabechi. Usui apenas olhou para ela, sorrindo.

A mulher, seu marido e o Sr. Tomabechi perderam a fala por conta da surpresa. Depois dessa experiência, o Sr. Tomabechi aprendeu Reiki com grande convicção e recebeu de Usui Sensei o certificado de grande mestre (*Shihan*).

Ele queria ajudar as pessoas com o Reiki. Nessa época, passou a ocupar o cargo de diretor para a região de Kansai do Instituto de Fertilizantes Dai Nippon. Depois da mudança para assumir o novo cargo, ele morou num apartamento sem sua família. Passou então a usar o lugar para tratamentos de Reiki. Atendia pacientes gratuitamente e empregava alguns estagiários.

Segue abaixo um trecho do livro de Gizo Tomabechi.

Depois do "Grande Sismo de Kanto" no décimo segundo ano do Período Taisho (1923), estive várias vezes com Usui Sensei e observei-o no tratamento de feridos. Percebi que o Reiki Ryoho curava com muita eficácia as doenças físicas e psicológicas. Com grande convicção, aprendi o Reiki e recebi o certificado de *Shihan*. Comecei a fazer tratamentos de Reiki em mim e em outras pessoas. Depois disso, meu estado de saúde melhorou espantosamente e cheguei a pesar mais de 60 kg. Desde meus tempos de escola, pela primeira vez eu me sentia realmente saudável.

A essência do Reiki Ryoho

Não é fácil descrever aqui, por escrito, o método concreto do Reiki Ryoho. Em poucas palavras, a doença é um estado físico no qual o equilíbrio é rompido por um vírus ou fator externo que se espalha e se multiplica dentro do corpo. Quando a parte saudável dos sistemas corporais luta e resiste contra isso, o doente tem febre ou sente dores. Se os sistemas saudáveis forem amparados pelo Reiki de outra pessoa saudável, o doente terá mais forças para lutar contra a doença. Dessa forma, pode-se vencer a doença graças ao Reiki.

Quando se recebe o Reiki, deve-se ter a alma em tranquilidade e paz. Senão, deve-se ao menos permanecer neutro. De maneira alguma se deve estar do lado da doença.

Não acho que o Reiki do Reiki Ryoho seja algo misterioso. Toda pessoa tem essa energia nas células (movimento rítmico das células). Todo corpo é um aglomerado dessas células ativas.

Quando uma pessoa goza de saúde, as atividades dos sistemas funcionam. Para isso existem disciplina e leis claras. Se surgirem mudanças nesses sistemas disciplinados, a pessoa ficará doente. Isso significa que é preciso pôr os sistemas novamente em ordem para recuperar a saúde. Para isso, a pessoa tem de receber uma dinâmica forte e saudável nas regiões doentes do corpo. Em poucas palavras, essa é a cura pelo Reiki.

Todos têm Reiki inato suficiente dentro de si – a energia vital. Muitas pessoas não sabem disso, e por isso não conseguem usá-la eficazmente. Mas é errado tornar-se dependente do Reiki. Seria cair num extremo. Deve-se aceitar o tratamento médico como base da cura.

É muito comum as pessoas rapidamente começarem a pensar "preto no branco". Quando ouvem que um método é bom, elas acreditam somente nesse método e não querem mais ir ao médico. O Reiki Ryoho é uma medicina caseira e, por isso, deve-se usá-lo apenas como terapia de apoio. Devo repetir que possuímos forças autocurativas em nós mesmos e podemos usá-las mentalmente para a autocura. Ao recebermos ajuda de fora, ao mesmo tempo temos de usar eficazmente nossas próprias forças.

Fique alerta e tenha (aja com base na) paz interior

O que vou dizer agora não tem relação direta com a doença. Porém, quem lidar com sua própria vida de maneira honesta e correta terá paz interior e não sentirá pessimismo na eventualidade de uma doença. Esse não é um método terapêutico direto, mas é muito importante para a cura.

Eu gostaria de sugerir aqui alguns métodos para conservar a saúde.

1. De manhã e à noite, recite o *Gokai* e tente pô-lo em prática.
2. Pensamentos e ações devem ser executados com calma e sem coação.
3. Deixe os ombros relaxados e respire sempre fundo e calmamente a partir do abdome.
4. Mantenha o corpo ereto e cultive tranquilidade profunda.
5. Durma o suficiente.
6. Cuide do estômago e do intestino (não coma demais nem de menos).

Se a situação permitir, uma vez por dia deve-se sentar-se com calma por algum tempo e esfregar levemente o abdome com ambas as mãos, da esquerda para a direita.

Aos 71 anos, o Sr. Tomabechi ainda está ativo na política. Seu método para conservar a saúde é o que foi descrito acima. Ele disse ainda que uma pessoa nunca envelhece quando deseja continuar sempre evoluindo e mantém a tensão da vida.

Entrevista com Fumio Ogawa

Esta entrevista com Ogawa Sensei ocorreu em Shizuoka City, entre os dias 17 e 21 de maio de 1997. Shizuko Akimoto o interrogou com as perguntas formuladas por mim e em seguida me encaminhou as respostas de Ogawa Sensei.

Ogawa Sensei era um homem de orientação prática. Sua concepção básica do Reiki era muito pragmática. Ele até reuniu suas memórias sobre o Reiki sob o título "Qualquer pessoa pode praticar o Reiki". Nesse livro ele conta, por exemplo, que um de seus alunos praticava o Reiki com bichos-da-seda numa usina hidrelétrica. Em 1998, por intermédio de Shizuko, eu lhe sugeri que publicasse o livro, mas ele não quis. Leia, a seguir, a entrevista:

Pergunta: Quando, onde e por que o senhor aprendeu o Reiki?
Resposta: Fiz meu treinamento de Reiki durante a guerra, entre setembro de 1942 e novembro de 1943, com meu pai, Kozo Ogawa.

Quem foi o professor do seu pai?
Usui Sensei.

Conte-nos, por favor, o traçado completo de sua linhagem de Reiki.
Usui–Ogawa–Ogawa.

Existem aparentemente várias correntes de Reiki no Japão. O senhor considera que sua corrente é a original? Mantém contato com outros grupos? Existe rivalidade entre eles?
A Usui Reiki Ryoho Gakkai foi fundada por Usui Sensei e, depois de sua morte, continuou existindo até hoje. Por isso, é a corrente original. Tenho pouco contato com outras correntes de Reiki, mas alguns japoneses que aprenderam o Reiki ocidental mantêm contato comigo. [Mieko Mitsui da Radiance Technique®, Toshitaka Mochizuki de Tóquio e Shizuko Akimoto, que conduziu a entrevista.]

Seu professor foi membro da Usui Shiki Ryoho? Em caso afirmativo, qual o status dele na associação?
Meu pai foi *Shihan* na Usui Reiki Ryoho Gakkai, assim como sou agora. Não conheço a expressão Usui Shiki Ryoho.

Perguntas sobre Usui Sensei

Usui Sensei está em sua linhagem reikiana?
Sim, evidentemente. O Reiki começou com ele.

O que ele significa para o senhor? Ele é seu ídolo, seu professor, seu mestre espiritual?
Usui Sensei é exemplo do que o Reiki faz com um ser humano.

Sabe alguma coisa sobre ele, sobre a vida dele?
[A resposta a esta pergunta foi incorporada no capítulo sobre a história do Reiki (ver pp. 35ss.]. As informações de Ogawa Sensei coincidem com as de Koyama Sensei e de Chiyoko Sensei.)

Onde Usui Sensei aprendeu o Reiki?
No Usui Reiki Ryoho Hikkei, ele mesmo diz que não o aprendeu de ninguém, e que o recebeu como um presente do universo.

Quais são as raízes do Reiki? É um tipo de Qigong [Chi Kung]? Sua origem está no Japão, na China, no Tibete ou na Índia?
* Esta pergunta já foi respondida acima.

O senhor acha que Usui Sensei queria fundar uma nova religião ou seita?
De modo algum – caso contrário, ele o teria feito!

Quais eram os objetivos dele, em sua opinião?
Na entrevista já mencionada acima, Usui Sensei diz que o espírito [coração--mente] de uma pessoa saudável é semelhante ao de Deus ou de Buda, e assim essa pessoa será feliz por si mesma e espalhará a felicidade ao seu redor.

Usui Sensei foi um Cristo [um ungido]? O Reiki tem algo a ver com a cristandade? Usui Sensei foi um religioso?
Em sua pedra memorial está escrito que ele nutria interesse pelas religiões do mundo. Mas não foi um Cristo.

Como a sociedade japonesa reagiu a Usui Sensei? Ele era muito conhecido? Tinha amigos e inimigos?
Ele se tornou conhecido durante o Grande Sismo do ano de 1923 e foi condecorado pelo Tenno [imperador] por esse motivo. (*Observação do autor*: perguntei certa vez nos escritórios da casa imperial se seria possível comprovar esse fato, mas responderam-me que milhares e milhares de pessoas tinham sido condecoradas pelos Tennos e que a casa imperial não guardava registros disso, a não ser em casos muito excepcionais.)

Usui Sensei enriqueceu graças à sua atividade com o Reiki? Ele se interessava por dinheiro, poder e celebridade? Quanto custava antigamente um treinamento de Reiki?
Um treinamento de Reiki até o grau de *Okuden* custava então cerca de 50 ienes. (*Observação do autor*: isso equivale hoje em dia a cerca de 3.500 euros.)

Por quantos anos Usui Sensei ensinou o Reiki?
Ele ensinou de 1922 até sua morte em março de 1926.

Ele ensinava exclusivamente o Reiki ou tinha também outras atividades?
Ele teve uma carreira muito variada, mas nos últimos anos ensinou exclusivamente o Reiki.

Usui Sensei esteve no exterior? Em caso afirmativo, onde e por quanto tempo? Ele encontrou ali o que procurava?
Ele esteve no exterior em missão política com o conde Shimpei Goto. As estadias no exterior não tiveram nada a ver com o Reiki.

Existem documentos escritos ou fotografias que documentem sua vida?
Existe um manual de Usui Sensei intitulado Reiki Hikkei no Shiori. O sr. Oishi conserva uma bela foto dele. De resto, existem poucos documentos e fotos. Durante a guerra, a Usui Reiki Ryoho Gakkai se aliou ao movimento pela paz e teve de trabalhar em segredo, mudando de endereço muitas vezes. Mais tarde, o escritório foi bombardeado pelas forças aéreas em Tóquio, e o que pudera ser salvo até então se perdeu.

E quanto aos descendentes de Usui? O Senhor sabe alguma coisa sobre eles?
Não.

Os descendentes de Usui têm algo a ver com o Reiki?
Até onde sei, eles não têm nada a ver com o Reiki.

Perguntas sobre Hayashi Sensei

O senhor já ouviu falar em Chujiro Hayashi? Dizem que foi um sucessor de Usui Sensei.
Hayashi é um nome comum, mas não me lembro de nenhum *Shihan* com esse nome. O sucessor de Usui Sensei foi Uchida Sensei. (*Observação do autor:* isso se deve ao fato de que Ogawa Sensei começou a praticar o Reiki muito tempo depois da fundação da Associação de Reiki de Hayashi – e depois da morte de Hayashi Sensei. Mais tarde, Ogawa examinou de novo os documentos que guardava e encontrou o nome de Hayashi Sensei como *Shihan* da Usui Reiki Ryoho Gakkai.)

Ele estava em sua linhagem reikiana?
A resposta está contida no que já foi dito.

O senhor sabe algo sobre ele, sobre sua vida e seu trabalho? Em caso afirmativo, onde ele vivia e o que fazia profissionalmente? Alguma vez entrou em conflito com Usui Sensei ou com um de seus descendentes? O senhor sabe algo sobre seus descendentes? O que ele modificou no sistema original?
* Todas essas perguntas, às quais Ogawa Sensei não soube responder, foram esclarecidas mais tarde por Chiyoko Sensei.

Hayashi Sensei foi sucessor de Usui Sensei ou seu grande mestre?
O sucessor de Usui Sensei foi Ushida Sensei. Não conhecemos a expressão "grande mestre" com relação ao Reiki. O presidente da Usui Reiki Ryoho Gakkai é chamado "*Kaicho*". O *Kaicho* atual é Koyama Sensei.

Naquela época existia o título "mestre de Reiki"?
O professor era chamado *Shihan*.

Perguntas sobre Takata Sensei

Alguma vez o senhor já ouviu o nome de Hawayo Takata Sensei? Ela está em sua linhagem reikiana?
Não, nunca ouvi o nome dela. [Mais tarde se descobriu que Takata Sensei recebeu o treinamento de *Shihan* na associação de Hayashi Sensei, e não na Usui Reiki Ryoho Gakkai.]

As demais perguntas são supérfluas por esse motivo.

O senhor sabia que ela se autonomeou "grande mestre" do Reiki nos Estados Unidos, afirmando que todos os praticantes do Reiki japonês tinham morrido?
Sim, Mitsui Sensei me contou isso há mais de 10 anos e não consigo compreender o motivo.

Perguntas sobre a prática do Reiki

Seu sistema de Reiki é dividido em vários graus diferentes?
Existem *Shoden*, *Okuden* e *Shinpiden*.

Quantos graus existem, e o que é ensinado em cada um deles?
No *Shoden* se ensina como tratar outra pessoa e a si mesmo. Depois, explica-se o *Byosen*. O *Okuden* ensina o tratamento mental e a distância. No *Shinpiden* se aprende a iniciar alguém no Reiki e formar outras pessoas.

Qualquer pessoa pode aprender os três graus?
Teoricamente, sim. Se uma pessoa progredir bem no *Shoden* e sentir claramente e entender o *Byosen*, poderá passar para o *Okuden*. O *Shinpiden*, porém, não é para qualquer um. No momento existem somente seis *Shihan* na Usui Reiki Ryoho Gakkai, para um total de cerca de 500 membros.

Quem decide se alguém pode ou não ser Shihan?
Só o *Kaicho* [presidente da associação] decide isso.

Existe uma regra sobre o tempo necessário para passar de um grau para outro? Existem outras condições de caráter social, religioso ou outro?
Tudo depende dos progressos do aluno no trabalho prático.

Quanto custa aprender Reiki? O dinheiro tem alguma importância no Reiki? O senhor sabia que no Reiki ocidental é possível ganhar muito dinheiro? No Ocidente, o grau de professor custa 10 mil dólares, ou cerca de 1 milhão de ienes.
A filiação como membro da Usui Reiki Ryoho Gakkai custa 10 mil ienes por mês [equivalentes a cerca de 100 dólares]. Isso dá direito a tomar parte no *Reiju-Kai* (encontros de sintonização) e aprender.

Antigamente os alunos de Reiki recebiam a iniciação? Em caso afirmativo, quem os iniciava, e com que frequência? Ou só alguns alunos se tornavam iniciados? Como se ensinava o Reiki no caso de alunos não iniciados?

Todo aluno de Reiki recebe o *Reiju*, e assim o Reiki é transmitido segundo as instruções de Usui Sensei. Nos tempos de Usui Sensei, ele pedia aos novos alunos que se sentassem com as mãos postas. Então, ele percorria as fileiras e segurava as mãos dos participantes. Sentia seu potencial energético, e aqueles que estavam prontos recebiam em seguida o *Reiju*. Os que ainda não estavam preparados tinham de fazer exercícios de percepção.

Quando faz um tratamento de Reiki, o senhor usa doze ou quinze posições das mãos [que correspondem às glândulas endócrinas, aos órgãos internos e/ou aos chakras]? Quanto tempo fica na mesma posição? Mantém os dedos juntos? E usa ambas as mãos? Foi assim que aprendemos.

Não usamos nenhum sistema além do *Byosen*. Uma pessoa que aprende a ouvir o *Byosen* não precisa de sistema. Ela se deixa conduzir pelo corpo do paciente e lhe dá o que ele necessita. O mais importante é tratar a cabeça. Às vezes, é preciso ficar uma hora ou mais numa única posição, por exemplo o *tanden*.

O senhor trata pacientes com vários praticantes de Reiki ao mesmo tempo?

Sim, nós chamamos isso de *Shu Chu Reiki*.

Qual é a duração mínima de uma sessão de Reiki? Em quantos dias seguidos as sessões podem se repetir? O senhor trata dores diretamente, colocando suas mãos sobre a parte dolorida do corpo? O senhor toca o corpo ou trabalha com a aura?

A sessão deve durar o tanto que o corpo exigir. Quando o *Byosen* desaparece, o problema foi resolvido. No caso de dores, deve-se tocar a parte do corpo até a dor sumir. Em vez de tocar o corpo diretamente, pode-se trabalhar acima do corpo, quando é impossível tocar a parte do corpo afetada.

Quantos símbolos o senhor usa, e qual a origem deles?

Usamos os símbolos do segundo grau. Eles têm origem na cultura japonesa. O símbolo da cura mental é um *bonji* (*observação do autor*: uma sílaba do alfabeto *siddham*, do sânscrito). As espirais vêm do xintoísmo.

O símbolo da cura a distância é um kanji?

É um *Jumon*, uma fórmula mágica que consiste em cinco *kanji* combinados entre si.

O que o Senhor tem a dizer sobre o símbolo do mestre de Reiki?
Não conheço esse símbolo.

O que é considerado secreto em sua corrente de Reiki? Os segredos são guardados também no interior da Usui Reiki Ryoho Gakkai, ou apenas para as pessoas de fora?
Conforme os progressos de cada pessoa, ela aprende determinadas técnicas. Não são secretas, pois são transmitidas a todos aqueles que têm condições de trabalhar com elas.

Perguntas genéricas

Em sua opinião, o que é o Reiki?
É um método misterioso de convidar a felicidade, e uma medicina espiritual para todas as doenças.

O Reiki é um método para um grupo de pessoas seletas, ou qualquer pessoa pode tirar proveito dele?
Qualquer um pode praticar o Reiki.

É preciso uma formação especial, um diploma universitário, uma idade específica ou uma vivência espiritual para poder praticar o Reiki?
Não.

Quantas pessoas praticam o Reiki no Japão? O senhor acredita num caminho certo e num caminho errado de Reiki? Se sim ou não, por quê?
Só sei que nossa associação tem cerca de 500 membros. O Reiki que vem do Ocidente está sendo cada vez mais ensinado, mas não sei quantas pessoas o praticam. Só existe um Reiki. (*Observação do autor*: pense no significado da palavra "rei-ki" – energia espiritual.)

O que é a cura? Ela começa no corpo ou na mente? Corpo e mente são uma coisa só? Qual a influência do Reiki na saúde do praticante?
É preciso começar com a mente, o espírito. O Reiki é purificação a partir de dentro, é trabalho com o caráter e a personalidade. Tenho 90 anos de idade.

O senhor sabe o que está acontecendo no Ocidente em nome do Reiki? Um grupo patenteou as palavras Usui, Reiki e Usui Shiki Ryoho para seu uso exclusivo. O que o senhor acha disso?
(Ele balança a cabeça, perplexo.)

O senhor já tinha sido contatado antes por adeptos ocidentais do Reiki?
Sim, no ano de 1984 fui procurado por Mieko Mitsui, professora da Radiance Technique®.

Shizuko me contou que o senhor escreveu um livro intitulado Jeder kann Reiki ausüben [Qualquer Pessoa pode Praticar o Reiki]. *Minha editora com certeza teria interesse em publicar o livro. O senhor concordaria?*
Obrigado pelo oferecimento, mas não desejo isso.

Obrigado pela entrevista. O senhor se opõe à publicação de sua fotografia?
Não tem problema, vocês podem publicar minha fotografia.

Entrevista com Chiyoko Yamaguchi

Depois que conheci Chiyoko Sensei no ano 2000, Tadao Sensei e eu planejamos um projeto conjunto na forma de livro. Uma parte do livro deveria ser uma entrevista com Chiyoko Sensei. Mandei as perguntas a Tadao Sensei e ele se sentou com a mãe diante de uma xícara de chá para a entrevista. O projeto de livro nunca veio à luz como tínhamos planejado, mas eu não gostaria que a entrevista permanecesse inédita. As informações sobre Hayashi Sensei são incompletas e foram completadas mais tarde, ao longo dos anos, por Tadao Sensei (ver pp. 88ss.).

Pergunta: Quando e onde você nasceu?
Resposta: Em Kyoto, no dia 18 de dezembro de 1921.

Como se chamam seus pais?
Meu pai se chama Torasaku Iwamoto, e minha mãe, Toki Iwamoto.

Quantos irmãos você tem, como eles se chamam e quando nasceram?
Somos sete irmãos. Meu irmão mais velho se chama Masanobu, a irmã mais velha é Katsue, depois vêm Noboru, Yoshio, eu mesma, Hisako e Tokijiro. Os dois primeiros nasceram em Osaka Sakai, os demais em Kyoto.

Você vivia com sua família ampliada, tias, tios etc.? Ou vivia com os avós?
Cresci com o grande amor de minha avó.

O que seu pai fazia profissionalmente?
Meu pai tinha um comércio de alimentos em Kyoto.

E sua mãe?
Minha mãe era dona de casa.

Em que escola você estudou?
Cursei o primeiro ano escolar em Kyoto. Do segundo ao terceiro ano morei em Osaka com Wasaburo Sugano e a família de minha mãe, e ali frequentei a escola Tezukayama Gakkuen. No quarto ano mudei-me para Daishoji Kinjyo Shogaku, na província de Ishikawa, e ali vivi até me casar.

Frequentei o ginásio de Daishoji. Cresci também na família Ushio. O nome de minha avó era Missu Ushio.

Que tipo de criança você era?
Pensando nisso agora, acho que fui uma criança simples e aberta, de personalidade forte. Embora tivesse de mudar de escola várias vezes, sempre me adaptei rapidamente.

Com que idade você deixou de estudar?
Deixei a Daishoji Jyogakko Koko [escola para meninas] aos 17 anos.

O que você fez depois de concluir os estudos?
Minha avó tinha mentalidade conservadora, mas achava importante que as netas tivessem boa formação escolar [coisa que não era comum naquela época].

Depois de terminar os estudos, estudei corte e costura [confecção tradicional de quimonos] por dois anos e depois cerimônia do chá e *ikebana* [composição floral]. Todos os dias.

Quando e como você ouviu falar em Reiki pela primeira vez?
Meu tio/pai adotivo me contou que tinha estudado Reiki em Osaka, e eu logo me interessei pelo assunto.

(*Observação do autor*: em 1928, Wasaburo Sugano estudou os graus de *Shoden* e *Okuden* com Hayashi Sensei.)

Quantos parentes seus praticavam o Reiki?
Meus pais adotivos e dois de meus irmãos [Katsue e Yoshio] aprenderam o Reiki, assim como vários primos e primas com seus esposos e esposas, assim como alguns de nossos vizinhos.

E quantos deles levavam isso a sério?
Meus pais adotivos eram empresários bem-sucedidos em Osaka, quando meus irmãos e eu ainda não estávamos casados [e tínhamos tempo livre]. Meu primo e minha prima [ou seu esposo e esposa] tinham uma fábrica têxtil no interior. Ao todo, entre irmãos e casais de primos, éramos sete ou oito pessoas que tinham aprendido o Reiki e desde então o praticavam conscienciosamente.

Onde vocês viveram durante a guerra?
Na Manchúria.

O que aconteceu com vocês depois da guerra?
Depois da guerra nos mudamos para Suo Machi Daishoji, na província de Ishikawa, para viver com a família de meu marido.

Como se chama seu marido? Quando vocês se casaram?
Meu marido se chama Shosuke Yamaguchi. Nós nos casamos em fevereiro do ano Showa 17 [1942] e em seguida fomos viver na Manchúria. Fiquei lá até o final da guerra.

O que seu marido fazia profissionalmente?
Ele trabalhava para uma grande empresa chamada Okura Yoshi.

Ele também praticava o Reiki?
Sim, ele aprendeu o *Shoden* com a Sra. Sugano, um pouco antes de nosso casamento. Aprendeu com sua tia, no círculo familiar, e só conhecia os fundamentos. Não se aprofundou no trabalho tanto quanto eu.

Qual foi a influência do Reiki em sua vida?

Como foi que o Reiki mudou sua visão de mundo, como você encara a si mesma e as outras pessoas?
Aprendi com meus pacientes em toda a minha vida, e isso acontece até hoje.

O Reiki fez você feliz, lhe deu mais profundidade e consciência de si mesma?
Sempre fiz o melhor que podia, e aqueles a quem dei o Reiki ficaram felizes com isso. E isso, por sua vez, me fez feliz – foi bom ter podido aprender e praticar o Reiki.

Você trata a si mesma? Em caso afirmativo, por quanto tempo?
Sempre que tenho tempo, dou Reiki a mim mesma todos os dias, desde que o aprendi. Depois que fiquei mais velha e passei a ter mais tempo livre, sempre me dou Reiki quando vou descansar. Quando por exemplo não consigo dormir, faço isso às vezes por duas horas. Quanto mais envelheço, mais eu me dou Reiki. Mas o Reiki funciona melhor quando você trata outras pessoas.

Como o Reiki influenciou a relação a dois?
Tratei meu marido diariamente. Ele teve sequelas graves por causa da guerra, então pude me ocupar bem dele. A coisa acontecia sem grandes complicações – é bom quando não se precisa correr para o médico por qualquer motivo. Graças à propaganda boca a boca, tratei outras pessoas diariamente, e meu marido me apoiou nessa atividade.

E qual foi a influência do Reiki na vida familiar?
Sou grata por ter aprendido o Reiki, pois assim pude criar meus filhos com paz interior e com o Reiki. Sempre tive o apoio espiritual do Reiki.

E os netos?
Meus netos também valorizam o Reiki e me procuram quando precisam de tratamento.

Como o Reiki influenciou sua vida profissional?

Você praticou o Reiki a vida inteira?
Eu o pratico há cerca de 60 anos, e com o passar do tempo ele ficou cada vez mais forte. Mesmo em idade avançada o Reiki se fortaleceu cada vez mais, e meus pacientes, assim como eu mesma, tiram proveito disso.
Tratei com o Reiki todas as pessoas que me procuraram pela propaganda boca a boca.

Essa era sua ocupação principal? Quanto tempo por semana você destinava aos tratamentos de Reiki?

O Reiki não era para mim uma atividade lucrativa, mas eu atendia todos os dias. Olhando minha vida em retrospecto, acho que dediquei ao Reiki boa parte dela. Quando uma pessoa da vizinhança me procurava, por exemplo, com uma queimadura ou algo parecido, eu a tratava diariamente durante semanas, até que ela estivesse curada.

Com que frequência você atendia seus clientes?

Queimaduras graves, por exemplo, saram totalmente se forem tratadas diariamente por duas semanas, durante pelo menos uma hora. No caso de queimaduras leves, com base em minha experiência, cerca de uma semana é suficiente. Eu "encaixava" então as sessões em minha jornada de trabalho. [Chiyoko Sensei tinha uma papelaria e atendia os pacientes no horário comercial. Quando chegava algum cliente da papelaria, ela fazia uma pequena pausa.]

Tive pacientes que vinham de cinco a seis vezes por semana, e outros que vinham uma vez por semana. Outros ainda vinham só uma vez por mês. É impossível planejar exatamente. Tudo depende de cada caso. De qualquer forma, é preciso tratar o paciente até que o *Byosen* desapareça – ou seja, você tem de decidir a duração do tratamento para cada paciente. A duração também depende muito do tipo de doença. Quando o paciente se sente melhor, pode-se interromper o tratamento. Os pacientes continuavam me procurando até eu lhes dizer que já era suficiente.

Perguntas sobre Hayashi Sensei (informações mais detalhadas podem ser lidas à p. 88)

Sabe alguma coisa sobre a origem familiar de Hayashi Sensei?
Conheço a mulher dele, Chie, e sei que eles têm filhos, mas é só.

E sabe alguma coisa sobre a religião dele?
Não.

Onde ele nasceu, como se chamavam seus pais, que escola frequentou e, mais tarde, em que universidade estudou?
Não sei. Ele vem da província de Niigata. Estamos tentando descobrir outros detalhes da vida dele.

Por que seu tio [tio de Chiyoko] se interessou pelo Reiki?
Acho que meu tio era um homem curioso e sentia interesse por assuntos espirituais.

Como ele conheceu Hayashi Sensei?
Não sei dizer.

O que ele fez por Hayashi Sensei?
Ele estava convicto dos benefícios do Reiki e divulgou os ensinamentos para muitas pessoas do interior interessadas em Reiki.

Como e quando você conheceu Hayashi Sensei?
Conheci Hayashi Sensei quando ele chegou à província de Daishoji para conduzir um seminário organizado por meu tio.

O que você aprendeu com ele?
Em abril do ano Showa 13 [1938], tomei parte no *Okuden* de Hayashi Sensei em Daishoji.

Fale-nos, por favor, sobre os treinamentos que você fez com Hayashi Sensei.
Minha primeira impressão de Hayashi Sensei foi a de um homem alto, bem-vestido e muito culto, aparentemente oficial da Marinha. Eu o admirava muito. Ele sempre dizia que o ser humano é o ponto alto da Criação e deveria se comportar como tal.

Quantos participantes havia nesse seminário?
Éramos cerca de 10.

Quanto tempo durava um treinamento?
O seminário durava cinco dias. Trabalhávamos diariamente das 10 às 12 horas. Depois fazíamos uma pausa para o almoço e às 14 horas retomávamos o trabalho, até mais ou menos 17 horas. Frequentei os cinco dias e aprendi o *Shoden* e o *Okuden*.

Quanto custou o seminário naquela época?
O seminário inteiro custou 50 ienes.

Quanto isso valeria hoje em dia?
Naquela época, um professor ganhava 30 ienes de salário mensal. Hoje em dia, isso valeria cerca de 400 a 500 mil ienes [aproximadamente 3.500 euros].

Era muito dinheiro. Além disso, era preciso tirar folga de cinco dias, e para muita gente isso era impossível. Por isso, só um grupo muito específico de pessoas da classe alta tomava parte nos seminários. Além disso, a participação dependia da recomendação de outra pessoa [alguém que Hayashi Sensei ou Sugano Sensei já conhecessem]. A pessoa que fazia a recomendação era muito importante.

Qualquer um podia aprender imediatamente o Shoden *e o* Okuden *com Hayashi Sensei, ou alguns tinham de esperar entre um grau e outro?*
Não era tão simples ser aceito em cada um dos graus.

Qualquer pessoa podia se tornar um Shihan?
Naquela época só havia dois, e meu tio era um deles.

Quais eram as exigências? Havia uma prova?
Meu tio organizava [isso] para Hayashi Sensei...

Quanto custava o treinamento de Shihan?
Com certeza custava alguma coisa, mas não sei quanto.

O Shihan *tinha permissão de ensinar logo depois do treinamento?*
Os *Shihan* formados por Hayashi Sensei tinham de trabalhar primeiro como seus assistentes antes de poderem atender por conta própria.

Onde Hayashi Sensei conduzia seus seminários?
Às vezes os seminários aconteciam na casa de meus parentes, e uma vez aconteceu na minha casa. Eles exigiam bastante espaço, e por isso eram quase sempre organizados nas casas grandes de famílias abastadas.

Como se dava exatamente um seminário? Quantos dias durava, quantas horas se trabalhava por dia?
Cinco dias, 50 ienes, cerca de 6 horas por dia.

Quantas vezes você esteve com Hayashi Sensei?
Estive com ele cerca de 15 a 20 vezes.

Que tipo de pessoa era ele? Amigável, severo, divertido, filosófico, sério, brincalhão?
Era um bom homem, honrado e respeitável, alguém que caminha sobre as nuvens [expressão idiomática japonesa que designa alguém de grande valor espiritual – próximo dos deuses]. Alto e muito bem-apessoado. Mas também muito sério e exigente.

Que tipo de pessoa era a mulher dele, Chie?
Era carinhosa e amável. Uma boa mulher.

Você se lembra de alguma conversa que teve com um dos dois, por mais superficial que tenha sido? Por favor, fale-nos a respeito.
Naquela época eu ainda estava na escola e era tímida demais para conversar com eles.

Quantos Shihan foram formados por Hayashi Sensei? Ouvimos dizer que foram 13 [como está no certificado de Shihan de Takata Sensei]. Sabe os nomes deles?
Se me lembro bem, em nosso grupo foram quatro. Dois deles eram meu tio e minha tia, mas não me lembro dos nomes dos outros.

Havia uma hierarquia ou divisão clara entre Shoden, Okuden *e* Shihan*?*
Isso não havia em nosso grupo de Ishikawa. O Reiki nada tem a ver com *shukyo* [religião, seita].

Hayashi Sensei trabalhava sozinho ou tinha assistentes?
Ele vinha duas vezes por ano, uma vez na primavera e outra no outono. Depois de sua morte, era sua mulher que nos visitava. Ele sempre viajava sozinho, mas escolhia assistentes entre as pessoas que tinham organizado o seminário.

Hayashi Sensei viajava muito? Você sabe onde ele dava aulas?
Ele viajava muito, mas não sei dizer aonde ia.

Hayashi Sensei conduzia o Reiju sozinho ou com vários Shihan *[como fazemos hoje em dia]?*
Eles sempre conduziam o *Reiju* em dupla. Hayashi Sensei e meu tio, que organizava as coisas. Com certeza treinaram essa colaboração.

Quando Hayashi Sensei se separou da Usui Reiki Ryoho Gakkai?
Só sei que foi com ele que aprendemos o Usui Reiki Ryoho.

Como eram seus alunos? A que camadas sociais pertenciam?
Os participantes em Daishoji eram em grande parte de famílias abastadas. Eram homens de negócios, donas de casa e parteiras. Não sei nada sobre os outros grupos [em outros lugares do país].

Havia pessoas conhecidas entre seus alunos?
Em Ishikawa não havia personalidades conhecidas.

Onde trabalhava Hayashi Sensei?
Ele sempre viajava de Tóquio para Ishikawa. Isso é tudo o que sei.

Ele praticava a medicina ocidental?
Ele não era contra o uso de remédios para tratar doenças, e não se opunha a curas termais.

Depois de se aposentar da Marinha, ele trabalhou exclusivamente com o Reiki?
Até onde sei, o Reiki era sua única atividade.

Você sabe por que ele se suicidou?
Ele trabalhava para o bem da humanidade, curou outras pessoas, mas na guerra foi obrigado a matar... Naquela época, um oficial da Marinha não tinha outra opção a não ser o suicídio.

Existem boatos de que Hayashi Sensei teria tido um caso com Takata Sensei. Sabe alguma coisa sobre isso?
Algo assim não seria condizente com a dignidade de um oficial. Por isso, acho muito improvável.

Quem assumiu a direção da Hayashi Reiki Kenkyukai depois da morte de Hayashi Sensei?
Depois de sua morte, sua mulher Chie Hayashi passou a dirigir a associação. Também por esse motivo, acho improvável que ele tenha tido alguma coisa com Takata Sensei. Chie Hayashi nunca disse nada a respeito. (*Observação do autor*: se o motivo do suicídio fosse uma aventura amorosa, Chie Hayashi com certeza não teria assumido a associação.)

O que aconteceu à associação depois da morte dele?
Chie Hayashi assumiu a direção do grupo, mas não sei muito a respeito porque me encontrava na Manchúria.

Ainda existem pessoas vivas que aprenderam com Hayashi Sensei, sua mulher ou os outros Shihan?

Não que eu saiba. Mas aqueles que fizeram a formação de *Shihan* com certeza continuam usando o Reiki em suas famílias como medicina caseira. Nenhum deles, que eu saiba, ensina publicamente.

Perguntas sobre a prática do Reiki

Quanto tempo duravam os seminários de Hayashi Sensei? Por quantos dias se trabalhava, e quantas horas por dia?

Cinco dias, seis ou sete horas por dia.

Normalmente, quantas pessoas tomavam parte num curso?

Ao todo, de 15 a 20 pessoas. Os alunos dele sempre apareciam e havia encontros para os membros da associação.

Ele ensinava o Shoden *e o* Okuden *juntos?*

Conosco, em Ishikawa, ele sempre juntava o *Shoden* e o *Okuden*. Não sei se agia diferente em outros lugares.

Os símbolos eram ensinados em que grau?

No *Shoden* aprendia-se um símbolo, e no *Okuden*, dois.

E quando se ensinava a cura a distância?

No último dia.

Hayashi Sensei divulgava seus seminários? Em caso afirmativo, onde e como? Ou só existia propaganda boca a boca?

A pessoa interessada tinha de ser recomendada por alguém e então podia tomar parte num seminário na base da confiança mútua. Tudo acontecia pela divulgação boca a boca.

Hayashi Sensei também apresentava palestras públicas sobre o Reiki ou outros assuntos?

Ele atendia pacientes. Não acredito que também desse palestras em público.

Créditos

Todas as fotos não creditadas abaixo são de autoria de Frank Arjava Petter. Ele também é autor das caligrafias dos símbolos do Reiki às pp. 14 a 20.

As caligrafias japonesas dos caracteres *kanji* que significam amor, alma, verdade, gratidão, transformação e entrega, às pp. 6, 30, 33, 119, 153 e 179, são de autoria de Hiroko Arakawa.

Foto 7:   Utako Shimoda, *domínio público, Internet*
Foto 17:   Barão Shimpei Goto, *domínio público, Internet*
Foto 23:   O imperador Meiji, *Windpferd, Oberstdorf*
Foto 24:   Depois do Grande Sismo de Kanto, em 1923, *cartões-postais da coleção de Frank Arjava Petter*
Foto 25:   Ushida Sensei, *cortesia de Tadao Yamaguchi*
Foto 32:   Usui Sensei em Shizuoka, *cortesia de T. Oishi*
Foto 33:   Assinatura do Tratado Internacional de Paz de San Francisco, *cortesia de McArthur Memorial Archives, Norfolk, VA*
Foto 34:   Usui Sensei e os *Shihan* treinados por ele poucas semanas antes de sua morte, *cortesia de Tadao Yamaguchi*
Foto 35:   Hayashi Sensei, *cortesia de Tadao Yamaguchi*
Foto 37:   Caligrafia do *Gokai* de Ushida Sensei, *cortesia de T. Oishi*
Foto 38:   Watanabe Sensei, *cortesia da Faculdade de Economia da Universidade de Toyama*
Foto 39:   Wanami Sensei, *cortesia da família Wanami*
Foto 40:   Em 1938, Chiyoko Yamaguchi aprendeu o *Shoden* e o *Okuden* com Hayashi Sensei, *cortesia de Tadao Yamaguchi*
Foto 41:   Hayashi Sensei trabalhando no Havaí, *cortesia de Tadao Yamaguchi*
Foto 42:   Ogawa Sensei, *cortesia da família Ogawa*
Foto 87:   Nao Deguchi, *domínio público, Internet*

Foto 88: Onisaburo Deguchi, *domínio público, Internet*
Foto 89: Mokichi Okada, *domínio público, Internet*
Foto 90: Haruchika Noguchi, *domínio público, Internet*
Foto 94: Gizo Tomabechi, *domínio público, Internet*

GRUPO EDITORIAL PENSAMENTO

O Grupo Editorial Pensamento é formado por quatro selos:
Pensamento, Cultrix, Seoman e Jangada.

Para saber mais sobre os títulos e autores do Grupo
visite o site: www.grupopensamento.com.br

Acompanhe também nossas redes sociais e fique por dentro dos próximos lançamentos, conteúdos exclusivos, eventos, promoções e sorteios.

/ editoracultrix
editorajangada
editoraseoman
grupoeditorialpensamento

Em caso de dúvidas, estamos prontos para ajudar:
atendimento@grupopensamento.com.br

Pensamento Cultrix SEOMAN JANGADA
GRUPO EDITORIAL PENSAMENTO